D1193189

Fútbol total

Fútbol total

Mi vida contada a Guido Conti

Traducción de
Juan Carlos Gentile Vitale

Título original: *Calcio totale*

© Mondadori Libri S. p. A., Milano, 2015

Primera edición: abril de 2016

© de la traducción Juan Carlos Gentile Vitale
© de esta edición: Roca Editorial de Libros, S. L.
Av. Marquès de l'Argentera 17, pral.
08003 Barcelona
actualidad@rocaeditorial.com
www.editorialcorner.com

Impreso por EGEDSA
Roís de Corella 12-16, nave 1
Sabadell (Barcelona)

ISBN: 978-84-944183-8-9
Depósito legal: B. 4.906-2016
Código IBIC: BM; WSJA

RC18389

Índice

A mi hermano Gilberto,
que, desde el Cielo, ha disfrutado y sufrido
junto a mí en el banquillo.

1

Fusignano

*H*ay un día en la infancia de cada uno que marca para siempre nuestra historia, nuestro destino. Algunos lo recuerdan, otros lo han olvidado. Yo lo tengo esculpido en la memoria.

Estábamos en pleno verano. Entonces Fusignano era un pueblo agrícola, los campos cultivados se extendían inmensos bajo un cielo infinito, tan vasto que, decían, nos volvía a todos locos. Entre los campos serpenteaban los caminos, donde solo pasaban carros tirados por caballos. Las calles, sin asfaltar, eran polvorientas.

Había caminado mucho, estaba cansado, sucio y sudado. Me senté sobre una piedra miliar, entre el chirrido de las cigarras. Una gran sed me secaba la boca. Estaba emocionado, ansioso: mi padre, Augusto, me había prometido un regalo porque había sido bueno en la escuela. Una de las primeras enseñanzas la aprendí precisamente de él: «Si te empeñas, serás recompensado».

Miraba a lo lejos, más allá del verde de los campos de trigo y los árboles llenos de frutos. De pronto, entreví una nube de humo levantándose en el horizonte. Era mi padre, que llegaba de la ciudad con uno de sus primeros automóviles. En cuanto lo vi, me puse de pie y corrí a su encuentro. Un poco por la luz, un poco por la sorpresa de verme por el camino, frenó en el último momento y se detuvo a algunos metros de mí. Permaneció mirándome detrás del cristal, mientras una nube de polvo nos envolvía. En el silencio de la llanura, abrió despacio la puerta y me miró sin decir una palabra.

Detrás de la espalda escondía mi primer balón. Dibujó una gran sonrisa y me lo lanzó. Yo lo cogí y lo miré, maravillado. Lo hice girar entre las manos. Un balón nuevo, con olor a cuero, con una costura que ocultaba la cámara de aire. Lo sopesé, oliéndolo profundamente. Luego, riendo, bajo la mirada divertida de mi padre, le di una patada y lo lancé a las nubes.

Mi padre ha sido muy importante en mi vida. Como revela su apellido, Sacchi, era lombardo, originario de Mandello del Lario. Había vuelto a casa al final de la guerra, después de haber trabajado con los torpederos como mecánico. Una vez le pregunté: «Pero tú, papá, ¿no tienes amigos?». Después de un largo silencio, él me respondió, sin mirarme a los ojos: «No. ¡Están todos muertos!». De los soldados que volaban en aquellos aviones, solo un pequeño porcentaje volvió a casa. Él había sido uno de esos pocos.

Yo nací el 1 de abril de 1946, cuatro años después que mi hermano Gilberto. Si hago cuentas, creo que mi padre, en cuanto volvió a casa, tuvo muchas ganas de ver a mi madre. He heredado de él su gran fuerza de voluntad. Siempre he intentado practicar un juego bello, capaz de expresar la alegría de vivir, para hacer que el público se divierta. Este impulso vital y estas ganas de vivir los sueños es algo que mi padre me dejó en herencia, una enseñanza que transmitir a las nuevas generaciones.

Mi padre leía siempre *La Gazzetta dello Sport*. En el

pueblo, era el único que compraba el periódico. Al final de la semana hacía un trueque con nuestro vecino de casa, un hortelano que usaba el *Corriere* y otros periódicos para hacer «*al scartòz*», como lo llaman aún aquí en Fusignano: el cucurucho para vender las cerezas o la fruta en general. Era un intercambio justo.

Vivíamos con la abuela en una casa enfrente de la villa del poeta Vincenzo Monti, traductor de la *Ilíada*, que había residido en Fusignano. Mis abuelos tenían un horno. Así pues, allí había un continuo ajetreo de gente.

De niño me gustaban todos los deportes. Si jugaba con el balón, imaginaba que era Boniperti o Pandolfini; si corría en bicicleta, pensaba que era Coppi o Bartali. Esta es una tierra de carreras y de velocidad; también esto lo llevo en el ADN. Con mi padre, solía ir a Imola para asistir a las competiciones automovilísticas. Sin embargo, después de presenciar un accidente mortal, no quise volver.

Cuando recibí como regalo el primer balón de cuero, todos querían jugar conmigo. Con los mayores nunca conseguía tocar la pelota, no me divertía en absoluto. Una vez me enfadé tanto que corrí, agarré el balón y me marché sin despedirme. No me estaba divirtiendo. ¡Y el balón era mío! Y ser el protagonista, el dueño del campo y del balón ya era por aquel entonces, y siempre lo será, algo capital en mi visión del juego. Además, aquel era un regalo de mi padre.

Recuerdo una vez en San Mauro… Tenía ocho años, estaba en la playa con una tía. En un momento dado, desaparecí. Me buscaron, preocupados, por todo el paseo marítimo. Poco a poco, el temor dio paso al pánico. Luego mi tía tuvo una iluminación. Fue al centro, a un bar donde solía detenerme. Estaba lleno de gente, una multitud nunca vista. Allí estaba el único televisor del pueblo. La RAI, por primera vez en su historia, transmitía el Mundial de Fútbol. Era 1954. Yo estaba de pie sobre una mesa, entre el humo de los cigarrillos y los gritos de la gente amontonada. Observaba atentamente las imágenes que en blanco y negro llegaban de no recuerdo qué partido. Contemplaba el televisor, observando, encantado, las acciones y los goles. Era como soñar con los ojos abiertos. No podía imaginar que, exactamente cuarenta años después, dirigiría a la selección italiana en el Mundial de 1994. Y tampoco podía imaginarlo cuando miré la final de México 1970, con cuarenta y uno de fiebre después de haber comido un plato de mejillones.

De chaval era una auténtica pesadilla. Mi madre, la *Lucia di furnèr*, Lucía de los Panaderos, como la llamaban en el pueblo, sabía que su hijo siempre se iba a meter en problemas. Trepaba a los árboles, corría a pie y en bicicleta; luego desaparecía siempre durante un buen rato.

En cierta ocasión, en Montecatini, mi madre no daba conmigo. Yo solía perderme por ahí; su desesperación no me inquietaba lo más mínimo. En un momento dado, haciendo preguntas a la gente por la calle, alguien le señaló a un niño parlanchín que disertaba de fútbol con un grupo de personas. Me escuchaban fascinados. Mi madre no me gritó: me cogió de la mano y me llevó a casa.

No me gustaba ir a la escuela. Me parecía que perdía el tiempo, creía que las asignaturas que se estudiaban no tenían nada que ver con la realidad; aquel mundo no me parecía interesante. En clase no estaba atento, no estudiaba. Solía mirar por la ventana o soñaba despierto con crónicas televisivas de partidos de fútbol.

Acabada la escuela, me inscribí en Contabilidad, en Lugo. Fue un desastre. Junto con un amigo, incluso llegué a organizar una huelga para protestar contra los experimentos nucleares de China. Otra vez fuimos al cine en Rávena, ¡y en el autocar de regreso nos encontramos al director de la escuela! Permanecimos todo el viaje escondidos detrás de los asientos, en el fondo, confiando en que no nos viera. Y otra vez, para justificar todas las ausencias, un amigo, cuyo padre era administrador del hospital, robó un recetario que usamos entre cuatro o cinco, con firmas falsas. Se montó una buena. De hecho, me quedaron todas las asignaturas para septiembre.

Mi madre se llevó un disgusto enorme por lo mal estudiante que fui. Es uno de los grandes errores de mi vida, pues luego he debido estudiar durante otros cuarenta o cincuenta años. Quería zambullirme en la vida. Los jóvenes como yo fundaban empresas, apostaban por el negocio de los zapatos. Sentía el frenesí de un pueblo con vocación agrícola que se estaba convirtiendo en un polo industrial y manufacturero.

Y, además, no me gustaban las imposiciones. Una vez no quise ir con mis padres a ver a la Spal, el equipo de Ferrara en que mi padre había jugado de joven. Ellos, como castigo y venganza, cogieron mi motocicleta, le pusieron un candado y la guardaron en un garaje. Cuando volvieron del partido, ya había abierto la puerta y serrado el cerrojo.

Se puede decir que nací con doble alma: una lombarda y una romañola. La lombarda viene de mi padre: trabajar duro, espíritu de sacrificio, de esfuerzo, afán perfeccionista. En Fusignano, mi padre era socio de dos fábricas de zapatos. Salía a las siete de la mañana, volvía a casa a comer algo y luego se iba de nuevo hasta la hora de la cena. Cuando terminaba, a veces trabajaba en casa hasta la una o las dos de la mañana. Fue un ejemplo para mí, me hizo entender qué quería decir comprometerse dura y tenazmente.

Mi alma romañola, soñadora y enérgica, que heredé de mi madre, Lucia, hunde sus raíces en la tierra. Sueños y algo de locura. Pienso en esa parte de mí cuando recuerdo mis visiones. Dicen que la locura y los sueños de los romañolos que viven entre Imola, Lugo y Fusignano responden a la presencia de dos instituciones: el manicomio central y el manicomio de la Observancia, construidos en Imola entre finales del siglo XIX y principios del XX. Sus dimensiones eran tales que parecían ciudades dentro de una ciudad.

Siempre he pensado que para triunfar en la vida, sea en el campo que sea, es imprescindible ser capaz de soñar y una dosis de talento. Hace falta algo de locura. Sin embargo, tengo claro que más del noventa por ciento de cualquier éxito responde al estudio, al trabajo, a la planificación y a la renovación continua. Y eso es lo que he perseguido durante toda la vida.

Antaño, Fusignano era un pueblo agrícola que vivía siempre de noche. En invierno, los campesinos no tenían nada que hacer y permanecían charlando hasta el alba; en verano, se quedaban en la plaza tomando el fresco: por la mañana, hacia las cinco, volvían a casa, se duchaban y se iban a trabajar los campos. Se vivía de noche, entre el canto de los grillos, el olor del polvo y del heno cortado. Todo esto duró hasta la posguerra y el *boom* económico, cuando la costa se transformó en lo que aún hoy es el mito de la ribera, las vacaciones, el amor libre y el verano vivido con despreocupación, entre amigos y encuentros con chicas extranjeras.

Rímini, Riccione, pero, sobre todo, Milano Marittima, eran para nosotros, los jóvenes, sinónimos de diversión. El encuentro con las chicas alemanas y suecas nos abría al mundo, a las lenguas extranjeras, a otras culturas. A menos de una hora de camino, se pasaba de un pequeño pueblo de campo a un mundo completamente distinto, hecho de mar, bikinis y luces de neón, de alegría de vivir y aventuras. Luego, hacia las tres o cuatro de la mañana, nos citábamos en la plaza de Fusignano y nos contábamos las hazañas de la tarde anterior.

Recuerdo una noche en particular. Era quizá 1991 o 1992. Volvía hacia Fusignano con mi amigo Italo Graziani, *el Profe*, después de haber recibido un premio. A medianoche, en la plaza, encontramos a un amigo de Italo, que acababa de volver a Italia de Estados Unidos, donde vivía desde hacía años porque se había casado con una azafata estadounidense. Nos intercambiamos besos y abrazos; poco a poco, el norteamericano nos preguntó por sus amigos de juventud, cómo estaban, qué hacían.

—Si esperas, dentro de poco los verás por aquí —le respondimos.

Después de un rato comenzaron a llegar todos, uno tras otro, de la ribera. Hubo una gran fiesta. Entre los amigos de antaño faltaba solo uno. El norteamericano preguntó por él.

—¡Se ha enamorado de un travesti! —le respondió uno de la pandilla.

—¿Mi amigo se ha enamorado de un travesti? —se asombró el otro.

—Pero ¿tú dónde vives, en la Patagonia o en San Francisco? ¿No sabes que en el 2000 y en el nuevo siglo el amor será con los travestis?

El tipo estaba cada mes más descolocado. No entendía qué había sucedido en todos aquellos años. Uno de la pandilla comenzó a contar:

—La otra tarde estaba en Rímini, en el Paradiso. Una velada desagradable. No había nadie, solo alguna joven; de pronto, entra una muchacha, bellísima, maravillosa; con su presencia ilumina la oscuridad y las mesas vacías. Entonces la invito a mi mesa. Comenzamos a reír, a bromear, bebemos champán y nos divertimos como locos. Al final de la velada salimos en coche, nos apartamos y ella comienza a cubrirme de besos, dulces, en el cuello, en las manos, hasta que me abre la bragueta y me besa precisamente allí. Entonces, llevado por el ardor y el entusiasmo, ¿qué hago? Alargo la mano y busco las braguitas bajo la minifalda; después de un instante, me detengo. ¡Sorpresa!

—¿Y tú que hiciste?

—Era tan buena que, en un momento dado, dije: «Luego, cuando hayas terminado, tú y yo ajustaremos cuentas».

Todos nos echamos a reír, pero no acabó aquí la cosa. Cerca de la plaza, algunas mujeres estaban saliendo de una reunión de comerciantes. Una de ellas, hermosa y complaciente, una de esas que en toda la vida nunca han dicho que no a un hombre, había oído la historia. Entonces se acerca a nosotros y con una sonrisa maliciosa comenta en dialecto: «*Par nu dòn, a truvar n'uzél, l'è semper più difízil*». Es decir: «Para nosotras, las mujeres, encontrar "uno" es cada vez más difícil».

Creo que esta historia le habría gustado a Federico Fellini. Habría querido contársela, pero, por desgracia, nunca lo vi.

Fusignano, como todos los pueblos, era un lugar de personajes. Quiero destacar a uno en particular, el profesor Ido Silvagni, conocidísimo mucho más allá de los confines del pueblo, como astrólogo, cartomántico, espiritista y ocultista.

Había comenzado su carrera en el paseo marítimo como ilusionista a eso de mediados de los años cincuenta. En Marina di Ravenna era famoso por hacerse esconder en un agujero de arena y quedarse cataléptico.

Tres o cuatro horas después, antes de que la marea cubriera la playa, lo «resucitaban». Su acompañante en los números de prestidigitación era un conocido jugador de cartas, que, una vez, llevado por el ardor del juego, se olvidó del profesor. Más tarde se acordó, salió corriendo del garito y comenzó a correr gritando: «*A gò al profesòr a mol!*», porque la marea ya estaba cubriendo la playa.

El profesor Silvagni hacía las predicciones del horóscopo con la hora, el día y el año de nacimiento: así ya sabía cuál podía ser tu destino. Hay multitud de episodios y de historias sobre este personaje gigante, un hombretón que sabía indagar en las estrellas. Una vez, cuando entrenaba al Bellaria, me predijo que nos íbamos a salvar. Yo no soy supersticioso, pero el profesor Silvagni te ofrecía certezas. Desde entonces siempre he tenido en cuenta la carta astral de los jugadores. Y él las hacía con gran precisión y agudeza. Una vez predijo que Van Basten tendría lesiones durante toda su carrera: por desgracia, el delantero holandés tuvo que retirarse con solo veintiocho años. Un día le confesó a Gianni Mura, en un famoso artículo sobre mis orígenes, que «Sacchi tiene características astrológicas hitlerianas, es un Aries en conjunción con Marte, pero no tendrá un mal fin. Como Hitler, se ha hecho a sí mismo y tiene un gran poder de sugestión. ¡Pero no permanecerá demasiado en el fútbol y se dedicará al comercio!». Un perfil hitleriano: todavía hoy me hace reír.

Después de mis padres, quien más ha marcado mi destino fue Alfredo Belletti, *Pulsèina*, el bibliotecario del pueblo. Un verdadero personaje. Expartisano, nunca había defendido la tesis de licenciatura en jurisprudencia. Así pues, no era licenciado, pero era un pozo de ciencia y tenía una memoria formidable. Durante veinticinco años fue director y organizador de los congresos dedicados a Arcangelo Corelli, el más importante compositor barroco. Llevó hasta Fusignano, su pequeña patria, a directores de orquesta del calibre de Claudio Abbado, Riccardo Muti y Sergiu Celibidache. Ensayista y escritor prolífico, Belletti decía siempre, con una ironía desacralizadora, que Fusignano había sido la cuna de Arcangelo Corelli, del padre de la cantante Lara Saint Paul y de la periodista Lea Melandri, y que había aparecido en los mapas gracias a mí, como ocurrió con Uruguay por haber organizado el primer campeonato del mundo de fútbol. Cuando murió, en 2004, *Il Resto del Carlino* lo recordó con un largo artículo.

Solía pasar tiempo en el bar de los republicanos, uno de los lugares de reunión de Fusignano. A veces te lo encontrabas un tanto achispado: le gustaba beber. Gran apasionado del fútbol, era un personaje excéntrico, dispuesto, gran fabulador, querido por todos, una enciclopedia viviente. Para nosotros, los jóvenes, fue una especie de universidad. Me decía qué leer, me aconsejaba autores y novelas. Me hizo conocer a Pavese y a los grandes escritores italianos y extranjeros. Con él aprendí a atesorar ciertas máximas que me han ayudado a orientarme en la vida y en el trabajo.

Era directivo de la sección juvenil del Baracca Lugo, donde comencé a dar las primeras patadas al balón mientras estudiaba contabilidad. Se había casado con una maestra de primaria, una persona completamente distinta de él, elegante, que caminaba por el centro con abrigo de piel; una mujer que le echaba siempre en cara vivirlo todo, fútbol y cultura, sin ganar una lira. Porque él era así: lo hacía todo por pasión.

Belletti nos acompañaba en los viajes. Éramos chavales de catorce y quince años. Para ir a jugar nos cargaba a los once, y más, en un coche, un 1400 Multipla, donde viajábamos uno encima del otro. Una vez, precisamente un día de partido, debía acompañar a su mujer a la estación, porque ella trabajaba en la zona de Bérgamo. Ella se sentó delante; no quería a ningún chaval a su lado. Así pues, acabamos todos apretados atrás, aplastados como sardinas. A Alfredo, que había discutido acaloradamente con su mujer por habernos mandado a todos detrás, el cerebro le echaba humo, pero permaneció callado. Cuando llegamos a la estación, exclamó: «¡Hasta los zulúes saben qué es la hospitalidad, y ahora descarguemos el lastre!». E hizo bajar a su mujer.

Nosotros nos reíamos como locos por sus continuas peleas.

En una de las noches que pasábamos en la plaza o delante del círculo de los republicanos, Alfredo Belletti protagonizó un episodio muy particular. Apenas de vuelta a casa del viaje de bodas, uno de la pandilla lo pinchó:

—Entonces, abogado, ¿qué ha pasado?

En el silencio irreal del pueblo, las hazañas amorosas de Belletti recorrieron incluso doscientos o trescientos metros de distancia: el círculo de los republicanos no estaba muy lejos de su casa. Cuando, hacia las cinco de la mañana, regresó a casa, encontró la puerta cerrada.

—¡Ábreme! —aulló a su mujer, golpeando con los puños.

—¡Por esta vez te abro, pero la próxima…!

—¡La próxima echo la puerta abajo! —respondió él casi gritando, para que todo el mundo oyera qué estaba pasando.

Cuando lo volvieron a ver al día siguiente, sus amigos le preguntaron con un poco de malicia qué había sucedido; él respondió muy serio: «*La sintù tot!*»: lo ha oído todo.

En los últimos meses de vida, a Belletti lo ingresaron en el hospital.

—Alfredo, ¿cómo se siente? —le pregunté.

—Bien, estoy tranquilo, porque he pedido al Cielo que se me cumplieran tres deseos. El primero fue morir antes que mi hijo, y en esto he sido satisfecho. El segundo es morir sin sufrir, y espero seguir así —dijo, aunque en los últimos tiempos su enfermedad se había agravado—, y por último acabar la historia de Fusignano.

—¿Y cuánto le falta?

—¡Tres páginas!

Pero no consiguió ver el libro impreso.

En los últimos dos o tres meses, nuestros amigos comunes iban a verlo al hospital para jugar a las cartas, al *beccaccino*, un juego similar al tres sietes, conocido también como *maraffa* (es muy famoso en la Romaña). La última vez, en el momento de la despedida, le prometieron regresar quince días después.

—¡Dentro de quince días jugaréis con un muerto! —respondió él.

Y así fue.

Siempre tenía una ocurrencia preparada, con la ironía romañola que resquebraja lo trágico, que da ligereza a la vida, alivia el dolor y hace soportable la enfermedad.

Una tarde, los enfermeros se detuvieron a hablar entre ellos cerca de su cama. Él escuchó sus palabras.

—No pasa de esta noche —dijeron.

—¡Dadme ánimos! —respondió.

A él se lo debo todo. Fue quien me inició en el trabajo de entrenador. Me enseñó mucho de fútbol y a saber cómo funciona este juego.

Cuando en 1989 disputé con el Milan la primera final de la Copa de Europa contra el Steaua de Bucarest en el Camp Nou de Barcelona, desde Fusignano partió un microbús de diez plazas. A bordo viajó Belletti. No llevaba maleta, sino una bolsita de plástico del supermercado, con una muda, el cepillo y la pasta de dientes. El microbús llegó tarde. La ciudad estaba llena de hinchas y no había sitio en ningún hotel económico disponible. ¿Qué hacer? Los amigos de Fusignano encontraron sitio solo en el Grand Hotel Princesa Sofía, donde por una noche se pagaban al menos setecientas mil liras, casi el sueldo de un obrero de entonces. Un hotel rascacielos de cinco estrellas, con muchas palmeras en la entrada y una recepción que deja sin aliento, con una araña enorme de vidrio brillante. Todos los demás ya habían llevado el equipaje a la habitación y esperaban en el vestíbulo a Alfredo, que no llegaba. Querían ir a ver las Ramblas, llenas de hinchas del Milan y participar en la fiesta. Entonces lo llamaron a la habitación.

—Venga, Alfredo, ¡date prisa, que nos vamos! —lo incitaron.

Él respondió:

—¡Mirad, con lo que cuesta la habitación, para amortizar el gasto me voy de inmediato a la cama! ¡De hecho, no sé ni siquiera si mañana iré al partido!

La muerte de mi amigo Alfredo dejó un vacío insuperable en los familiares, en los amigos, en la comunidad de Fusignano y, sobre todo, en mí. Había dedicado la mayor parte de su vida a estudiar y a enriquecer a toda una ciudadanía, gracias también a ciertos eventos culturales. El apego a «su» tierra le había impedido emigrar a las grandes ciudades, donde habría podido expresar su increíble talento y ser recompensado mejor por él.

En Fusignano se hablaba y se discutía continuamente de fútbol. El fútbol se vivía: era un juego, una pasión, una diversión.

Comencé de muchacho como defensor en el Baracca Lugo y en el Fusignano. Jugué dos partidos. Era diestro, pero jugaba de lateral izquierdo.

Ya tenía dieciocho o diecinueve años. Estaba en un momento de inflexión, la primera de mi vida. Conocía mis limitaciones como futbolista. No era muy bueno, pero me las apañaba. En el último partido jugué mal. «Si no empiezo como titular, lo dejo», me dije. El entrenador era Gino Pivatelli, un jugador importante que había militado en el Bologna y en el Napoli. Con el Bologna, en 1953, había sido el pichichi de primera división con veintinueve goles en treinta partidos disputados; fue el único italiano que ganó el título en los años cincuenta; siempre se lo llevaban estrellas de otros países. Con Nereo Rocco había ganado una liga con el Milan en 1962. Y, al año siguiente, la Copa de Europa. También lo habían seleccionado para participar en el Mundial de 1954, en Suiza. Un gran jugador, que continuaba viviendo el fútbol como entrenador en el Baracca Lugo. No me convocó. Y yo dejé de jugar. Pivatelli me decía siempre: «Cuando tengas la pelota, pásasela a Pollini, el organizador». A mí no me gustaba aquella manera de jugar, pues ya comprendía que el líder en un equipo no es solo el organizador. Cada jugador es el líder cuando tiene la pelota en sus pies. Todos los futbolistas deben ser capaces de «jugar» al fútbol.

En aquella época ocurrió algo grave. Iba al quinto curso de contabilidad cuando mi padre enfermó. Su hígado funcionaba al cinco por ciento. La suerte quiso que en el apartamento de Milano Marittima, encima de nosotros, viviera una eminencia de la medicina, un doctor que trabajaba en el hospital de Bolonia. Mi padre permaneció ingresado durante seis meses y yo tuve que sustituirlo en la fábrica.

Su enfermedad marcó mi destino. Me tomé muy en serio mi trabajo: dieciocho horas al día. Nunca había dirigido una fábrica, pero ya entonces era un perfeccionista. Me implicaba al máximo en las cosas que hacía.

Mientras trabajaba aún seguía el fútbol, como hincha. El equipo de Fusignano, en el cual había entrado como directivo para echar una mano al club, comenzó a ir mal. Alfredo Belletti me llamó y me invitó a volver a jugar: «Venga, vuelve al campo, ¡debemos salvarnos! Falta un jugador. ¡Te necesitamos!».

Jugué los últimos partidos y nos salvamos, pero comenzó a dolerme demasiado la espalda. Al año siguiente, el problema continuaba. Incluso me querían operar de una hernia en la columna vertebral. Cambié de médico y dejé definitivamente de jugar. Belletti me dijo: «¡Si no puedes jugar, haz de entrenador!». Así el destino me llevó por la vía correcta. Después de un mes, ya hablaba como un entrenador. El Fusignano era un equipo de chavales, pero de inmediato me tomé en serio mi papel.

Un día me encontré con Belletti.

—Oye, que me falta un líbero —le dije—. No tenemos ningún jugador que pueda jugar ahí.

—¿Y qué número tiene un líbero? —me preguntó.

—El seis.

—Espérame aquí.

Belletti entró en el vestuario, cogió la camiseta con el número correspondiente y me la puso en la mano, diciendo: «Ahora, si eres un buen entrenador, ¡al líbero lo haces tú!».

Fue una de las primeras y grandes lecciones sobre fútbol que me dio Alfredo. En un instante me hizo comprender que no había dinero para gastar y también la verdadera función del entrenador: no solo consiste en organizar el equipo y disponer los jugadores en el campo, sino que implica, sobre todo, crear el juego poniendo en valor las actitudes individuales de cada futbolista. Cuando asistí al curso en Coverciano, que entonces duraba todo un año escolar, me di cuenta de la importancia de las enseñanzas de Belletti, de sus consejos y de sus lecturas. Gracias a él, en Coverciano me encontré con una preparación humana y futbolística de primer nivel.

Cuando entrenaba al Fusignano, ya tenía claro lo que quería obtener del equipo: dominar el juego para ganar. Había que ser dueño del campo y del balón, ser protagonista. El primer año ganamos el campeonato de segunda categoría. Teníamos siete puntos de ventaja sobre el segundo, faltaban pocas jornadas, y comenzamos a empatar. Ya no lográbamos ganar. A dos partidos del final, con solo dos puntos de ventaja, jugamos en casa del segundo clasificado. Tenía tres o cuatro lesionados; así, por fuerza, debí incluirme de nuevo en el equipo.

Fue una encrucijada importante en mi vida. Entré en los vestuarios y les dije a los chicos: «Si perdemos, para mí se cerrarán dos carreras: la de futbolista y, sobre todo, la de entrenador».

Fue un partido extrañísimo, uno de esos que marcan la historia no solo de un equipo, sino también de los futbolistas. Mi puesto, como entrenador, lo tomó Italo Graziani, *el Profe*, preparador físico del Fusignano. Es un amigo de toda la vida, que ha seguido paso a paso toda mi carrera y se ha convertido en un punto de referencia no solo en lo profesional, sino también en lo personal. Con él he compartido muchas aventuras, no solo al principio de mi carrera, sino también en España, cuando fui a entrenar el Atlético de Madrid. Hasta estuvo conmigo en el trabajo con las selecciones juveniles, ya en los últimos años.

Cuando entré en el campo, él comenzó a caminar adelante y atrás junto al banquillo. Su entusiasmo y su pasión eran tales que hacia el final comenzó a gritar: «¡Venga, que lo conseguimos; venga, que ganamos!». El delantero centro del equipo rival era un amigo mío que había jugado conmigo en el Baracca Lugo; como ganábamos cuatro a cero, con el brazo tendido como para mandarme a paseo se dirigió a mí, gritando: «¡Habéis tenido suerte!».

Comenzaba a entender que me gustaba entrenar a los chicos. Me sentía realizado enseñándoles a jugar, a ser leales, a convertirse en hombres a través del fútbol. E iba madurando la idea de que la estética y la belleza del juego lo eran todo, incluso en el plano ético: para mí una victoria sin mérito no era una victoria. Y es algo que he experimentado muchas veces en mi carrera de entrenador.

Con la conquista de mi primer campeonato, empecé a entender la alegría que el fútbol transmite a los espectadores. El fútbol es espectáculo. Lo que sucedió en el pequeño campo de Fusignano lo he vivido luego en los grandes estadios internacionales. Las emociones son siempre las mismas.

Cada día que pasaba, más y más personas aparecían en las gradas de aquel campo de provincia. Al principio, apenas asistían unos cuarenta espectadores a los partidos. Al final, cuando ganamos el campeonato, nos apoyaba una pequeña multitud de más de trescientos cincuenta hinchas. Era feliz. Me sentía realizado. Eran solo chavales, pero para mí fue muy importante.

Al final de las celebraciones, un hombre se acercó y me dijo: «Bueno, no será una gran felicidad ganar un campeonato de segunda división».

No existe la felicidad de primera o de segunda división. El empeño que ponía en el Fusignano fue el mismo que luego puse en el Cesena, en el Rimini, en las categorías juveniles de la Fiorentina, en el Parma, en el Milan, en la selección italiana, en el Atlético de Madrid y en el Real Madrid. La felicidad de la victoria y el desconsuelo de la derrota que experimenté en el banquillo durante todo el campeonato con el Fusignano han sido las mismas emociones que luego he compartido con el público de equipos mucho más laureados.

Se abría para mí, entonces, otro destino, paralelo al de la fábrica. Había entendido que mi vida tenía un sentido cuando conseguía transmitir mi pasión por el fútbol. Aquello se estaba convirtiendo cada vez más en mi destino.

2

De Fusignano a Cesena

A veces, la paciencia vale más que la inteligencia.

HERMANN HESSE

Un pariente mío, director de orquesta, me dijo en cierta ocasión: «Tanto da un entrenador como otro. Todos son iguales». Le dije que yo podría decir lo mismo de los directores de orquesta. «¡Eh, no! —me respondió, irritado y desdeñoso—. ¡En absoluto! Abbado tiene una musicalidad y una sensibilidad distinta de la de Muti, y la interpretación de la partitura depende mucho del director y de la orquesta que dirige.»

En verdad, entre la música y el fútbol no hay mucha diferencia. En mi opinión, el juego, la partitura que interpretar, es el verdadero protagonista en el campo. Puedes tener los mejores músicos y solistas del mundo, pero no oirás ninguna melodía si no están coordinados por un director y por una partitura común. El entrenador es, al mismo tiempo, autor y director de orquesta, con su sensibilidad, su idea de la música, su interpretación. Su concepto del tiempo y del ritmo. ¡Y cuánto cuentan los tiempos y el ritmo en el fútbol!

Sobre el fútbol hay aún muchos prejuicios, tan difíciles de combatir. La ignorancia es grande, hay bastante trabajo que hacer, dentro y fuera de nuestro entorno. A todos los niveles. Un campesino que tenía una finca cerca de mi casa tenía la misma idea que mi pariente director de orquesta, aquello de que los entrenadores son todos iguales: «¡Valéis el diez por ciento! Los futbolistas y el talento hacen el equipo». Una vez le respondí que tampoco los campesinos valen nada, porque total las plantas crecen solas. «¡Pero ¿qué dices?! —rebatió airado—. No es verdad, un buen campesino debe tener sus conocimientos, su experiencia, debe amar su trabajo y conocer la tierra. Para tener una buena cosecha, es necesario mucha dedicación y saber cuidar cada planta».

¿Y no sucede lo mismo con el fútbol? Como la música o como cuidar el huerto, es todo cuestión de sensibilidad, trabajo, entrega y pasión. Hay que estar preparado para cuando las condiciones meteorológicas cambian, hay que saber enfrentarse a las adversidades y los imprevistos.

El conde Alberto Rognoni siempre creyó en mí y siempre apoyó mi idea de fútbol. En Milano Marittima éramos vecinos: su casa apenas distaba algunos centenares de metros de la mía. En 1940 había fundado el Cesena porque quería llevar el gran fútbol a la Romaña. Durante veinte años, de 1953 a 1973, había sido propietario del *Guerin Sportivo*, una cabecera que hizo escuela, verdadera maestra de periodismo. Hombre de gran inteligencia y capacidad, gestor de las actividades comerciales de la Liga de Milán a través de la Promocalcio, fue él quien inventó la explotación de los derechos televisivos de los partidos, para así procurar ingresos a las siempre desastrosas arcas de los clubes de fútbol.

Rognoni es famoso también por haber dado vida, en 1946, a la Comisión de Control (la Oficina de Investigación de hoy); la dirigió con un rigor y una corrección ejemplares. Era un hombre muy ingenioso; su vida está llena de anécdotas. En 1981, participó en un programa de televisión junto con un jovencísimo Italo Cucci, en Tele Romagna. En él, hablando de nuestra tierra, bromeó con que esta debía convertirse en un Estado independiente y con que uno de sus mayores héroes había sido el bandolero Stefano Pelloni, *el Pasador*.

Un personaje, el conde Rognoni. Una noche hizo dimitir a siete árbitros a la vez por un fraude deportivo.

Trabé amistad con su hijo Ettore, hoy director de Sport Mediaset. Un día, después de haberme oído hablar con pasión de jugadores y de partidos, me preguntó:

—Pero ¿por qué no haces de entrenador?

—Ya soy entrenador —le respondí—. Desde hace cuatro años: los primeros tres, de 1973 a 1976, con los aficionados del Fusignano. Al año siguiente me llamaron del Alfonsine.

Así le conté brevemente la historia de mis inicios.

El primer año con el Fusignano ganamos el campeonato. Era un equipo de chavales y debíamos hacer el salto de categoría, pero muchos directivos se oponían. Al presidente, Ghinino Saviotti, le apasionaba el fútbol, pero no sacaba un duro de ello; es más, siempre salía perdiendo. Ningún futbolista cobraba. Alfredo Belletti, que era un iluminado, se plantó diciendo: «Perdonad, si no pagamos a nadie ahora, seguiremos haciéndolo también en la otra categoría. No nos cuesta nada. ¡Demos este salto!».

De la segunda categoría pasamos, pues, a la primera.

No renovamos a un jugador importante, un tal Prunelli, solo porque quería cobrar sesenta mil liras al mes. Prunelli terminó en el Sant'Alberto. Y en el primer partido del campeonato no nos toca precisamente el Sant'Alberto. Ganamos dos a cero. Un directivo le comentó a un hincha: «¡Pellízcame, porque creo que estoy soñando!».

Marcó Carles Balestra, como casi siempre. Era un extremo de quince goles por campeonato; el problema es que casi siempre que jugaba acababa expulsado, por lo que solo jugaba la mitad de los partidos. Era un furbolista muy técnico, que manejaba con destreza los dos pies. Fue uno de los primeros en poner a prueba mi paciencia, hasta que llegó un punto en que no soporté más sus locuras. Era un gran jugador, qué duda cabe, pero no era nada fiable.

Cierta tarde pasé a buscarlo en coche para ir al entrenamiento. Lo hice bajar y aparqué en la sombra. Él aprovechó y desapareció, escabulléndose en la oscuridad. Y su mujer, una vez en que fui a buscarlo a casa, me dijo: «¡Si yo supiera dónde está! Hace tres días que no aparece por aquí».

La carrera de Carles Balestra confirma que para triunfar hacen falta ciertas cosas básicas: seriedad, amor por el fútbol, pasión por el propio trabajo y profesionalidad. No basta con ser bueno técnicamente.

Íbamos en cabeza en aquel campeonato. Como lo conocía bien, le dije antes de un encuentro importante: «Te lo ruego, Carles: tengo varios jugadores maltrechos, muchos están lesionados, otros bajos de forma. Te lo pido por favor: estate tranquilo». A los diez minutos de ese partido, entre el Fusignano y el San Biagio, alguien comenzó a insultar a Balestra, que corrió detrás de la portería, trepó como un gato por la red y le dio un puñetazo en la cara al hincha. ¡Expulsado!

Después de tres años entrenando al Fusignano, fiché por el Alfonsine. Allí cobré mi primer sueldo: doscientas cincuenta mil liras mensuales. Trabajaba de día y entrenaba por la tarde.

Alfonsine era una pequeña ciudad de quince mil habitantes a apenas diez de kilómetros de Fusignano. El presidente del equipo, Tiscio, era el panadero del pueblo; el vicepresidente se llamaba Franco Ortolani.

Al estadio lo solían llamar, «Maracaná», por su endiablada afición. La red estaba muy cerca de aquel campo de fútbol de tierra batida. Parecía que jugáramos en un agujero.

En Alfonsine, la pasión por el fútbol era extraordinaria. En los últimos tres años, el club había destituido a cinco entrenadores; los últimos tres, de hecho, habían salido de allí a garrotazo limpio por la ira del público. Aquel era un estadio peligroso. Para mí, además, que venía de Fusignano, era toda una apuesta.

Perdimos los primeros cinco partidos, pero nadie me tiró piedras ni me destituyó. El comité de fábrica de la Marini de Alfonsine (empresa aún hoy de nivel internacional, especializada en conglomerados bituminosos para la construcción de carreteras) me escribió una carta en que me sugería la alineación que debía poner el domingo siguiente.

A comienzos de mi carrera tuve otros dos presidentes importantes: Ferruccio Giovanardi y Alessandro Zamagni, que dirigían el Bellaria, al que llegué en 1977, después del Alfonsine.

Sucedió así. El pizzero del local en que los dos presidentes del Bellaria iban a comer era de Fusignano. Cada vez que los veía, este les decía: «¡Coged a Sacchi, es muy bueno!». Pero yo no tenía la licencia necesaria para entrenar a los semiprofesionales. El club cogió a un «testaferro», el exjugador Matassoni. A mí me contrataron como preparador físico. Pero, muy pronto, al borde del campo, todos se dieron cuenta de que gritaba como un condenado. El verdadero entrenador era yo.

Zamagni y Giovanardi invertían en el fútbol y en los jóvenes, arriesgándose incluso a la ruina como empresarios. Así de grande era su pasión por este deporte. Extraordinariamente competentes y preparados, el periodo de su dirección fue uno de los momentos de esplendor del Bellaria.

En el primer partido empatamos con el Fidenza. Durante un rato estuvo en el campo también Gene Gnocchi, al que llamaban «Moviola», porque era muy bueno técnicamente, pero lento de movimientos. Todos los mediapuntas tienen contraindicaciones...

Mis comienzos siempre fueron terribles: perdimos los cinco partidos siguientes. El martes me presenté ante Giovanardi y dimití.

—¿Por qué? ¡Está trabajando muy bien! ¡Continúe así! —me dijo él, asombrado.

Me sentí feliz y sorprendido. Fue una gran manifestación de estima y de afecto que hizo que quisiera esforzarme aún más.

Al final del campeonato nos salvamos. Y el club hizo grandes negocios: vendió a Paganelli al Torino, a Bonini al Forlì, a Fabbri al Taranto, en segunda división, y a Celli al Mantova, al equipo de fútbol sala.

—Mire —me dijo un día Giovanardi—, le he traído un gran jugador, lo he visto jugar en la parroquia. No sabía si ser tenista o futbolista. Ahora quiere ser futbolista, le he pagado una equipación completa.

Era Massimo Bonini, un chico de dieciocho años, extraordinario, nacido en San Marino. Jugador de carácter, era capaz de presionar como nadie, de dejarse el alma en el campo. Recién llegado, le hice jugar en el partidillo de titulares contra suplentes: en el primer tiempo, lo alineé con los suplentes; en el segundo, con los titulares. Completó una gran temporada. Al final del campeonato lo fichó el Forlì, que lo hizo debutar en la interregional. A continuación pasó al Cesena, que en la temporada 1980-1981 ganó la promoción a primera división: en parte, gracias a la notable aportación de velocidad y potencia física que Bonini le daba a su centro del campo. La Juventus, que en aquella época estaba planificando la sucesión de Furino, se fijó en él. Lo contrataron en el verano de 1981: tuvo una carrera espléndida, en la que, a veces, llegó a cubrir las espaldas del gran Platini. Una carrera coronada por tres Ligas, una Copa de Italia, una Copa de Europa, una Recopa, una Supercopa de la UEFA y una Copa Intercontinental.

Dirigir el juego y el equipo me gustaba cada vez más. Me encanta elegir a los jugadores, entrenarlos seriamente, descubrir talentos, crear estrategias de juego, probarlas en el campo, preparar los encuentros junto con los muchachos. Soñaba con un fútbol distinto del que se había jugado hasta entonces en Italia. Un fútbol nuevo, bello y agresivo, que apostara por la velocidad, por tener un equipo bien conjuntado, con ideas innovadoras también sobre la actitud psicológica de los futbolistas con respecto a sus adversarios. No debía imponerme a ellos, tenía que convencerlos si quería obtener ciertos resultados. Y necesitaba tiempo. Mucho tiempo y paciencia. El verdadero líder es el que convence, no el que ordena.

Durante más de diez años había trabajado duro en la fábrica, donde había aprendido a proyectar, a organizar mi trabajo y el de los otros, haciendo presupuestos y pensando en el futuro. Atesoré esta experiencia en los entrenamientos y en el campo.

Todos los días trabajaba de 8 a 13, luego picaba algo, cogía el coche y, a las 14.30, iba a entrenar. A las 18.30 volvía a casa y estaba con mi familia.

En las dos fábricas de zapatos de las que era socio mi padre trabajaba también mi hermano Gilberto, que cuidaba y administraba el sector comercial. Una tarde, volviendo de una fiesta, a un kilómetro de casa, Gilberto tomó mal una curva y terminó en un foso; chocó contra un puentecillo de cemento. Así, el 11 de octubre de 1969, con apenas veintisiete años, murió. Una tragedia. Acababa de abrir con él una agencia de ventas. No sabía si cerrarla o no. Una amiga, unos diez años mayor que yo, mujer de un empresario, me sugirió que continuara adelante. Pero no me gustaba trabajar de comercial; siempre he sido un sedentario: lo de viajar no ha sido nunca lo mío.

La muerte de mi hermano (que jugaba en un pequeño equipo en Savarna, donde aún hoy se disputa un importante torneo en su memoria) fue un duro golpe para toda la familia, una tragedia que cambió no solo mi forma de ver el mundo, sino también mi destino. La fábrica fue una experiencia importante, que acepté en un momento de necesidad. Se convirtió en una manera de crecer, de afirmarme y de hacerme hombre, pero el fútbol continuaba siendo mi verdadera pasión. No quería ni podía vender zapatos para siempre.

Así volví a llegar a una encrucijada en mi vida. No solo en lo profesional. Primero había asumido el destino de mi padre; luego, durante años, había llevado a cabo su trabajo. Ahora tenía que tomar el control de mi vida.

Y así, a los treinta y tres años, decidí convertirme en entrenador profesional.

«Solo se vive una sola vez: deseo hacer aquello que me divierte y me emociona. Dejo de trabajar en la fábrica. Seré entrenador», les anuncié a mi padre y a mi mujer, Giovanna.

No se opusieron a mi sueño. Lo aceptaron sin problemas. Giovanna nunca ha experimentado sentimientos como la envidia, la codicia o el deseo de hacerse ver. Nunca la ha llamado el protagonismo. Incluso más tarde, cuando rechacé contratos muy suculentos, no me empujó a continuar. La tranquilidad que me ha sabido transmitir día tras día ha sido fundamental para mí.

Si aquel era mi camino, debía seguirlo. Muchos me

consideraron un loco: en el Cesena, ganaba en un año lo que en mi trabajo ganaba en un mes. Pasaba de la empresa familiar, de un puesto seguro, al mundo del fútbol, donde, con lo que ganaba, no cubría ni los gastos.

Sin embargo, continuaba habiendo un problema. Solo tenía la licencia de entrenador interregional para aficionados. Antiguamente, los carnés de entrenador funcionaban así: tercera categoría, aficionados; segunda categoría, semiprofesionales; con el de primera categoría, podías entrenar tanto en primera como en segunda. Hoy en día, esas licencias corresponden a la de entrenador de base, de segunda categoría y de máster para primera y segunda.

No me habían seleccionado para la licencia de segunda categoría. Eso me mortificaba. Quería hacer carrera como entrenador... Y, a las primeras de cambio, me encontraba con que no podía ni comenzar. Sería siempre un entrenador de aficionados, sabía que me lo iba a pasar igual de bien..., pero aquello era un golpe, cabe reconocerlo, de lo más duro.

Entonces, el conde Alberto Rognoni, presidente honorario del Cesena, tuvo una idea genial. En Coverciano habían organizado un supercurso reservado a los clubes profesionales para crear un responsable de la sección juvenil. Habló con Dino Manuzzi, presidente del Cesena: el club no mandaba a nadie.

«Sin compromiso, y el curso se lo paga usted», me dijo por teléfono, aunque me dio una nueva esperanza. «Menotti —así me llamaba en broma, como el entrenador de la Argentina campeona del mundo en 1978—, Menotti, le paso a Italo Allodi para el curso de Coverciano.»

El Bellaria quería que continuara con ellos: «Le pagamos el curso de Coverciano, ¡y los sábados y domingos viene a entrenar!». Dije que no, que no era profesional. Así que me pagué la licencia de mi bolsillo.

Pero no me importaba.

Por encima de todo, quería ser entrenador.

Así, Italo Allodi se cruzó en mi camino. Fue un gran dirigente deportivo, primero en el Inter de Moratti padre y de Herrera (en los años sesenta), y luego en la Juventus en los años setenta. Con la selección, en 1982, ganó el campeonato del mundo, aunque no estaba de acuerdo con Bearzot, con quien mantuvo muchas polémicas. Al final de los años setenta, llegó a Coverciano, donde refundó desde los cimientos el sistema del fútbol gracias a una universidad donde se estudiaba para administrador y para entrenador: así formó a los cuadros del fútbol italiano del futuro. Cuando el Napoli lo contrató, como directivo, tuvo la habilidad de traer a Maradona al equipo.

Los últimos años de su vida fueron muy amargos. Se encontró involucrado en el escándalo de las apuestas, acusado de haber manipulado un partido con el Udinese. El asunto lo marcó profundamente: le quitó el sueño, la serenidad e incluso la salud. En 1987, sufrió un ictus, que muy probablemente estuvo relacionado con aquellas tremendas vicisitudes. Murió en 1999, víctima de una descompensación cardio-circulatoria, abandonado por todos. Estaba orgulloso de haberme dado la posibilidad de expresarme con el fútbol. Le debo mucho. «Será el nuevo Herrera», había dicho sobre mí. Fuimos amigos hasta el final.

Allodi había entendido qué importante era la revolución que los franceses habían hecho en aquellos años en el mundo del fútbol. Todos los clubes profesionales estaban obligados a crear centros de formación para jugadores jóvenes y jovencísimos, de los catorce a los dieciocho años, en que se alternaban escuela y fútbol, estudio y fútbol. En una semana, los muchachos franceses trabajaban lo mismo que nosotros en un mes. Además se habían abierto delegaciones federales donde los mejores chicos del club no profesionales podían estudiar y entrenarse de lunes a viernes, así como jugar en sus equipos los fines de semana. Una verdadera revolución, que, después de algunas décadas, han puesto en práctica también otros países, como, por ejemplo, Alemania y España, donde la continuidad de juego entre los juveniles y el primer equipo, en los clubes, ha formado a toda una generación de campeones. Todo ello ha desembocado en grandes éxitos europeos. Así la selección española se proclamó campeona de Europa y del mundo, gracias también a la invención táctica del *tiki-taka*.

En una Italia a la que aún hoy le cuesta salir de la lógica de los municipios y los Ayuntamientos, Allodi quería plasmar una figura capaz de crear una línea que trazara una continuidad entre el juego de la cantera y el de los primeros equipos. Se adelantaba treinta años respecto a un directivo italiano medio. Tenía grandes ideas, miraba más allá, al futuro.

En 1978, cuando seguí el supercurso, en Italia había pocos libros que hablaran de fútbol, que impartieran enseñanzas sobre él. Uno era de medicina deportiva, otro de preparación física, y aún otro, más técnico, sobre la historia y esquemas de juego. Eran poquísimos: en Brasil o en Hungría ya había centenares. Se demostraba, una vez más, el retraso cultural del fútbol en Italia.

A aquel supercurso de Coverciano, ese mismo año, también asistió Zdenek Zeman. No parábamos de hablar sobre las diversas formas de trabajo, de tácticas.

En mi lugar, al Bellaria, mandé a Natale Bianchedi,

que se convertiría en uno de mis hombres de confianza más importantes, uno de mis ojeadores en el Parma, el Milan y en la selección. Bianchedi siempre me hablaba de un chaval del Bellaria, Daniele Zoratto; lo fui a ver y me gustó de inmediato. Entonces el Cesena militaba en primera. Había un jugador, Lucchi, que tenía las mismas características y jugaba en el mismo puesto. A menudo lo comparaba con Zoratto, que era un chaval. No podía dejar de pensar: si Lucchi jugara en esa categoría, ¿sería diferente de Zoratto?

De vuelta del curso de Coverciano, entrené de 1979 a 1982 a los juveniles del Cesena, club que siempre ha mostrado un particular interés por esta sección. Una tarde cené con Gian Battista Fabbri (un experto entrenador), Pierluigi Cera (jugador que había militado en la selección de 1969 a 1972), Lucchi y Edmeo Lugaresi. Me presentaron como entrenador del primavera (el equipo filial, cuyos jugadores no pasan de los dieciocho años) del Cesena y responsable de la sección juvenil.

Aquel equipo filial lo formaban muchachos que llevaban juntos tres años. En el Cesena quería a Zoratto. «¡Si viene con nosotros, ganamos el campeonato!», dije. El presidente del Bellaria no estaba de acuerdo con el del Cesena por cuestiones de rivalidad local.

—¿Cuánto podemos gastar? —pregunté.

—No más de veinte millones —respondió el presidente del Bellaria.

El Cesena, entonces uno de los equipos más importantes de la Romaña, laureado nacionalmente, había tenido la posibilidad de seleccionar a los muchachos en todos los aspectos: técnico, profesional, físico y táctico. Después de tres años de trabajo, alcanzamos una sincronía muy buena. Era un equipo maduro, con los automatismos bien asimilados: cada jugador sabía cómo comportarse en las diversas fases del juego. En este contexto, eclosionaron incluso grandes individualidades.

En el equipo jugaba un chaval que se presentaba siempre con una trenca gastada y unas viejas zapatillas de gimnasia, incluso cuando nevaba y no estaban de moda como hoy. Se llamaba Walter Bianchi. Un día le pregunté:

—Walter, ¿qué hace tu padre?

—Soy huérfano —me respondió.

—¿Y tu madre, a qué se dedica?

—Es bedel durante tres meses al año, como interina, y luego trabaja limpiando casas.

—¡Pero sé que tienes dos hermanos! ¿Con qué dinero vivís?

—Con el dinero que gana mi madre y con lo poco que gano yo.

Con los otros jugadores teníamos una caja común: hicimos una colecta y le dimos bastante dinero. Luego fui a ver a Lugaresi, que comprendió la situación y le subió el sueldo.

Su madre se asustó. Le habían dado el dinero de los premios. Walter me contó que le había regañado:

—Pero ¿qué has hecho, has ido a robar?

Bianchi me ha seguido durante toda la carrera, en el Parma y luego en el Milan; luego lo vendieron al Torino, y después llegó al Verona, al Cosenza y otra vez al Verona. Una buena carrera, que siguió luego como entrenador. Lo he llevado conmigo a la selección; en los últimos años, como segundo entrenador de los sub-15. Trabamos una amistad que ha durado toda una vida.

En el Cesena eran todos muchachos muy buenos, serios; entre ellos, no había celos ni envidias ni ansias de protagonismo. Habíamos sembrado bien: nos convertimos en campeones de Italia con el equipo primavera.

Sebastiano Rossi era el portero. Construyó casi toda su carrera en el Milan, donde estuvo doce años. Augusto Gabriele tuvo luego una larga carrera: lo llevé conmigo al Parma, el primer año; luego jugó con la Reggiana, el

Ancona y el Teramo, y jugó con la selección sub-21. Y estaban Bianchi, Agostini y Zoratto. Otro jugador importante que a fines de los años setenta jugaba en el primavera del Cesena era Davide Ballardini, que hoy es un excelente entrenador. Era un centrocampista un poco lento, pero ordenado, un muchacho serio, un buen profesional. En 2001, cuando era director técnico del Parma, lo quise fichar como responsable de la cantera y del primavera.

Cuando comencé en el Cesena, el presidente era Dino Manuzzi, a quien hoy está dedicado el estadio de la ciudad. Cada fin de semana me preguntaba: «¿Qué hemos hecho?». La primera vez le respondí: «Debe preguntarme cómo hemos jugado, ¿de acuerdo?».

Manuzzi era una suerte de pequeño caudillo, que tenía siempre detrás de sí un séquito de ocho-diez directivos. Era un hombre autoritario, muy decidido. Había llevado al Cesena a primera desde la cuarta división. Una mañana, al bajar de la cama, había apoyado el pie sobre una alfombra, había resbalado y se había golpeado la cabeza: alternaba momentos de lucidez con otros de gran ofuscamiento.

Con el Cesena debíamos jugar el torneo en memoria de mi hermano; ya entonces era una cita futbolística importante. A Manuzzi le interesaba mucho aquel partido. Llegó, decidido, y me dijo:

—¡Quiero hablar con el equipo!

—Si espera un minuto...

Ni caso. Entró rápidamente en el vestuario.

Les dije a los jugadores que no estaban allí que volvieran al vestuario. Algunos estaban medio desvestidos, otros completamente desnudos. Uno de ellos era Sebastiano Rossi. Manuzzi hizo un discurso muy serio. Quería que el equipo hiciera un buen papel contra la Juventus.

—Nosotros somos un club pequeño, con un gran orgullo. Debéis hacer ver a los dueños del fútbol que existimos, que podemos plantar cara a estos jugadores. Como presidente, os pido el máximo esfuerzo. Sois jugadores de mucho valor y de gran profesionalidad.

De pronto se volvió y se quedó callado. A su lado estaba Sebastiano Rossi, de un metro noventa y siete de altura, un muchachote de buena planta, completamente desnudo. Manuzzi quizá no llegaba al metro sesenta. Cuando lo advirtió, justo en medio del discurso exclamó: «*Ostia, che uzèl!*». Algo así como: «¡Hostia, qué paquete»!»

El entrenador del primer equipo era Osvaldo Bagnoli, un hombre fantástico, sensible y muy humano. Era esquivo, casi parecía asustado del mundo. Admiraba su competencia futbolística. Era buen amigo, humilde en la vida y en el trabajo, marcado para siempre por una desgracia familiar. Era alguien que siempre deseaba aprender algo nuevo. Mientras nosotros hacíamos los ejercicios con el balón, el de presión, el de la posesión de pelota, él estaba al borde del campo observando. Un día se acercó y me preguntó si podía darle mis hojitas con los ejercicios. Le di todas las que tenía. A continuación me confesó que no podía ponerlas en práctica porque se solapaban con el trabajo del preparador físico.

Pasé en el Cesena tres años, de 1979 a 1982. Algunos directivos, durante el campeonato 1981-1982, querían llevarme al banquillo del primer equipo, que militaba en primera división bajo la dirección de Gian Battista Fabbri, que había sustituido a Bagnoli. Buen entrenador, Fabbri tenía una idea del fútbol innovadora, pero no la competencia didáctica necesaria para transmitírsela a los jugadores. Privilegiaba la habilidad y gestionaba las situaciones partido tras partido. En la segunda mitad del campeonato, se le puso en tela de juicio porque el equipo no iba del todo bien.

A menudo el primer equipo y el primavera del Cesena se entrenaban juntos. Entre los directivos se habían formado dos grupos: unos querían que yo entrenara al primer equipo; los otros no. El hijo de Manuzzi era favorable a mi contratación, mientras que el presidente, Edmeo Lugaresi, estaba en contra. «El entrenador no es un mago», sostenía, y tenía razón: con los juveniles del Cesena yo había hecho todo lo contrario de aquello que los jugadores del primer equipo habían hecho en su carrera.

No tenía ninguna credibilidad, era semidesconocido como jugador; como entrenador, tenía experiencia en la cuarta división, nada más. Habría planteado cosas que habrían puesto en dificultades a los jugadores. Así que eligieron a otro. Fue mi salvación, fruto también de la clarividencia de Lugaresi.

En ese momento me quedé mal. Lugaresi había traído al banquillo a un amigo de primera división: Renato Lucchi, de Cesena, un jugador que había militado en los años cuarenta en el Forlì y en el Cesena, y que tenía una larga experiencia como entrenador en banquillos como el Rimini, el Potenza, el Pisa, el Verona y el Mantova. Se necesitaba a alguien como él para coger el control del equipo y salvarlo. Fabbri fue destituido cuando faltaban catorce partidos para el final del campeonato. Lucchi era un hombre chapado a la antigua: diez hombres metidos atrás y uno adelante, solo; se podía marcar gol únicamente por un movimiento rápido y una iniciativa aislada en contragolpe. Y gritaba, gritaba como un loco a los jugadores: «Adelante, id adelante». Y con la mano hacía el gesto de volver atrás. Su pensamiento futbolístico era completamente contrario al mío.

En estos años comencé a advertir los primeros signos de tensión y estrés. Durante cierto tiempo, sufrí incluso de laberintitis. Me gustaba entrenar, estaba concentrado en el trabajo, intentaba transmitir mi energía a los jugadores. Pero todo aquello tenía un precio.

En 1981-1982 quedamos primeros de grupo y pasamos a la semifinal, donde vencimos al Inter; la final la íbamos a jugar con el Avellino. Allí viajamos para disputar el partido de ida. En noviembre, Campania había sufrido un terremoto tremendo que había trastornado a toda la región: casi tres mil muertos. Nuestro equipo se alojaba en un hotel en el que también se hospedaba una mujer que, por miedo, ya no conseguía dormir en su casa. La noche anterior al partido estaba muy agitado y no lograba conciliar el sueño. Daba vueltas en la cama pensando en los jugadores, en la final. En aquel duermevela, los sueños se mezclaban con las acciones de los muchachos. Como ocurre a menudo en tales situaciones, tuve una pesadilla que me hizo pegar un grito. Me encontré sentado en la cama, en la oscuridad de la habitación, con el corazón a mil. La señora que dormía en el mismo hotel oyó mi grito; por miedo, escapó desnuda a la calle temiendo otro terremoto.

Luego alguien se lamentó creyendo que le habíamos gastado una broma. Pero había sido yo, que comenzaba a manifestar fuertes signos de malestar. Sin embargo, no tuve el valor suficiente de confesar que los gritos de aquella noche nacían de la parte más oscura y profunda de mi alma.

3

El primer año en el Rimini

Es preciso ser duros sin perder nunca la ternura.

CHE GUEVARA

*E*l Rimini, que aquel año jugaba en segunda división y cuyo objetivo era la salvación, se puso en contacto conmigo. Estaba lleno de energía, tenía ganas de hacer cosas importantes. Era el inicio de mi carrera. El estrés no me daba miedo: eran solo síntomas, poco más. El insomnio, el cansancio y el dolor físico eran como la gasolina que me ayudaba a resolver los problemas del equipo. En Rímini comencé a sufrir también de gastritis. Ya no podía comer por molestias en el estómago. Era un malestar fortísimo, con dolores desgarradores que me impedían trabajar como quería. Porque siempre estaba dispuesto a hacerlo mejor, a dar más. Y eso mismo quería de mis jugadores.

Empezaba a tener experiencia en banquillos importantes, había estudiado, había hecho el supercurso de Coverciano, había ganado el campeonato italiano con el primavera del Cesena. Tenía ganas de demostrar quién era, de crear «mi» fútbol recuperando la tradición y la historia de este extraordinario deporte. Estaba atento a las novedades, estudiaba a los grandes equipos que, a través de un juego bonito, habían logrado grandes resultados internacionalmente. Eran conjuntos que habían divertido al público, como la famosa Holanda de los años setenta, primero con Rinus Michels y luego con Stefan Kovács, los dos grandes, que jugaban con aquella fórmula que ha pasado a la historia como «el fútbol total».

Empecé a comprender lo que quería expresar con mi fútbol. En aquellos años, publiqué un libro en colaboración con Alberto Polverosi, enviado del *Corriere dello Sport-Stadio*. Se titulaba *Chaval, ¿quieres ser jugador de fútbol?* Se editó en la «compañía editorial» dirigida por Sergio Neri. Era un manual en el que comencé a recoger mis clases y mis reflexiones, donde me aclaraba ante todo a mí mismo algunos conceptos, donde ponía a punto mi idea del fútbol, mi experiencia con los jóvenes. Era un manual para ayudar a los muchachos a convertirse en jugadores, pero, sobre todo, en hombres responsables en el propio trabajo a través del fútbol.

Un periodista como Giancarlo Padovan, en *W Sacchi M Sacchi*, editado por Sperling & Kupfer, define ese manual como un libro que supuso un punto de inflexión en la historia del fútbol italiano moderno.

Cogía y reordenaba mis apuntes partiendo de un par de preguntas fundamentales, a las que muchos, aún hoy, en el ambiente del fútbol, no saben responder: «¿Qué es el fútbol?», «¿Es un deporte?». La respuesta es sencilla: el fútbol es un deporte, de «atracción, diversión, fantasía, juego, salud y recreación», rico en energías positivas cuando no está contaminado por intereses absurdos, ya sean políticos, económicos o personales. Es un deporte de equipo, «un poderoso elemento en la formación social del joven porque responde a diversas exigencias de vida, comporta el respeto de las reglas y del grupo». Invitaba a los jóvenes de diez a catorce años a jugar y a divertirse también en actividades que no fueran el fútbol, para que el deporte no se convirtiera en una obsesión, para que continuara siendo una diversión.

Al principio del libro citaba una frase de un historiador holandés, Huizinga, que en *Homo ludens* cuenta cómo el fútbol se ha convertido en el deporte por excelencia y la primera fuente de diversión de la civilización industrial y capitalista. Luego incluía un pasaje de Roland Barthes, que hablaba de los riesgos del fútbol, de su naturaleza teatral, del peligro y de las derivas del divismo, que habrían matado el juego. Palabras proféticas.

Hablaba de las diferentes posiciones en el campo: portero, defensa, centrocampista y delantero. Proponía la creación de un «jugador universal», capaz de expresar el fútbol total, que ya había madurado en Alemania, Holanda, Brasil, Francia y Argentina. Un jugador que no fuera especialista solo en una posición en concreto, que fuera capaz de crear juego en el momento en que tenía la pelota en los pies y de moverse por el campo sin pelota, de cortar balones, de desmarcarse; un futbolista que fuera capaz de crear sus propias oportunidades, de tener una buena lectura del juego.

Salía de la sequía de los papeles fijos de cada cual para hablar del juego «en zona»: cambia no solo el modo de jugar, sino también las referencias en la fase defensiva y la manera de estar en el campo. El concepto es sencillo, aunque difícil de llevar a cabo: atacamos todos juntos, defendemos todos juntos. «El jugador del futuro nacerá de un continuo entrenamiento del intelecto», escribía: ante todo, el fútbol se juega con la cabeza, no con los pies. Entonces, en Italia, nadie afirmaba tales cosas. Aún se dice: «Es hábil», en referencia a la técnica, pero para estar en el campo se necesita inteligencia.

Los entrenamientos, durante la semana, no estaban orientados solo a la preparación física o a chutar bien: había que preparar la mente de los jugadores; era cuestión no solo de forjar el temperamento y el carácter, de extraer su competitividad, su voluntad de jugar bien y de ganar, sino también la reactividad, la disponibilidad al juego de equipo, a los distintos esquemas, a ser capaz de prever alternativas; el director ya no era el número diez, sino quien tenía la pelota. En consecuencia, enseñaba a aprovechar la posesión del esférico, quería presión y contragolpe. El objetivo era que el equipo se defendiera atacando, no retrocediendo, sino avanzando. Tenía que ser dueño del juego, siempre, en casa y fuera, sin ambages.

Teniendo claros los presupuestos y partiendo de la historia de los padres fundadores de este maravilloso deporte, estaba poniendo las bases para mi revolución. Era cuestión de promover una idea sencilla y a la vez compleja del modo de jugar. Iba contra una tradición consolidada de nuestro fútbol, tan defensivo, basado en el famoso «cerrojo» y en el contraataque. Nuestra tradición ha creado su suerte en la defensa a ultranza. Lo «primero: no encajar goles»; luego se intenta sorprender al equipo adversario, que, desequilibrado, tenía dificultades para volver atrás y cubrir los espacios. Se devolvía la pelota con pases largos y «pedaleando», como se dice en la jerga futbolística.

El fútbol, que se concibió como un deporte de ataque y de equipo, ha perdido sus características originarias en un país como Italia, donde no gustan las novedades, sino la tradición, el pasado y la nostalgia. Es una sociedad que no trabaja en equipo: al contrario, tiene un carácter históricamente individualista, donde el ciudadano no ama el Estado, no ama la nación: aún vive como si su propia ciudad fuera el centro del mundo. Un país que no promueve la investigación y no ama el futuro.

Culturalmente aún estamos en los tiempos de los primeros municipios, donde cada uno trabaja para sí. Nos manda una oligarquía gerontológica difícil de remover. El fútbol en Italia nunca se ha considerado un deporte con reglas férreas (véase los continuos escándalos por las apuestas). El mérito nos importa un pimiento. A los hinchas, al club y a los jugadores, solo les interesa ganar. Para mí, desde los años del Fusignano, no se conseguía una verdadera victoria si no se merecía.

La competitividad sana enseña que ganas si eres superior en el plano del juego, de la táctica y de la lucha; pierdes si los otros son mejores que tú. La cultura de la derrota entra en un contexto social en el cual se premia el mérito. En Italia, tales conceptos no existían; aún hoy cuesta aceptar una mentalidad que ya es común. Por desgracia, los coros en el estadio dicen: «¡Debéis morir!».

Siempre me ha gustado citar una frase de Winston Churchill sobre los italianos, que ejemplifica claramente el valor que tiene el fútbol en nuestro país. Los italianos «pierden las guerras como si fueran partidos de fútbol, y los partidos de fútbol como si fueran guerras». Es una gran verdad, si pensamos en la afición, en todo aquello que aún hoy rodea al deporte italiano.

Mi idea del fútbol revolucionaba también los roles, como el de portero, que no está al margen del juego, sino que es parte integrante de la defensa. No solo debe saber parar y saltar; también debe ser un jugador y conocer el juego. Quería un portero técnicamente completo, con las características de un defensor que juega fuera de la portería. El guardameta no está solo entre los palos, es el último defensor de la portería; es capaz de coordinar la defensa y de moverse con anticipación, intuyendo las intenciones del adversario. Desde entonces han pasado más de treinta años. En mi opinión, el mejor defensor del Mundial de Brasil fue el portero Neuer, de Alemania, que además ganó el torneo. ¿Será casualidad?

En el libro enumeraba, además, las diversas cualidades no solo físicas, sino también de carácter, que debía tener un jugador en cada zona del campo: todo lo que luego se debía traducir en un entrenamiento pensado para potenciar estas características, para modelar el juego de equipo. Poco a poco, estaba construyendo mi fútbol, pero con una sólida base ética. Por experiencia, los jugadores con los que debía contar no tenían por qué ser los mejores desde el punto de vista técnico, sino aquellos que ética y humanamente eran los más fiables. «Para mejorar las cualidades de conjunto, será importante que en los entrenamientos se exalten los aspectos éticos e intelectuales. Servirán para soportar la fatiga física y nerviosa de los mismos entrenamientos y de los partidos.»

El jugador completo: primero el hombre y su fiabilidad; luego la técnica. En mi opinión, el talento iba en el último lugar; sin embargo, en Italia, todo el equipo se disponía en el campo pensando en el individuo, en la genialidad y en la inspiración personal del crac, como si la invención de un individuo pudiera sacar adelante el partido por sí sola. El fútbol no es (y jamás lo será) así. Los grandes resultados se alcanzan cuando juega todo el equipo, cuando las diversas líneas del conjunto funcionan armónicamente, cuando hay una partitura que seguir. Eso no implica cortar las alas al talento, sino ofrecer al jugador la posibilidad de expresar y ampliar las propias cualidades, como las variaciones sobre un tema en el campo de la música. Lo que buscaba era una armonía entre las líneas, una conexión continua entre los futbolistas. Así cada uno tendría su papel en un juego donde todos serían protagonistas de la acción, con o sin balón.

En el manual hacía una breve historia del fútbol, con un resumen sobre las diversas escuelas, desde aquella inglesa y su sistema «WM» hasta la escuela danubiana de Viena y la Hungría de Puskás. De la sencilla idea de mi fútbol de ataque, con el equipo dueño del campo y del juego, pensando siempre en la victoria, se desprendía también el nuevo papel que debía tener el entrenador, un director de orquesta capaz de crear la música y ejecutarla. Así leía la historia del fútbol a través de la escuela sudamericana: pasando del dominio del fútbol uruguayo en los primeros años del siglo XX al equipo argentino, al Brasil de Pelé entre fines de los años cincuenta y los años setenta. Tenía en cuenta la importancia de la escuela suiza, de Francia y de España. Analizaba la escuela alemana y holandesa, porque el fútbol, en su difusión, ha sufrido profundamente las influencias del temperamento, el carácter y el juego de cada país, que han ido modificando los modos y las formas de las diversas escuelas, como el Ajax de Kovács de los años setenta. Me inspiraba en esas escuelas, consciente de la tradición del cerrojo italiano. «El Ajax soberano pertenece a Stefan Kovács, defensor del "fútbol total": allí juegan Cruyff, Krol, Suurbier y Hulshoff.» Cruyff no es el hombre de más, como se dice en italiano, el hombre clave, porque está dotado de cualidades técnicas superiores, como Di Stéfano o Puskás. Es el hombre clave porque su continua intervención en el juego multiplica las soluciones. Kovács lleva el movimiento de los diez jugadores a nuevos límites: los defensores juegan como auténticos atacantes. Ensanchando el arco y los recursos de la primera línea, los centrocampistas hacen de todo y acortan el equipo; mantienen en el juego, constantemente, a todos los componentes; la táctica del fuera de juego reduce los espacios, lo que permite que cada jugador participe en la acción con o sin pelota. Los atacantes se repliegan al centro del campo para la construcción del juego o para desencadenarse en poderosas aceleraciones.

De este modo, revolucionaba mi papel. Cambiaba radicalmente el estatuto del entrenador, su liderazgo, su manera de entrenar, con ejercicios y prácticas sobre el campo absolutamente innovadoras. Se transformaban el entrenamiento y sus finalidades, ya no solo orientadas al mantenimiento físico de los jugadores, sino capaces también de entrenar su inteligencia con ejercicios de psicocinética. Creaba simulaciones de juego que nos íbamos a encontrar en un partido. Así, luego, jugábamos de memoria, con el equipo bien juntito, bien organizado y bien puesto sobre el terreno de juego. Así acostumbrábamos al jugador a aguantar desde el punto de vista psicológico: le transmitíamos una mentalidad nueva y agresiva. El entrenador tenía que convertirse en un director de orquesta capaz de corregir los errores que el futbolista cometía en el entrenamiento, para mejorar su técnica y sus prestaciones en el campo.

No me gustaban los perezosos, los que llegaban en el último minuto y eran los primeros en marcharse. Necesitaba hombres capaces de darlo todo, incluso en el entrenamiento. En el manual, además, daba indicaciones éticas, de comportamiento, que el jugador debe tener dentro y fuera del campo. Siempre ha de estar atento a una correcta alimentación, alejado de los excesos y de los halagos del dinero fácil y del éxito mediático. En los años ochenta, la sociedad italiana estaba cambiando, y lo hacía también el mundo del espectáculo: los jugadores se estaban convirtiendo en *sex symbols*, protagonistas de los cotilleos y de la prensa rosa, ansiados como «maridos» por su dinero y su éxito por las estrellas en ciernes, no solo de la televisión. Para mí, el fútbol siempre ha sido un modo de hacer mejor a un hombre. La base ética de mi trabajo, el jugar con corrección, preparándose de la mejor manera con responsabilidad, dedicación, pasión y amor: esa era la regla primera.

«El Real Madrid es la expresión más clara del fútbol pasado; el Ajax, del fútbol futuro», escribía en el manual para chavales de 1982. Quizá, más o menos inconscientemente, yo también quería escribir mi página en la historia de este deporte. Me inspiraba el fútbol de estos dos grandes equipos. También un día yo entrenaría a un equipo así. Estaba poniendo las bases y los fundamentos para construir mi equipo ideal, mi nuevo modo de jugar al fútbol. Y seguía soñando.

El mío no era un fútbol provinciano, que nacía y crecía en un lugar pequeño: estudiaba mi fútbol sobre la gran tradición de aquel mundial y trataba de modelar el equipo y el juego en un país conservador, donde el juego, prácticamente, no había evolucionado.

En Rímini conocí a un presidente que se estaba arruinando por culpa del fútbol sin lograr una sola compensación. Era un empresario inteligente y todo un caballero: Dino Cappelli. Era un hombre bueno y generoso, que había acumulado un mar de deudas y había puesto en riesgo su industria. Todo por amor al fútbol. La suya era una pasión auténtica, vivía el partido como ningún otro. No iba a la tribuna, sino que, como un hincha cualquiera, estaba agarrado con las manos y mordía con rabia la valla detrás de la portería. Ya tenía el contrato para entrenar al Rimini en segunda cuando el equipo, al final del campeonato, se encontró en tercera. Un drama para el club y para la ciudad.

Además, entre Cesena y Rímini había una gran rivalidad futbolística, que venía de antiguo, como entre Parma y Reggio Emilia, o entre Ternana y Perugia. El periódico *Stadio* enumeraba una serie de exjugadores y entrenadores con posibilidades de entrenar al Rimini. Casi todos eran excepcionales. Eran nombres importantes, grandes campeones convertidos en buenos entrenadores, listos para sentarse en aquel prestigioso banquillo, pues los aficionados estaban decepcionados y necesitaban ilusionarse. Estaba el argentino Antonio Angelillo, un medio ofensivo que había llevado a su país a la victoria en la Copa América en 1957, y que luego se había nacionalizado italiano; había tenido un papel protagonista en el Inter, donde permaneció cuatro temporadas en las que marcó nada menos que setenta y siete goles; vistió la camiseta de la selección italiana con Altafini y Sivori, también ellos nacionalizados italianos. Otro nombre que sonaba era el de Angelo Domenghini, que había sido un delantero campeón de Europa en 1968 y subcampeón del mundo en México 1970. Asimismo, también se hablaba de Lauro Toneatto, que como futbolista se había convertido en un estandarte del Siena y que tenía una larga experiencia como entrenador. La lista era bastante larga.

Por último estaba yo, Arrigo Sacchi. Entre paréntesis estaba escrito: «por favor, no demos ciertos nombres». Así fue mi acogida en el Rimini.

El presidente Cappelli había entendido que se había acabado una era. No había una lira en las arcas.

—¿Qué hacemos? —me preguntó entre la desilusión y el desconsuelo al final de una temporada que había ido verdaderamente mal, con la soga del descenso en el último partido.

—¡Vendámoslo todo y cojamos a algunos jóvenes, buenos, sin gastar mucho! —le contesté.

Aquella era la filosofía que inspiraba mi carrera de entrenador.

Los clubes a los que entrenaba nunca tenían dinero, apostaban por los jóvenes por necesidad. Pensé en traer conmigo a algunos futbolistas con los que había ganado el campeonato italiano juvenil. Vino con nosotros Walter Bianchi, pero no Sebastiano Rossi, porque en aquella época no me fiaba mucho de él. Y quería conmigo a Daniele Zoratto, que se convertiría no solo en el eje central de mi juego, sino también en el entrenador en el campo, como me gustaba decir. Con él tendríamos más posibilidades de completar un buen campeonato.

—¡Debemos salvarnos! —me dijo el presidente.

—¿Eso es todo? —respondí.

El objetivo de la salvación siempre ha sido algo anómalo para un .club de fútbol. No es posible que un equipo vaya al campo solo para salvarse. «Pero ¿qué objetivo es salvarse?», pensaba.

—¡Debemos jugar para ganar el campeonato! —respondí.

Cappelli me miró, sorprendido. No estaba loco, concebía el fútbol como un deporte pensado para ganar. Ese debía ser el objetivo, domingo tras domingo, en cualquier división en que se jugara.

El entrenador Bruno Bolchi, que se sentaba en el banquillo del Cesena, y parte de la directiva, bebían los vientos por Zoratto, pero el director técnico, Lucchi, que tenía el apoyo del presidente, no tenía demasiado aprecio por los jugadores de baja estatura. Para convencerlos de que lo cedieran, le decía: «*Nu ved cle piznìn*», ¿no ves que es pequeñito? Insistí tanto que el último día de mercado, con el presidente, nos pusimos de acuerdo y compramos a Zoratto. De este modo, construimos el equipo que quería para el campeonato.

Del Rimini confirmamos a jugadores como el portero Petrovic, el joven Gabriele Zamagna y Davide Zannoni, de veinte años y al que luego llamé conmigo al Parma.

Compramos de los juveniles del Avellino a Fernando De Napoli, entonces de apenas dieciocho años. Empezó su carrera con el Rimini y luego llegó al primer equipo del Avellino; posteriormente, al Napoli y a la selección absoluta, con la que disputó el Mundial de 1990.

En el Rimini también comenzó Gianluca Gaudenzi, que entonces era un chaval: lo llevé conmigo al Milan en 1990, donde levantó la Copa Intercontinental y la Supercopa de Europa. Luego fue un buen entrenador. También fichamos del Avellino al jovencísimo Marco Pecoraro Scanio, que más tarde hizo una larga carrera en el Cagliari, el Genova, la Salernitana, el Ancona y el Lecce.

En la pretemporada, comenzamos con la Copa de Italia. Nos incluyeron en el octavo grupo con equipos de gran prestigio, muy fuertes: Bari, Inter, Udinese, Lanerossi Vicenza y Foggia. El primer partido con el Inter, el 18 de agosto, se jugaba en una jornada de pleno verano en Rímini. La ciudad estaba abarrotada de turistas. La expectativa era la de las grandes ocasiones. El estadio estaba repleto. Después de las desilusiones del año anterior, la afición tenía ganas de victoria y de revancha. Los hinchas querían saludar a los nuevos campeones del mundo; en el aire aún se respiraba el alborozo y la euforia de las plazas llenas de gente loca de alegría, que celebraba la victoria bañándose en las fuentes de cada ciudad. Los hinchas y los turistas de vacaciones en Rímini no podían perderse aquella primera cita.

En su plantilla, el Inter tenía grandes campeones, seis de los cuales habían jugado la selección italiana que había levantado la Copa del Mundo en el Santiago Bernabéu: Ivano Bordon, Gabriele Oriali, Giuseppe Bergomi, Fulvio Collovati, Giampiero Marini y Alessandro (Spillo) Altobelli. Además, había otros futbolistas fantásticos como el brasileño Juary y Hansi Müller. En el banquillo, Rino Marchesi.

Se daban todas las condiciones para una gran velada de fútbol: por una parte, un equipo de campeones; por el otro, uno de chavales al inicio de su carrera. Fue precisamente con aquel partido cuando comenzaron los primeros desacuerdos entre los jugadores y el club, que no quería pagar las primas también por los amistosos y por la Copa de Italia.

Para mediar y mantener tranquilo al vestuario, así como para dar cuerda a los jugadores, propuse algo indecente al presidente: «Si ganamos, nos dividimos la recaudación a medias. ¿Le parece?». Se miraron a la cara. La propuesta les gustó a todos.

Jugar contra algunos campeones del mundo en un

estadio repleto, con la perspectiva de llevarse a casa la mitad de la recaudación, no era algo que ocurriera todos los días. Salimos al campo más que concentrados. En el minuto ochenta, aún íbamos cero a cero: el árbitro pitó un penalti a nuestro favor. Mirko Fabbri falló. Quizá fueron los nervios. Tal vez también influyeron los directivos, que nos echaron encima mil anatemas para no darnos la mitad de la recaudación. Müller, de penalti, antes del final, chutó un torpedo a ras de suelo que nos hizo hincar la rodilla. «El Inter vence, pero no convence», comentaron los periodistas deportivos en la televisión.

El primer año en Rímini fue muy duro y difícil. La ciudad se había convertido en la capital de la «diversión», de las ganas de vivir y de la fiesta después de los tiempos del terrorismo. En las colinas entre Rímini y Riccione habían abierto las mayores discotecas de Italia. Estábamos a comienzos de los años ochenta y la ciudad de Federico Fellini y Sergio Zavoli participaba de esa tensión que se vivía en todo el país: el renacer de un enorme deseo de grandes cambios.

Pier Vittorio Tondelli contó la vida nocturna, los encuentros, las ganas de música y de cultura de la ciudad en una novela, *Rímini*, que escaló en las listas de ventas como emblema de esparcimiento y despreocupación, sin olvidar la cultura secular de raíces romanas. La diversión no acababa nunca. En invierno, las discotecas estaban abiertas casi todas las tardes; de abril a octubre, las playas se llenaban de muchachas semidesnudas que se tumbaban allí a tomar el sol. Una tentación continua para los jugadores, que precisamente en aquella época se estaban convirtiendo en estrellas también fuera del campo, mezclando constantemente vida pública y privada, como nunca antes había sucedido.

También comenzaban a circular los primeros grandes contratos internacionales. Al año siguiente, Maradona llegaría al Napoli del Barcelona por la cifra hiperbólica, entonces, de mil doscientos millones de pesetas. Tenía veintitrés años y era el jugador mejor pagado del mundo. Italia, después del Mundial de 1982, también quería renacer como país. Y encontraba en el fútbol un modo de expresar su deseo de renovarse. La primera división estaba poniendo las bases para convertirse en el campeonato más difícil del mundo.

Mi presentación y la del equipo del Rimini se produjo, no por casualidad, en el Bandiera Gialla, uno de los locales en boga en los años ochenta. Después de nuestra presentación en la ciudad y ante los periodistas debía cantar Vasco Rossi, que en aquella época ya era muy conocido.

Era, pues, difícil no sentir la presencia de la ciudad y de toda la energía y la electricidad que transmitía. El equipo, además, estaba siempre en el centro de la atención y la polémica. En tales condiciones, por mi parte debía apelar a la seriedad de mis jugadores.

En Rímini vivía en la zona marítima, la de los quiero y no puedo. La ciudad estaba como dividida en dos. Para alcanzar la zona marítima había que atravesar un pasaje subterráneo, encima del cual alguien había escrito: «¡Os informamos de que estáis entrando en la zona de los quiero y no puedo!». El quiero y no puedo es un hedonista que no puede gastar porque no tiene; el manirroto, en cambio, es un hedonista que puede y, por tanto, despilfarra siempre.

Al salir del estadio para ir a mi casa, debía recorrer con el coche el paseo marítimo, trazar una curva cerrada y luego entrar por la calle donde vivía. Con los faros, en febrero, aún estaba oscuro, e iluminaba un poco de playa. Allí, una tarde, vi a Zoratto pegado a una cabina; entre él y la cabina había una muchacha más alta que él. Entonces entendí por qué en aquella época Zoratto sufría de pequeñas elongaciones en las pantorrillas. Cuando llegó al entrenamiento le dije: «Oye, en vez de verte contra una cabina y en esas condiciones, te dejo las llaves de mi apartamento». Así resolvimos el problema de las pantorrillas de Zoratto.

Una tarde, mientras volvía a casa, me encontré delante del coche a Marco Pecoraro Scanio (hermano de Alfonso Pecoraro Scanio), que luego se convirtió en senador, un muchacho guapo e inteligente que pensaba que yo no era un tipo muy listo. Cambiaba a menudo de novia; cuando me las presentaba, siempre decía: «¿Usted ya conoce a mi novia?». Una vez me cansé de que me tomaran el pelo y le respondí, divertido:

—Pero ¿usted no era rubia?

—Nunca he sido rubia —respondió la muchacha, ante la cara, más atónita que divertida, de Pecoraro.

Cómo era Rímini en aquella época lo ilustra perfectamente De Napoli, que venía de Campania y, digámoslo así, no era un adonis. Un día al salir del vestuario lo vi perseguido por una muchacha: en aquel momento, comprendí que aquello no podía seguir así. Los llevé a la montaña, de concentración. Aunque quizá fue un error.

Fue un año muy duro y muy difícil, pero también de gran experiencia. Después del primer partido, empatamos en casa y recibimos muchas críticas. En Carrara, donde entrenaba Corrado Orrico, que había ganado el campeonato del año anterior, quité a cinco o seis «ancianos» y puse en su lugar a jugadores jóvenes. No era fácil: las gradas, el banquillo, con aquellos veteranos que no entendían y tenían dificultades para ejecutar el juego, ardían de rabia por haberlos sustituido.

Quedamos quintos. Cerramos el campeonato con los mismos puntos que el Vicenza, pero por delante del Parma. Especialmente en la última parte de la liga, perdimos muchos partidos; fuera por el cansancio, fuera por el calor, pero era complicado mantener a los jugadores lejos de las «distracciones».

Un buen campeonato, con un juego bonito y con

buenos jóvenes, pero no ganábamos. Por lo demás, yo jugaba para ganar, pero el club solo me daba jugadores para salvarnos. Era difícil trabajar en tales condiciones.

Con los jóvenes me encontraba bien. Les enseñaba un fútbol distinto, una manera de trabajar y de pensar nuestro deporte que estaba fuera de los esquemas tradicionales. A los jugadores más viejos era difícil hacerles entender el nuevo modo de jugar, la presión continua y el movimiento del equipo incluso sin pelota, tener once jugadores con o sin pelota siempre activos.

Un jugador me dijo una vez:

—¡Si me muevo sin la pelota, la televisión no me enfoca!

—Te has equivocado de oficio, deberías haber sido actor! —le respondí.

No obstante, al final del año, los jugadores habían madurado en el plano físico, intelectual y competitivo: los vendieron a todos.

Le dije al presidente:

—Por favor, traspáselos a todos menos a Zoratto, él es quien empuja y coordina el equipo en el campo.

La tarde anterior al partido con el Trento, Cappelli me invitó a cenar. Las condiciones de su club eran tan precarias que tenía una deuda espantosa. Se hablaba entonces de mil doscientos millones de liras. Corría el riesgo de cerrar no solo el club de fútbol, sino también su empresa. Me dijo que había vendido a Zannoni al Cagliari (que militaba en primera), a Pecoraro y Tinti a la Salernitana, así como la mitad de la ficha de De Napoli por cuatrocientos cincuenta millones al Avellino. Había vendido a Gaudenzi y Bianchi al Brescia. Solo al final me confesó que también había vendido a Zoratto. Me lo dijo únicamente después del postre, antes del café. Había hecho caja. No solo había equilibrado las deudas, sino que se había encontrado con algo de dinero para gastar en el nuevo equipo.

Aquella tarde no necesitaba el *amaretto*. Le dije que no continuaría entrenando al Rimini. Ya no se daban las condiciones de confianza entre el presidente y su entrenador. Así acabé esta etapa, con cierta nostalgia; seguro de haber disputado un buen campeonato. Entrenaba a jóvenes a los que compraban por poco y que luego revendían por una cifra superior. Hacían caja. Con los entrenamientos, la manera de jugar, las tablas adquiridas en el campo y los resultados, aquellos jugadores dieron un gran salto de calidad. Todo era fruto del trabajo duro.

De este modo, me encontré sin equipo. Fue un momento difícil de mi carrera. Comenzaba a entender qué complejo era conciliar los sueños con la realidad, el deseo de ganar con los problemas del club, del campo y del vestuario. Sentía una gran alegría por ver crecer a los muchachos, por comprobar cómo se convertían en hombres a través del fútbol. Le daba un gran valor al talento, ayudaba a los jóvenes a encontrar su camino. Para mí era muy importante, aunque las victorias en el campeonato y los grandes resultados no llegaban. Pero estaba seguro de que el trabajo, la aplicación y el deseo de hacerlo bien me premiarían. El contravalor del mercado decía mucho del trabajo que se hacía en el campo a lo largo del campeonato.

Italo Allodi me llamó a Florencia, donde trabajaba como director general. Si aceptaba su oferta, entrenaría al primavera y sería el responsable de la sección juvenil de la Fiorentina, un equipo que militaba en primera.

De este modo, empezó mi aventura en las riberas del Arno.

4

En Florencia con los juveniles

Hasta los artistas más afirmados necesitan de la ayuda
de los otros para expresarse completamente.

BERTOLT BRECHT

*E*n Florencia trabajé como responsable de la categoría
juvenil de la Fiorentina.

El primer equipo, que disputó el campeonato de
1983-1984, tenía jugadores de gran calidad: el club había comprado a Gabriele Oriali, habían llegado Pasquale
Iachini y el atacante Paolo Pulici, que había sustituido a
Ciccio Graziani. Además tenía a dos jugadores argentinos extraordinarios: Ricardo Daniel Bertoni y, sobre
todo, Daniel Passarella, que habían ganado el Mundial
argentino de 1978.

Era la Fiorentina de Giancarlo Antognoni, su gran
capitán: había ganado la Copa del Mundo en España y
había jugado trescientas cuarenta y una veces con la camiseta violeta de la Fiore, de 1972 a 1987. Un mito y un
monumento del fútbol florentino. En el equipo estaba
también el joven Daniele Massaro, al que Bearzot había
llevado consigo a España, aunque no lo hizo debutar; en
1986, lo compró el Milan, y ha seguido gran parte de mi
carrera de entrenador.

La Fiorentina tenía, pues, grandes campeones y jóvenes ya expertos. Mi tarea era mejorar la sección juvenil, incluido el equipo primavera. Fue una tarea que afronté con mi entusiasmo habitual.

En Florencia tenía que vérmelas con los campeones a los que había visto por televisión y que había admirado durante los Mundiales de 1978 y 1982.

Cada poco invitaba a Daniel Passarella a hablar con los muchachos. Eran encuentros importantes (hoy los llamaríamos *stages*) durante los cuales hablaba del juego en zona que había practicado con la Argentina de Menotti. Se hablaba de disposición en el campo, de maniobras y de partidos. Sobre todo quería que los muchachos conocieran las experiencias de la zona de presión argentina de la voz del capitán. Passarella afirmaba: «Sabiendo jugar con una zona de presión, para mí ha sido más fácil jugar de líbero. Al revés, habría sido mucho más difícil».

Era una situación ideal para crecer, para adquirir experiencia a alto nivel, con un primer equipo que al final quedó tercero en el campeonato, jugando un fútbol bonito, técnico y competitivo.

Ponía en práctica lo que Italo Allodi soñaba y quería para el fútbol italiano: la coordinación entre las categorías juveniles, que llevaría a crear luego una cadena capaz de formar jugadores y nuevas generaciones. Allodi había entendido antes que nadie qué necesitaba el fútbol italiano para ser grande. Ante todo, una escuela de alta formación para los cuadros dirigentes (y qué falta haría ahora): el supercurso de Coverciano no debía ser simplemente un curso para obtener una licencia después de pocas semanas de asistencia, sino que se había concebido como una escuela de alta formación para pocos y escogidos talentos. En segundo lugar, la selección y la reorganización de la sección juvenil, para hacer crecer a los jugadores y valorizar a los jóvenes.

En Florencia jugaban con los marcajes y el líbero retrasado. Impuse la defensa en zona en todas las secciones juveniles de la Fiorentina, porque acostumbra a pensar y a desarrollar el intelecto, así como beneficia tener una capacidad de juicio respecto del marcaje al hombre. Y es indispensable para hacer jugar a un equipo en perfecta sinergia.

La zona cubre predominantemente los espacios (y, por tanto, hace una defensa pasiva, pero se puede marcar, si es la mejor elección). La zona de presión conlleva una defensa activa: quiere decir que, incluso cuando los adversarios tienen la pelota, tú eres el *dominus* del juego. Con esta presión, los obligas a jugar con velocidad, a ritmos e intensidad tales que juegan mal y como tú quieres. No era solo una zona, era mucho más.

Entonces en la Fiorentina estaba Sergio Cervato, un defensa que había jugado durante años en el primer equipo, que luego había pasado a la Juventus y a la Spal; más tarde había empezado su carrera como entrenador. A un defensa acostumbrado a jugar con el marcaje al hombre se le hace muy difícil imponerle, en la madurez, el fútbol en zona de presión, especialmente si luego se convierte en entrenador y enseña a los jóvenes el juego tradicional practicado durante su carrera. El mío y el de Cervato son dos modos de entender el fútbol, dos maneras diferentes de ver el mundo. Dos filosofías distintas: la defensiva del juego a la italiana, por un lado, y la agresiva y de ataque de la zona de presión, por el otro. Creo que no fue útil imponer a otros este modo de jugar cuando no se conocía la didáctica para enseñar el fútbol total. Pensándolo bien, ese fue mi error.

La Holanda de los años setenta jugaba con la zona de presión. Cuando se juega en zona, la referencia principal es el balón, luego el compañero y, finalmente, el adversario. Se defiende preferentemente de manera colectiva, esta era la diferencia: en Italia se defendía de forma individual (aún hoy) y la referencia principal era el adversario, casi nunca el balón y el compañero.

De aquel equipo primavera, con los años he llevado conmigo a algunos jóvenes, aunque era un grupo poco destacado desde el punto de vista profesional. Estaba el portero Marco Landucci, que fiché para el Parma; con él gané el campeonato de tercera división; luego hizo una buena carrera con Fiorentina, Lucchese, Brescia, Avellino e Inter; hoy es el segundo entrenador de Allegri. Otro chico al que hice jugar fue Stefano Carobbi, al que luego llevé al Milan y que tuvo una buena carrera como jugador y como entrenador de las categorías juveniles de la Fiorentina. Estaba Mario Bortolazzi, al que llevé al Parma y luego al Milan, y que jugó en el Genoa. Y también Amedeo Carboni, que tuvo una destacada carrera: primero en la Roma, luego como capitán del Valencia, donde jugó de 1997 a 2006 (allí ganó la Copa de España en 1999, fue dos veces subcampeón de la UEFA Champions League y ganó dos ligas españolas. Además, en 2004, ganó la Copa de la UEFA y la Supercopa de Europa).

Italo Allodi, al que había seguido a la Fiorentina, fue un gran directivo. Tenía sus propias ideas de fútbol y luchaba por tener los mejores jugadores posibles. En el campeonato de 1984, quería traer a Florencia a un delantero como Rudi Völler, del Werder Bremen. El club violeta, dirigido por Ranieri Pontello, prefirió a Sócrates, «el doctor», «el filósofo», al que los italianos recuerdan por el famoso partido Italia-Brasil en que marcó el momentáneo empate en la Copa del Mundo de España de 1982. Así se creó una fractura entre el club y Allodi, que decidió presentar la dimisión. Antes de marcharse de Florencia, me propuso firmar un contrato trianual con la Fiorentina para proseguir mi trabajo y garantizarme un futuro en un club de primera división. «Es un buen contrato, las condiciones son favorables y tú sigues desarrollando tu trabajo, que estás haciendo muy bien con los muchachos del primavera.»

No lo pensé ni un minuto. Por respeto a él, decidí que también yo me iría de Florencia.

Siempre he pensado que el juego de un equipo se construye sobre todo con las decisiones del club y teniendo claro cuáles son los objetivos. Si no se dan las condiciones para continuar el trabajo siguiendo un proyecto preciso, todo se viene abajo. Un equipo que juega mal, que pierde, con jugadores desmotivados en el campo, que no expresan todo aquello que pueden dar, es la señal no solo de un entrenador perdedor, sino de toda una sociedad que no ha sabido construir y orientar un proyecto. No podía permanecer allí porque, ante todo, a Florencia me había llevado él. Así pues, perdía el punto de referencia de mi trabajo. El entrenador es el hombre que representa al club en el campo y que hace de intérprete de las finalidades del juego y de los objetivos del club mismo. Si una de las piezas falta, también el papel del entrenador se ve disminuido y se rompe ese clima de confianza que es fundamental para el éxito del proyecto.

Ranieri Pontello me pidió que permaneciera; como no quería, me propusieron ir al Monza, que estaba en buenas relaciones con la Fiorentina. «Si cogéis a Sacchi, os damos en préstamo a Bortolazzi y Carobbi, así crecéis también vosotros.» Era la señal de que a la familia Pontello y al club les había gustado mi trabajo, un acto de confianza no solo en relación conmigo, sino también con mi modo de entender el papel de entrenador y de coordinador. Al final, el Monza, que militaba en segunda división, eligió como entrenador a Alfredo Magni.

Una tarde, era verano, fui a Riccione para ver un importante torneo nocturno. Me senté en la tribuna. Al lado me encontré a Dino Cappelli, el presidente del Rimini, hombre de buen corazón y de gran humanidad. Era un verdadero deportista, capaz de poner en crisis su empresa y de arruinarse por amor al equipo, no como muchos presidentes de hoy... Me preguntó por la experiencia de Florencia, cómo había ido, cómo había trabajado y qué había hecho. Al final, como sabía que andaba sin equipo, me preguntó:

—¿Por qué no vuelves al Rimini?

—Porque no me gustan las menestras recalentadas —respondí, tajante.

Dino Cappelli se volvió hacia mí.

—La menestra recalentada no es buena, pero cuando es buena, lo es también recalentada.

Sin embargo, la situación económica del club era un desastre. Tampoco su empresa iba bien. De nuevo, su amor al fútbol lo había llevado a la ruina.

—Si antes teníamos algunos cuartos, ahora ya no los tenemos —me dijo, entre serio y divertido.

Le hice una propuesta: reconstruiría el equipo solo con el doble del sueldo que había percibido el último año en que había entrenado al Rimini.

Él me miró, feliz, y aceptó.

Lo pensé un poco. Al final del partido le estreché la mano. Volvería al Rimini.

Era una verdadera apuesta. Me sentía feliz, aliviado, listo para volver a empezar, hasta el punto que de inmediato comenzamos a discutir cómo plantearíamos el nuevo equipo. Sentía estima por Dino Cappelli. La confianza que me demostraba me había llevado a aceptar su propuesta. Regresaría al Romeo Neri. Los regresos serán luego una constante de mi carrera: así ha ocurrido con el Milan y con el Parma.

El año anterior, el Rimini se había salvado en el último partido, pero había gastado todo el dinero que tenía. Había sido una temporada catastrófica. Era volver a empezar, pero sin recursos económicos; debía apostar por jugadores que conocía y devolver a casa a los que habían vendido y no habían triunfado fuera de casa. Volví a contratar a Walter Bianchi del Brescia y a Davide Zannoni del Cagliari. Fiché del Cesena a Giancarlo Boldini y a Gianluca Righetti. Del Rimini mantuvimos a los mejores profesionales; reconstruimos el equipo con algunos jóvenes, pero con una buena columna vertebral.

En 1984-1985, nos jugamos el campeonato de tercera, grupo A, en un momento muy difícil para el club: la relación con los aficionados y con la prensa no era idílica. Los periódicos comenzaron a crear polémicas y a «dispararnos encima», como se dice en argot. En las paredes del estadio se leía: «Ya estamos en cuarta».

En Italia estaban naciendo las primeras televisiones libres y comerciales. Solo en Rímini había al menos seis o siete que criticaban al equipo y se dedicaban a avivar cualquier tipo de polémica. Giovanni Galeone, que entrenaba a la Spal, dijo que para el campeonato de tercera, grupo A, si había un descenso seguro, era el del Rimini; por otra parte, quien subiría, seguro, sería la Spal.

Durante una conferencia de prensa me encontré ante un grupo de periodistas muy aguerridos, que participaban de las opiniones de la afición y de la ciudad. La habían tomado con el equipo. Decidí plantar cara. Les pedí que se mojaran: cómo terminaría el campeonato. En vez de hacerlos hablar después, los había puesto a prueba antes de todo. Solo uno escribió que encontraríamos cuatro equipos peores que nosotros; el resto nos dio por liquidados. Ya habíamos descendido.

Cogí el mando del Rimini no con el objetivo de la salvación, sino para ser protagonistas en el campeonato, para vencer. Quería infundir en mis jugadores una mentalidad agresiva y ganadora: nosotros íbamos a ser los dueños del juego. Debíamos darlo todo, jugar un buen fútbol, espectacular. Durante la primera vuelta del campeonato, nos llevamos grandes satisfacciones.

La victoria que hizo crecer el entusiasmo en el ambiente, y que conquistó a público y periodistas, fue el 0-3 en casa de la Spal de Galeone, que nos había desahuciado desde el principio. Un doblete de Zannoni y un gol de Righetti fueron nuestra respuesta a sus vanas palabras. Eran dos jugadores que había querido en el equipo. Y ellos habían correspondido a mi confianza a base de goles.

Encabezamos el campeonato durante más de veinte partidos; cerramos la primera vuelta al frente de la clasificación. La Spal era la última clasificada. Habíamos invertido las previsiones de todos aquellos que «graznaban» contra nosotros. De este modo, demostrábamos que la belleza, el juego, la determinación y las ganas son el verdadero motor que hace ganar al equipo. Y el público se divertía por la espectacularidad del juego y la tensión competitiva. El estadio se llenaba cada domingo.

No cobramos hasta diciembre, pero ganábamos según los puntos por partido. Había acordado que los jugadores se llevaran a casa diez mil liras por punto; veinte mil liras por victoria si quedábamos entre los últimos cuatro; doscientas mil entre los dos primeros. En resumen, nos pagaban un montón de dinero sin darnos un sueldo. El presidente, Dino Cappelli, y Gastone Montesi estaban entusiasmados. No lo estaban tanto los directivos, que esperaban que perdiéramos cada domingo para no pagar los premios por partido.

El entusiasmo de los hinchas lo pude ver un sábado que había nevado. En tercera no existía la obligación ni de las lonas ni de espalar la nieve. Entonces fui a la televisión e invité a la afición a venir al estadio para limpiar el campo y las gradas. El domingo por la mañana se presentaron y trabajaron de buena gana para despejar el césped y las tribunas: habían entendido que nuestras ganas de jugar no las detendría ni siquiera la nieve. Al principio, encajamos un gol del Livorno, pero luego nuestro esfuerzo obtuvo su recompensa: ganamos 2-1.

El campeonato lo ganó el Brescia, segundo fue el Vicenza. En mayo, nosotros habíamos ganado en casa 2-1, con doblete del habitual Zannoni. Fue un partido desgraciado: en aquel encuentro, se lesionó Roberto Baggio. Precisamente él, que nos había marcado en los primeros minutos.

Estábamos un gol por debajo. Roberto había marcado como un verdadero fuera de serie, cuando, justo delante de mí, se volvió de golpe. El pie se quedó quieto y la rodilla giró. Inconscientes del drama y el dolor, sus compañeros lo invitaron a levantarse. Se había roto el cruzado anterior, la cápsula, el menisco y el ligamento colateral de la pierna derecha.

Quedamos cuartos, pero, como después quedaría probado, el Vicenza había falseado el campeonato, pues había comprado los últimos cinco partidos. Después del escándalo de las apuestas en el fútbol de 1980, cuando los coches de la policía entraron en los estadios para arrestar a algunos jugadores antes de que bajaran a los vestuarios, estalló otro escándalo, la «quiniela negrabis». Una página verdaderamente oscura del fútbol italiano, cíclicamente contaminado por cosas como esta.

Me pregunto qué hubiera ocurrido si el Vicenza no hubiera falseado el campeonato. Quizás hubiéramos llevado al Rimini a segunda, pero, a toro pasado, es fácil decirlo...

Era la primera vez que chocaba con ese mundo del entorno del fútbol, que me impidió disfrutar plenamente de los resultados de mi trabajo y del equipo que entrenaba. Pero aquel había sido solo un episodio judicial que echaba luz sobre una historia pasada. Mucho peor sería algunos años después, cuando una moneda y una pantomima falsearon un campeonato de primera, y me impidieron ganar la segunda liga con el Milan. Italo Allodi, que al final del proceso quedó absuelto, vivió tales acontecimientos como un drama que le estropeó para siempre la salud.

Por lo demás, mi contrato con el Rimini había vencido. Como siempre, había firmado por un año, pues el estrés y la tensión me daban cuerda, pero me quitaban el sueño y la tranquilidad. De hecho, siempre pensaba en dejarlo. Durante el campeonato, el Ancona se había puesto en contacto conmigo. El presidente, Edoardo Longarini, quería verme, me quería como entrenador de su equipo.

Ya teníamos una cita cuando la misma mañana recibí la llamada de Riccardo Sogliano, un exfutbolista que, en calidad de director deportivo, había tenido una importante carrera en equipos importantes como Varese, Genoa y Bologna, para luego llegar a la Roma, donde no se encontró a gusto. El renacimiento en aquellos años del Parma fue mérito suyo. Y él me quería a mí. Ya se había puesto en contacto conmigo, junto con otros cuatro o cinco clubes, en 1983, durante el primer campeonato con el Rimini, cuando encadenamos seis o siete resultados positivos. Habían reparado en nosotros y en nuestro fútbol. Así empezaron las ofertas para contratarme al año siguiente. Luego, después de dos o tres encuentros no precisamente apasionantes, la mitad de los clubes que se habían puesto en contacto desaparecieron, como demostración de que el fútbol se mueve a menudo por la emotividad de los resultados y sin tener en cuenta nada más.

Me encontré con Sogliano y con parte de la directiva del Parma.

—Sacchi, venga a Parma, es un buen lugar para trabajar.

—Pero debo ver a Longarini del Ancona.

—¡Venga a Parma, no se arrepentirá!

Entonces fui a ver a Longarini, con una táctica similar. Me recibió detrás de un enorme escritorio. Tras él, dos secretarios hacían de guardaespaldas.

—Yo soy un ganador en todo, y también quiero ganar en el fútbol —me dijo Longarini.

—Se ha equivocado de persona, yo no puedo garantizar la victoria —respondí, sorprendido e incómodo.

Nosotros, los del Rimini, le habíamos vendido un jugador importante, Ceramicola; al final del campeonato, habíamos quedado por encima de ellos en la clasificación. Nosotros fuimos cuartos; ellos, sextos, después de la Reggina.

—Siéntese —me dijo.

Comencé a criticar duramente al equipo y al club.

—El equipo no me gusta —afirmé—. Si vengo a Ancona, debo cambiar a muchos jugadores.

A cada objeción mía, Longarini respondía siempre que sí: no había modo de que estuviera en desacuerdo. Al final jugué la carta de la familia.

—Yo estoy casado, y vendría con gusto a Ancona si viene también mi mujer, Giovanna. Debo convencerla a ella.

Al día siguiente, entregaron en nuestra casa un gran ramo de rosas rojas con la inscripción: «Para la señora Sacchi», de parte del presidente del Ancona.

Giovanna me miró y me dijo:

—Me ha llegado un gran ramo de rosas, ¡pensaba que eran tuyas!

Entonces le planteé la fatídica pregunta:

—¿Adónde vamos, a Parma o a Ancona?

—Parma —respondió Giovanna—. ¡Sin discusión!

5

En Parma, la consagración

No hay arte sin obsesión.

CESARE PAVESE

*E*rnesto Ceresini, histórico presidente del Parma, era uno de esos empresarios que aman el fútbol. Antaño, por pura pasión futbolística, los presidentes incluso se arruinaban; se exponían económicamente y, en general, aparte de alguna alegría por una victoria, no recogían más que grandes deudas, follones con la afición y estadios semivacíos. Eran presidentes que vivían el sueño del fútbol, que sufrían lo indecible en cada partido. Y daban un sentido a su propia vida gracias a este maravilloso deporte.

Ernesto Ceresini era uno de ellos. Una persona honesta, de bien, que condujo al Parma desde 1976 como único propietario y presidente, y que murió víctima de un infarto el 4 de febrero de 1990, a un paso de ver a su amado equipo subir al olimpo del fútbol nacional, la primera división. Una trágica burla del destino.

En los años ochenta, la sociedad italiana se estaba transformando, salía de los años de plomo; con una nueva paz social, se volvía a hablar de crecimiento, de inversiones, de una nueva manera de generar riqueza. Tal energía llegó también al fútbol; los equipos se adecuaron al cambio, a los nuevos patrocinios, a las nuevas realidades televisivas, con nuevas propiedades, nuevas inversiones y nuevas maneras de hacer negocios.

En los años anteriores a mi llegada al banquillo, Riccardo Sogliano había puesto en orden las cuentas del Parma, tratando de dar al club una nueva fisonomía, rejuveneciéndola. Había llamado a un preparador físico, un jovencísimo Vincenzo Pincolini, exatleta, y había abierto el club a nuevos socios y patrocinadores, además de aquel histórico del jamón de Parma. Esta política llevaría al equipo a la firma, el 27 de junio de 1986, del contrato con Calisto Tanzi y la Parmalat.

Por otro lado, otro salto cualitativo, una renovación radical llegó a través del cambio de camiseta: ya no fue la tradicional con la cruz negra sobre fondo blanco, sino una amarilla y azul, más moderna, estilizada, acorde con los nuevos tiempos. Una revolución, porque la camiseta es más que un uniforme, es un símbolo. Se diría que, para algunos, es casi una razón de vida.

Era uno de los jóvenes entrenadores que estaban en el mercado. Llegué a la ciudad ducal con treinta y nueve años. Antes de mi llegada, el Parma había tenido dos años de grandes altibajos. En 1983-1984 (con un equipo que había mezclado a las jóvenes generaciones, Stefano Pioli y Nicola Berti, con jugadores experimentados como Massimo Barbuti y Enrico Cannata), el Parma, dirigido por Marino Perani desde el banquillo, había ganado el campeonato de tercera. Fue una constante montaña rusa, que trastornó a la afición, que se mostró dura con los jugadores y el club por este vaivén de alegrías y desilusiones. Ernesto Ceresini, endeudado por más de tres mil millones de liras, ya no podía sostener solo el equipo; el club estaba obligado a vender jugadores y a apostar por los jóvenes.

En el ambiente de tercera me conocían porque mi

manera de jugar daba que hablar. El Rimini me buscó y me propuso un contrato económicamente más ventajoso, pero el objetivo era la salvación.

Sogliano sabía cómo trabajaba, conocía mis ideas.

En Parma entendí que había caído en el sitio correcto: el club y su director general, junto con toda la directiva, querían un equipo nuevo y decidido, capaz de expresar un buen fútbol, valorizar a los jóvenes y conquistar el campeonato. Estaba harto de que me dijeran: «Es bueno, pero no gana». Se daban todas las condiciones para hacerlo bien.

Contratamos a jóvenes de calidad, que ya conocían el campeonato de tercera. Se vendió a casi todo el grupo anterior, colocando a los jugadores en primera y en segunda: Gabriele Pin fue a la Juventus, Fabio Aselli a la Sampdoria, Marco Macina al Milan y el jovencísimo Nicola Berti a la Fiorentina. Del equipo del año anterior solo quedaron Roberto Mussi, Moreno Farsoni y Roberto Bruno.

Da que pensar que todos estos jugadores salieran de abajo, señal de las habilidades directivas de Riccardo Sogliano y de la calidad de la cantera del Parma. Los hinchas estigmatizaron esta manera de administrar y de trabajar en el mercado con una frase que se convirtió en un tormento: «¡No vayas al Tardini, que te venden también a ti!».

Cuando llegué, había que reconstruir el equipo casi de cero. Esto me permitió tomar decisiones meditadas. Para cada puesto había dado a Sogliano una lista de cinco jugadores en orden de preferencia. Él me trajo, si no el primero, el segundo de la lista. Gracias a la excelente campaña de ventas, pudimos comprar bien. No nos gastamos más de cinco mil millones de liras. Dejamos en las arcas del club más de mil millones.

Había reunido un buen equipo de jóvenes de los que me fiaba y que, cosa importantísima para mí, conocía bien desde que habían comenzado a jugar. Podía contar con su entusiasmo y su profesionalidad: el talento se habría revelado en el juego. Es el juego el que mejora la fantasía y el talento, lo exalta y lo ayuda.

De vuelta del descenso, aún había que congraciarse con el público, con la afición, tan crítica con el club. La gente era muy exigente con el equipo; pretendía mucho de él. El presidente Ceresini lo sabía.

Para que se entienda bien: me acuerdo de una llamada de Italo Allodi, que, viendo la campaña de compras y los jugadores, me dijo:

—¡Arrigo, si metes la pata, te lo harán pagar caro!

—Pero yo pienso que voy bien; prefiero jugar con las cartas que conozco —respondí.

También me encontré con un cuerpo técnico excelente, profesionales que hicieron carrera conmigo y que siempre me han acompañado porque sabía cómo trabajaban. Uno era Pietro (Gedeone) Carmignani, segundo de Perani, que había dirigido el equipo en el momento más difícil del campeonato de segunda y no había conseguido dar el salto final hacia la salvación. Carmignani era un exportero: había ganado el campeonato defendiendo la portería de la Juventus en 1971-1972 y una Copa de Italia en 1975-1976 con el Napoli (la ganaría de nuevo como entrenador, después de la destitución de Daniel Passarella en el banquillo del Parma en 2001-2002). Una persona generosa, apasionada y competente. El preparador físico era Vincenzo Pincolini, que ya colaboraba con el Parma desde 1982.

El primer encuentro con ellos no resultó sencillo. Estábamos en el hotel Palace Maria Luigia de Parma. Salíamos los tres de la conversación con Sogliano. Este me había dicho con mucha determinación que tendría como colaboradores tanto a Carmignani como a Pincolini; si quería, los podía utilizar; si no, pues era asunto mío. Cuando estuvimos en el pasillo, les dije, tajante: «¡Vosotros colaboraréis conmigo porque lo ha querido Sogliano, pero yo decidiré en todo!».

Pincolini y Carmignani, lo recuerdo bien, se miraron. No era un comienzo prometedor, pero venía de experiencias donde tomaba decisiones casi siempre solo. Estaba habituado a trabajar así: en el Rimini tenía un segundo entrenador, ningún preparador físico.

No les debí de causar una buena impresión. Me lo confesaron algunos años después. Forma parte de mi carácter voluntarioso; a veces puede parecer huraño, pero quería tenerlo todo bajo control. Esto me ha creado problemas incluso antes de construir el equipo. El estrés y la gastritis, de los que había comenzado a sufrir ya en Rímini, me atormentaban. Comía poco y hacía régimen, me entrenaba y trataba de descargar la tensión con pesas, bicicleta y carrera.

Cuando afirmo que el entrenador es un hombre solo, en el banquillo y fuera del estadio, quiero decir que tiene que saber resistir las críticas que llegan de los periódicos, de la afición y de la ciudad que representa.

Así comenzó mi aventura en Parma, entre mil tensiones, expectativas, esperanzas, entusiasmo, un público y una ciudad a la espera de entender quién era aquel Arrigo Sacchi de Fusignano del que todos hablaban y al que, finalmente, verían trabajar. Me sentía fuerte y lleno de energía. No veía la hora de empezar. Aunque había firmado solo por un año, porque la idea era siempre la misma: dejarlo al año siguiente.

Preparé programas, cuadros con los entrenamientos, jornadas de trabajo. En la concentración de Tizzano, en la Alta Val Parma, comenzamos a trabajar de manera nueva y distinta. Con Pincolini y Carmignani había diálogo y coincidencia sobre la preparación física, que fue, en muchos aspectos, revolucionaria para un equipo de fútbol, con cargas de trabajo hasta entonces desconocidas. La sinceridad y la pericia de mis dos colaboradores me llevaron a cambiar de opinión también sobre su rol. Yo soy blanco o negro. En lo que respecta a la confianza, soy radical. Pero la fuerte unión que nació entre nosotros tres, y que nos acompañaría durante años, se basaba en la estima y la confianza mutua. Pincolini y Carmignani fueron leales y correctos conmigo. Cuando no estaban de acuerdo, cuando pensaban que estaba equivocado, me lo decían sin rodeos, porque nadie es infalible; también yo he cometido mil errores en mi vida. Me gustaba su sinceridad. Tal circunstancia permitió que me abriera, que comenzara a fiarme y a dejarlos trabajar, seguro de que el equipo saldría beneficiado. No soy cerrado, soy una persona decidida, que es otra cosa. Estoy abierto a discutir con personas que también saben decir no. Así se cimentó nuestra amistad. Permanecieron conmigo durante casi toda mi carrera, del Milan al Atlético de Madrid o el Real Madrid, pasando por la selección.

En el segundo año, elegí jugadores voluntariosos, decididos, inteligentes, generosos y con la voluntad de jugar «para y con» el equipo; en Tizzano habían preparado un camino de tierra batida (nos servía para correr) con subidas y bajadas. Llegamos a hacerlo con ritmos alternos durante más de una hora. Una cosa de locos. Eran cargas de trabajo increíbles, pero necesitábamos una buena preparación física para disputar un fútbol jugado a gran velocidad, con mucho ritmo, aliento, reactividad. Eran aspectos que otros no tenían en cuenta. A continuación siempre traté de llevar a cabo una preparación ya no «en seco», como se dice en el medio, sino cada vez más con el balón.

En Parma nos entrenábamos en los campos Stuard, en San Pancrazio. A menudo íbamos al campo central de la Cittadella, en pleno centro de la ciudad. Faltaba mucho para que naciera el Collecchio, el centro de entrenamiento del Parma. Aquellos campos eran difíciles, con la hierba descuidada; definirlos como desastrosos es un eufemismo, pero la simbiosis que tenía con los jugadores, la voluntad de enseñar a aquellos muchachos un nuevo modo de jugar creaba un entusiasmo que unía al equipo, superando también el problema del campo, reducido con frecuencia a tierra fangosa o dura como el asfalto.

Cada cierto tiempo, algún anciano se detenía a mirar sujetando la bicicleta, pegado a la red, o bien algún curioso. Eran poquísimos los hinchas que seguían los entrenamientos. Recuerdo a un viejo, al que llamábamos *caplèna*, «gorra» en dialecto romañol, un habitual: se detenía, escuchaba mis gritos, observaba, comentaba la jugada con alguien de paso. A veces asistía a los entrenamientos también Gian Paolo Montali, el entrenador del equipo de voleibol.

Quienes se paraban para ver nuestros entrenamientos habían entendido que algo había cambiado, incluso solo por el volumen de trabajo, por la intensidad del entrenamiento. Y nos ejercitábamos en serio. Era todo nuevo para aquel público un poco burlón, que entendía de fútbol. Un público atento, que seguía al equipo incluso fuera del estadio.

«¡Los está matando!», decían en dialecto, riendo, los viejos hinchas durante los entrenamientos. «Más que calentarlos, los hace hervir.»

Estaban asombrados también por mis gritos, porque quería que los jugadores reaccionaran de inmediato y con la intensidad justa. Para mí, el fútbol se basa en saber hacer una buena lectura de la situación; los once jugadores deben responder a la vez. Todo partía de un equipo compacto y organizado que se movía como un cilindro compresor en la fase de no posesión para luego extenderse y ensancharse en la fase de posesión. El movimiento estaba en la base de mi juego, como también el posicionamiento que facilitaba la conexión, la técnica y la fantasía cuando teníamos el balón. Mientras que en la fase de no posesión agilizaba los dobles marcajes, la presión y la colaboración entre los futbolistas. Tenían que moverse todos en bloque, en armonía y con sinergia. El equipo debía permanecer unido y no dejar de moverse.

Bergamaschi, exjugador de primera, dijo después de un Rimini-Treviso: «¡No se puede jugar así, no es leal! Son siempre dos o tres contra uno».

Estaba formando el que yo llamo un «equipo orquesta», capaz de correr de manera armónica permaneciendo todos muy cerca, sin perder el aliento. Sobre todo aprendimos a correr mejor. Todos juntos, dividiendo el esfuerzo. Un fútbol colectivo donde se alternaba con todos los jugadores en espacios restringidos para ser superiores numéricamente cerca de la pelota. Con el balón en nuestro poder, podíamos tener más soluciones; cuando lo tenía el adversario, necesitábamos la máxima colaboración entre las diferentes líneas. Los tiempos de juego, la capacidad de juicio del compañero relacionada con la distancia y la elección de los receptores ayudan a la técnica y a las soluciones.

Los primeros tres meses de entrenamientos y concentraciones fueron duros porque también a los jugadores, por más jóvenes que fueran, y a aquellos que me conocían, les costaba seguir el juego. Pagamos el esfuerzo al principio del campeonato. Para conjuntar el equipo y estar en forma se necesitaba tiempo. Al principio del campeonato no estaban listos ni físicamente (debíamos digerir el duro trabajo) ni en los sincronismos de juego colectivo. Debíamos aprender a ocupar el campo, entender bien los ritmos de juego, sostenerlos después de una adecuada preparación física. Los demás equipos, con menos trabajo en las piernas, al principio eran más ágiles, pero lo pagarían a lo largo del campeonato.

Al final, después de tantos esfuerzos, tras entrenamientos duros y situaciones simuladas que aprendimos casi de memoria, los muchachos en el campo se divertían como locos y jugaban un fútbol burbujeante, inteligente, bonito de ver. El público se divertía con tantas ocasiones de gol. Varios jugadores venían mucho antes a los entrenamientos, señal de que había despertado en ellos el deseo de mejorar. Para mí, aquello implicaba un gran resultado. El trabajo y el esfuerzo nos compensaban, a mí y a ellos.

Durante el campeonato jugamos partidos en los cuales algunos equipos ni siquiera salían de su área. En casa, en la segunda jornada del campeonato, le endosamos cinco goles al Fano. Una serie de victorias marcó nuestro camino, dos goles al Pavia, dos a la Carrarese, dos al Modena y al Rimini. Acabamos líderes la primera vuelta, con veintiséis puntos y una sola derrota (en Ferrara contra la Spal, en la séptima jornada, por un solo gol de diferencia). Detrás de nosotros, estaba el Virescit (veintidós puntos) y el Modena (veintiuno). Parecía un campeonato fácil.

En la primera vuelta también ganamos en Reggio Emilia contra la Reggiana: conquistamos el viejo Mirabello después de más de cuarenta años. Fue una victoria histórica, apasionante y excitante en un derbi muy sentido por ambas ciudades. Era la decimotercera jornada. El estadio estaba repleto de hinchas de ambos equipos. En el tercer gol, que nos dio la victoria, algunos jugadores corrieron hacia la afición, otros hacia nuestro banquillo. Nosotros saltamos, nos abrazamos con el presidente Ceresini en el banquillo (era como un hincha de la curva, loco de alegría).

Quiero recordar algo que explica quién era ese presidente. Cuando estábamos a punto para partir hacia

Reggio Emilia, Ceresini hizo detener misteriosamente el autocar delante del hotel Maria Luigia. No entendimos el porqué. Cuando volvimos a los vestuarios, después de la victoria en el campo, en la camilla del masajista había dieciocho millones de liras en metálico que debíamos repartirnos.

—Pero ¿cómo podía saber que ganaríamos? —le pregunté.

—¡La noche antes del partido soñé que ganaríamos después de cuatro décadas, así que teníamos que festejarlo todos juntos!

Fue uno de los partidos históricos de la primera vuelta. No ocurrió lo mismo en el derbi de la segunda vuelta. El 4 de mayo de 1986 fue una de las páginas más negras de la historia del Parma: se rozó la tragedia por los enfrentamientos entre los hinchas y la policía. Era increíble para una ciudad y una afición civilizada y correcta como pocas en Italia. Era la primera vez que, como entrenador, asistía a semejantes hechos. Comenzamos a vivir un fútbol que llevaba dentro de sí también su cáncer, sus males, pero sobre todo sus errores, con relaciones poco claras entre club y afición. Una derrota en casa en el derbi no podía tener aquel epílogo.

Sin embargo, el campeonato aún no había acabado. Las victorias tardaban en llegar. En Varese, a cuatro jornadas del final, se jugó un partido dramático. Si ganábamos, estaríamos a un paso de la promoción; si perdía el Varese, descendería. El empate no servía a nadie. Durante la semana, en el partido de entrenamiento, perdimos con el Fanfulla, que entonces jugaba en tercera.

Entendí que el equipo estaba en un momento difícil. Tomé una decisión: cambié a tres titulares. Hice entrar a Lombardi, que no había jugado nunca. Concentré al equipo. Cuando llegó Sogliano, que nunca me preguntaba lo que hacía, sentí la necesidad de exteriorizar esta elección, que, en ciertos aspectos, era arriesgada y valiente. Nos jugábamos el campeonato. Le revelé cuál sería el equipo titular. Sogliano me escuchó sin decir nada, como para demostrar el respeto y la confianza que tenía en mí y en mi trabajo.

El partido no se desbloqueaba, hasta que Righetti, que corría hacia la portería adversaria, fue zancadilleado por un defensor. Penalti. Cuando Rossi se encaminó hacia el punto fatídico, me giré y vi que el presidente Ceresini se tomaba una píldora para calmar su corazón. Rossi tiró y el portero atajó el disparo. Luego, tras el despeje, el delantero parmesano marcó: 1-0. En aquel momento, Ceresini, exaltado, se tragó otra píldora: su corazón lo necesitaba. Aquel partido fue fundamental para lograr la victoria en el campeonato.

Al final, Sogliano me cogió aparte y me dijo: «Cuando me dijiste la alineación, si me dabas un puñetazo en el estómago, me hacías menos daño». Solo un gran directivo respeta el papel y las decisiones ajenas.

El encuentro decisivo para concluir la temporada se disputó en el Tardini contra la Sanremese, en un estadio a rebosar. Hice debutar desde el primer minuto a un muchacho de apenas dieciséis años, un atacante de la cantera del Parma, Alessandro Melli, que clavó en la red un centro desde la derecha que puso Paci. Fue la apoteosis. Aún tengo en el recuerdo la imagen de aquel muchacho que marcó su primer gol en tercera bajo la curva de la afición, en un partido tan importante, y selló la victoria en el campeonato y el ascenso a segunda.

El gol de Rossi, al que había hecho salir al campo en el segundo tiempo, siempre con el apoyo de Alessandro Melli, cerró mi primer y fantástico año en el Parma. Habíamos ganado un campeonato que habíamos dominado de principio a fin. Y habíamos jugado muy bien. Me sentía satisfecho: finalmente, veía realizarse el sueño del fútbol que quería y que amaba. Y ahí estaban los resultados.

Υ

El conde Rognoni, pero sobre todo su hijo Ettore, mi amigo de Milano Marittima, fueron personas muy importantes para mi carrera de entrenador. Ettore Rognoni se había convertido en jefe de la Sección de Deportes de Mediaset y me invitó a la televisión para un programa deportivo junto con Trapattoni, que aquel año había ganado el campeonato con la Juve. Él se había llevado la liga; yo, la promoción de tercera a segunda. Para mí fue un gran honor. El cámara de la transmisión me cogió aparte y me dijo: «Si lo oye Berlusconi, lo lleva al Milan». Nunca unas palabras fueron más proféticas.

Yo no creo en el dicho: «Equipo que gana no se cambia», al contrario. Siempre estoy dispuesto a ponerlo todo en discusión. Así, cuando ascendimos a segunda, decidí que Righetti y Gabriele no seguirían. Siempre los había llevado conmigo, habían crecido a mi lado durante casi cinco años, pero en este punto nuestros caminos se separaban. En el fútbol, el dinero no es el objetivo, es una consecuencia que prueba el valor del jugador, pero ante todo está el hombre con sus valores. Righetti y Gabriele habían jugado un gran campeonato y el delantero incluso había marcado unos cuantos goles, pero ya no los quise: no pensaban en ganar, en jugar bien. Habían perdido el entusiasmo y se estaban volviendo vanidosos, perdían su generosidad y el respeto a las reglas. Si se pierde el objetivo de lo que se hace y la ética del juego, eso lo cambia todo. Pero ellos tenían otra cosa en la cabeza.

Yo firmaba contratos de año en año, porque, como he dicho, siempre pensaba en dejarlo. La ansiedad, la tensión y los problemas gástricos se hacían sentir cada vez más. En cada partido perdía uno o dos kilos por el estrés, la vehemencia y la energía que ponía en dirigir al equipo. Gritaba, me ponía de pie, animaba a los jugadores. Quería que lo dieran todo, como yo lo daba todo. Corría y trabajaba a su lado porque deseaba que entendieran que también yo era parte del equipo, que sudaba como ellos.

El presidente Ceresini, que ya había vivido una promoción y luego un descenso, no estaba de acuerdo con la cesión de dos jugadores que habían sido los protagonistas del campeonato, no quería descender de nuevo vendiendo a algunos pilares del ataque. Tampoco los hinchas estaban de acuerdo con mis decisiones. Se suscitaron varias polémicas, pero yo me mantuve en mis trece. A Gabriele, al que habían comprado por casi ochocientos millones de liras, no lo quería nadie porque era demasiado caro; nos vimos obligados a cederlo. El equipo era siempre muy joven. El más viejo era el pobre Gianluca Signorini, que entonces tenía veinticinco años. Una vez más quería un equipo de muchachos decididos, dispuestos al sacrificio, que ya me conocían por cómo entrenaba, que sabían qué quería dentro y fuera del campo. No siguieron Bordin (que luego acabó en el Cesena con Righetti) y Gabriele (que acabó en la Lucchese). En su sustitución llegaron Galassi de la Sanbenedettese y Sormani del Rimini, Valoti del Atalanta y Bortolazzi del Milan, a los cuales se sumó luego el experto Corti de la Lazio. En cuanto a los puntas, Paci pasó al Ancona, mientras que a Rossi y a Melli se añadió de inmediato Fontolan, fichado del Legnano y, en noviembre, Piovani, del Brescia. No debe olvidarse tampoco el fichaje de Morbiducci del Perugia, que se lesionó de inmediato y fue a parar al Cesena. El portero Landucci acabó en el primer equipo de la Fiorentina (disputó el campeonato en primera como titular). Lo sustituyeron un joven Marco Ferrari y un portero de segunda, jovencísimo, de apenas dieciséis años, Luca Bucci.

Y

Las polémicas se encendieron porque la convicción era que en segunda se necesitaba un portero con experiencia, no un chico tan joven, por más bueno que fuese. Eché por tierra también este prejuicio: lo que cuenta en el fútbol es que un equipo esté motivado, eso resulta vital. Si luego también hay talento, entonces se puede soñar. Al final, gracias también al trabajo de Carmignani, Ferrari encajó solo veintiséis goles: fue el menos batido del campeonato.

Comenzábamos el campeonato de segunda con un equipo más que joven, casi era un primavera. Hacia el final del campeonato de tercera había llamado a Gianluca Signorini y le había dicho: «No seguirás la próxima temporada, y tú sabes por qué. Creo en el trabajo y en quien da el cien por cien. Os quiero a todos al máximo. ¡No continuarás!».

Quería ponerlo a prueba. Fui muy duro con él.

Dos días después, Gianluca me llevó a un aparte: «Hace dos noches que no duermo. Mire, quiero quedarme. Si usted me lo permite, seré el último en irme de los entrenamientos y el primero en llegar». Me fie de su palabra. Frente a todos los jugadores, en los vestuarios, anuncié la promesa que me había hecho y que seguiría en el equipo. El segundo año, el Parma hizo un campeonato estrepitoso. No nos concentrábamos. A menudo, nos encontrábamos en el estadio antes del partido, nada más. Cierta vez, Signorini me dijo: «Míster, si comiéramos alguna vez juntos, sería mejor». Este era Gianluca, una persona de bien, de buen ánimo.

La última vez que fui a verlo ya no hablaba. Nunca olvidaré los ojos de aquel muchacho que contemplaba a su niña con una mirada que lo decía todo. Y luego el pobre Roberto Bruno, defensa central, que tuvo un destino trágico, al que intentamos ayudar entre muchos: jóvenes que han jugado conmigo y cuya marcha dejó una gran pena y un profundo dolor.

Con vistas al campeonato, la que también se reforzó fue la directiva, con la llegada del director deportivo Giorgio Vitali, que traía al Parma la experiencia acumulada de su paso por equipos como el Cesena, el Monza, el Napoli y la Genoa. Una figura importante, un buen directivo, que puso unos sólidos cimientos en el club.

Estábamos listos para el campeonato de segunda. Fue largo y difícil, y muy equilibrado: siete-ocho equipos en un puñado de puntos. Empatamos los dos primeros partidos del campeonato, con el Lazio y el Bari; el tercero, en Campobasso, lo ganamos. El entrenador era un sueco, Tord Grip, quien, mientras bajábamos las escaleras hacia los vestuario, me detuvo y me dijo en italiano: «¡Cómo se divierte usted con estos muchachos!».

Un bonito cumplido, un reconocimiento deportivo y humano que hay que apreciar.

La tarde misma de la victoria frente al Campobasso me telefoneó Italo Allodi. Había visto el resumen en televisión y el gol de contragolpe; todo el equipo se había movido orquestadamente para recuperar el balón y salir al contraataque: una acción magistral que hablaba de la buena preparación del equipo. «Estás listo para la primera», me dijo.

La confirmación vino el 9 de septiembre, primer partido de la Copa de Italia contra el Milan, que formaba parte de nuestro grupo. Jugamos en San Siro frente a un gran público. Fue una noche mágica, de aquellas en que el destino da un giro y te marca el camino.

Ya había conocido a Silvio Berlusconi. Había sido durante un amistoso Parma-Milan, que perdimos 0-2; eso sí, lo perdimos solo cuando hice entrar a los suplentes. En los vestuarios, Ceresini me llevó aparte: «El presidente del Milan, Silvio Berlusconi, te quiere conocer».

Lo encontré esperándome. «Lo seguiremos», me dijo después de las presentaciones. Y así nos despedimos.

Nils Liedholm, entrenador del Milan, dejó fuera a Mark Hateley. Muchos jugadores estaban en la enfermería. Además, el equipo *rossonero* tenía un juego lento. Fontolan dejó congelado al estadio con un disparo lejano que burló al portero del Milan. Aquel Parma era agresivo, veloz, empujaba, duplicaba los marcajes y ponía en dificultades al equipo *rossonero*. Jugábamos sin ningún sometimiento, imponíamos nuestro juego con una velocidad y una «zona» que sorprendió sobre todo a Berlusconi, que acababa de comprar el equipo. Fue una gran victoria. No fue cosa de la casualidad, sino de un largo trabajo estival. Ganamos y nos clasificamos para la siguiente fase junto con el Milan. Pero el sorteo para los octavos quiso que una vez más tuviéramos que enfrentarnos con el equipo de Liedholm. ¿Una casualidad o una señal del destino?

Mis jugadores estaban desilusionados con el sorteo. Signorini me dijo: «Nos están robando un sueño. Algún día, habríamos podido contar a nuestros hijos que habíamos ganado en San Siro». Podíamos disfrutar durante solo un instante de la alegría de enfrentarnos de nuevo contra el Milan: imposible repetir en la Scala del fútbol. El sentimiento de revancha de los *rossoneri* haría el resto. Debíamos pagar la afrenta de haber ganado en San Siro.

Sin embargo, yo estaba convencido de lo contrario. «Ganar una vez puede sucederles a todos, pero ganar dos veces solo les pasa a los mejores: ¡no hay casualidades!» Así intenté tranquilizar a los muchachos.

El Milan de Liedholm no había cambiado de juego. Era demasiado lento. La velocidad de nuestro fútbol les pondría en apuros. Mi Parma, después de un año de trabajo y con nuevas energías, era un equipo experto y más sólido.

De nuevo en Milán, volvimos a atacar desde el primer minuto y comprometimos mucho al Milan, que aún estrechaba las filas. Esta vez fue Bortolazzi, milanista cedido al Parma, quien dejó congelado a San Siro con un gol de penalti. Nuciari no pudo hacer nada por detener aquella pelota que entró pegada al palo. El 0-1 cerró el encuentro. Mi alegría era incontenible. Con un gran trabajo, humildad y pasión, habíamos dado pasos de gigante. Yo también había mejorado a la hora de transmitir mis convicciones y podía compartirlas con el equipo y la directiva. Se respiraba un clima de euforia.

Vi de nuevo a Berlusconi después de los octavos de la Copa de Italia. Esta vez me dijo: «Continuaremos siguiéndolo en el campeonato». Era un modo de decir que el escenario de la segunda era importante para mostrar el juego y la idea de fútbol. Hace poco me confirmó que le había gustado el modo de jugar, en particular la presión (que los *rossoneri* no practicaban) y los dos laterales (Mussi y Bianchi), que se desenganchaban continuamente.

Desde el punto de vista táctico y humano éramos más fuertes. Los cambios habían reforzado al equipo, gracias a elecciones precisas, que debieron poner remedio incluso a graves lesiones como la de Zannoni, nuestro goleador, que se rompió el ligamento cruzado. Berlusconi, para consolarlo, le regaló un coche.

El campeonato de segunda era durísimo. Me acuerdo de un partido en Pisa. Sucedió algo muy desagradable, algo que todavía recuerdo con tristeza; mi ira estalló incontrolada. Era el 2 de noviembre de 1986. Alessandro Melli cayó lesionado después de una entrada de juzgado de guardia. Los gritos de dolor se oían en todo el estadio. Salté como un resorte del banquillo maldiciendo al jugador del Pisa. Estaba preocupado por la suerte de mi jovencísimo atacante. Una lesión así te puede costar incluso la carrera. El árbitro, Coppetelli, de Tivoli, se limitó a sacarle una tarjeta amarilla al defensa. La rabia me cegó: ni siquiera recuerdo qué grité contra el juez. No me lo podía creer. Debía salvaguardar y defender a mis jugadores. No recuerdo cuántas jornadas de sanción me impusieron. Melli estuvo de baja seis meses. Al final, perdimos 1-0.

En mi puesto se sentaría Maurizio Battistini, el entrenador del primavera del Parma, más joven que yo, y muy capaz. En realidad, tenía que tocarle a Bruno Mora, futbolista de la selección de los años sesenta, jugador de la Juve, el Milan y la Sampdoria, pero una enfermedad grave nos había privado de su presencia, de su competencia y de su humanidad.

El campeonato estuvo muy equilibrado. Al final de la primera vuelta teníamos más de veinte puntos, algo que ni la directiva ni la afición esperaban. Después de las experiencias de los años pasados, se esperaban un campeonato cuyo único objetivo fuera la permanencia. Yo, en cambio, siempre he jugado para ganar. Y ese año no cambió mi idea. Lo más importante era la diversión que estos jóvenes regalaban al público por el compromiso, el entusiasmo y la calidad del juego.

Al final había ocho equipos con cuatro puntos. La Cremonese, que había dominado la primera vuelta, comenzó a fallar frente al Cesena, el Lecce y el Pisa, que se asomaban a la parte alta de la clasificación. El Pescara, repescado *in extremis* de tercera, fue la revelación del año.

Nosotros íbamos a un ritmo constante, pero, a fines de marzo, mientras estábamos en Cagliari, el *Corriere della Sera* publicó la noticia bomba de que yo había firmado con el Milan. Un terremoto que sacudió un poco a todos. No obstante, logré que el equipo se mantuviera concentrado. Con el Pisa, la semana siguiente, nos tomamos la revancha: los dos goles que les metimos nos colocaron terceros en la clasificación. Así amortigüé el golpe y la calma volvió a reinar en el ambiente.

Un mes antes, mi padre había sido ingresado en un hospital de Fusignano. De vuelta del partido en Campobasso, el 1 de marzo, me detuve en el centro hospitalario. Lo encontré exhausto.

Hablamos de lo divino y de lo humano, y comentamos la marcha del campeonato con el Parma. En un momento dado, me senté cerca de él:

—¿Sabes guardar un secreto? —le pregunté de pronto.

—Sí —me respondió.

—¡Mira que es un secreto, secreto!

—Claro.

—¡El año próximo entrenaré al Milan!

A mi padre se le iluminaron los ojos y casi se sentó sobre la cama.

Al día siguiente, llamé al médico para saber cómo iban las cosas. El doctor me preguntó: «Pero ¿qué le ha hecho a su padre? ¿Qué le ha dicho? ¡Hoy parece que está muy bien!».

La noticia había calmado su enfermedad, le había infundido vitalidad.

En la última parte del año ya no conseguíamos marcar y ganar fuera de casa. En Catania no jugamos bien. El miércoles siguiente teníamos el partido de los cuartos de la Copa de Italia contra el Atalanta, en Bérgamo. Por una parte, yo quería apostarlo todo al campeonato y ganarlo; Sogliano pretendía que los objetivos de la temporada fueran el campeonato y la Copa, y pensaba que el Atalanta era un adversario asequible. Pero es muy difícil marcarse dos objetivos con unos jóvenes inexpertos como núcleo de una plantilla. Yo quería alinear solo a los suplentes para hacer descansar a lo titulares, mientras que Sogliano quería poner en liza a todos los titulares. Al final alineé solo a unos cuantos titulares. Perdimos en Bérgamo y empatamos en casa 0-0: eliminados.

Contra el Genoa empatamos 1-1 en un partido que dominamos de cabo a rabo, pero en el minuto noventa y dos encajamos un gol. El director de *Tuttosport*, Giglio Panza, cuando vio el partido, sabiendo que sería el nuevo entrenador del Milan, me dijo: «Si haces jugar al Milan como al Parma, con los jugadores que tiene el Milan, ¿qué pasará?».

En el partido decisivo para la suerte del campeonato recibimos al Cesena. Poco antes, a Signorini le habían informado de que la Roma lo había comprado: no durmió de la alegría durante un par de noches. Así era Gianluca, un muchacho formidable que el fútbol primero y la enfermedad después han convertido en un hombre de gran fuerza moral.

El partido que habría podido relanzar al equipo hacia primera lo jugamos en Cremona. Fue un encuentro histórico. El árbitro Longhi concedió un gol a la Cremonese en claro fuera de juego. Perdimos 2-1. Los últimos dos partidos (victoria frente a la Triestina 2-1 y derrota en Pescara por 1-0) hicieron que acabáramos en séptimo puesto (40 puntos), junto con el Messina, detrás del Genoa (42), Cremonese, Lecce y Cesena (43) y Pisa y Pescara (44). No habíamos ascendido a primera por solo tres puntos.

Uno de los momentos más emocionantes de mi vida de entrenador fue cuando regresé de Cremona. En la plaza Garibaldi, en el corazón de la ciudad, encontré a un grupo de hinchas con banderas. Me llevaron en volandas incluso después de aquella dolorosa derrota. Sentí una gran alegría: lo habíamos dado todo y la ciudad lo había entendido. Parma es una ciudad de gran cultura; la afición, que me aclamó, dejaba claro que hay cosas más importantes que el resultado, como la belleza y el compromiso con el buen juego. En otras partes del país, no existía nada de eso.

Recuerdo un día en que estaba con dos jugadores, aún unos muchachos, Alessandro Melli y Luca Bucci, en una de las concentraciones del equipo. Ya sabían que me marcharía al Milan.

—¿Qué decís, cómo me irá? —les pregunté.

—Si no lo echan pronto, los jugadores lo seguirán, irá muy bien. ¡El peligro es el comienzo!

Entre alegrías y miedos, entre esperanzas y sueños, mi destino me llevaba hacia Milán.

Empezaba así mi gran aventura en la Scala del fútbol.

6

La cabalgada hacia la primera liga

¡Tu Milan, una sinfonía futbolística!

RICCARDO MUTI

*P*ara entender la revolución de mi Milan, es preciso dar un paso atrás y hablar de lo que ocurrió a partir del campeonato 1978-79, el de la décima liga ganada por el equipo *rossonero*, el año de la estrella[1] y del debut en primera de un jovencísimo Franco Baresi. Nils Liedholm se fue a entrenar a la Roma, y Gianni Rivera, un ídolo de San Siro y de todo el fútbol italiano, abandonó la actividad deportiva en la cima del éxito. Desapareció también Nereo Rocco, un entrenador que ha marcado la historia del club *rossonero*.

Los años setenta fueron una década difícil: el presidente del Milan, entre 1977 y 1980, era Felice Colombo, muy querido por los jugadores, pero no por la afición. La alegría de la liga duró poco, como la luz de una estrella fugaz. Dirigido por Massimo Giacomini, el Milan lo estaba pasando mal en el campeonato cuando, el 23 de marzo de 1980, las furgonetas de la policía tomaron los campos de juego. Arrestaron a algunos juga-

---

1. Referencia a la estrella que, en Italia, se concede y se incorpora a la camiseta del equipo que gana diez ligas. *(N. del T.)*

dores y también a Felice Colombo. Fue el inicio de la investigación que llevó al caso de las «apuestas futbolísticas»; yo también había sufrido las consecuencias en tercera, con los partidos comprados por el Vicenza. Una fea página de nuestro fútbol. El Milan, al final del proceso, resultó gravemente implicado. El equipo fue condenado al último puesto de la clasificación y, en consecuencia, descendió a segunda. El Diablo Rojo volaba al Infierno junto con la Lazio.

Su presencia en segunda solo duró un año. En el campeonato 1980-1981, aún dirigido por Massimo Giacomini, el Milan quedó campeón y regresó directamente a primera.

El retorno a primera fue muy difícil, los resultados no llegaban. Había tensión entre los jugadores y el entrenador, Radice. Felice Colombo lo despidió y lo sustituyó por Italo Galbiati, que, tiempo después, se convertiría en mi segundo entrenador, una pieza importante para mi Milan. Colombo, luego, cedió sus acciones primero a Gaetano Morazzoni y luego a un personaje discutido como Giuseppe Farina, que se convirtió en presidente del club.

El de 1981-1982 fue un campeonato maldito, que llevó a los *rossoneri* a jugarse la permanencia en el último partido contra el Cesena, mientras el Genoa, que disputaba un puesto por la salvación, jugó en Nápoles. El Milan empató a dos en un partido de infarto, pero, en el último minuto, un gol del Genoa en el San Paolo condenó al descenso a los *rossoneri* por segunda vez, en apenas un año. Fue una pesadilla. Todo un gran mazazo para los aficionados. Y esta vez solo se debía a deméritos deportivos.

En la temporada siguiente, Ilario Castagner llevó al equipo otra vez a primera. El Milan de estos vertiginosos subibajas, entre primera, segunda y primera, tenía desconcertado al público y a los hinchas. El fichaje de

Luther Blissett fue un desastre: un verdadero inepto, más famoso y recordado por los goles no marcados que por los cinco que anotó con la camiseta *rossonera*. Farina lo había comprado, dice la leyenda, confiando en la sugerencia de un famoso restaurador inglés. Uno de los tantos jugadores mediocres llegados a nuestro campeonato desde el extranjero después de la reapertura de las fronteras. Farina y Castagner llegaron así al cuerpo a cuerpo. Como este último había firmado con el Inter antes del fin del campeonato, lo despidieron a mitad de la temporada. Al banquillo *rossonero* regresó Nils Liedholm, que pareció devolver al Milan a la gloria pasada.

En la temporada 1984-1985, Farina hizo una buena campaña de compras: trajo al club a jugadores como Di Bartolomei, Virdis, Wilkins y Hateley, apodado «Cuerno de Acero», por la potencia de su cabezazo. Confirmó en el banquillo a Nils Liedholm. Aquel año, el Milan quedó quinto en el campeonato y perdió la final de la Copa de Italia contra la Sampdoria. Después de años fuera de Europa, el Milan jugaría la UEFA. Pero «los sueños mueren al alba», dice un proverbio. Así, en San Siro, contra el Waregem, los *rossoneri* perdieron 2-1. Los hinchas cuestionaron al presidente Farina. Fue otro momento difícil para el equipo, y, sobre todo, para el club. Hacienda encontró irregularidades financieras. El club estaba endeudado hasta las cejas. Farina dimitió: había llevado al club al borde de la quiebra. En vez de marcharse en silencio, declaró a un periodista, con gran sentido del humor: «El Padre Eterno sería el presidente ideal del Milan».

A continuación de este terremoto entró en escena Rosario Lo Verde, que reveló una situación, como poco, trágica. El Milan, en verdad, buscaba un nuevo dueño.

Υ

La compra interesaba a Silvio Berlusconi, que en aquellos años se había convertido en un líder de la comunicación con las televisiones y su sociedad, Fininvest. Vio en el fútbol y en el Milan otro punto importante para su grupo. Junto a sus dos hombres de confianza, Adriano Galliani y Fedele Confalonieri, compró el club. A muchos entonces no les parecía precisamente un buen negocio. El Milan estaba fuera de las competiciones europeas, asolado por las deudas y sin credibilidad ni fuera ni dentro del campo. Adriano Galliani había declarado que el Milan era una marca importante, pero con unas deudas increíbles, hasta el punto de tener que pagar personalmente al panadero, al carnicero de debajo de casa o al farmacéutico de Milanello. El nuevo dueño podía poner fin a muchas pesadillas de los hinchas. Berlusconi garantizaba unos objetivos, una seguridad económica y, sobre todo, un nuevo entusiasmo.

El primer año Berlusconi confirmó a Nils Liedholm, pero luego se arrepintió porque sentía que debía hacer lo que le diera la gana. Siempre ha tenido intuición para descubrir a ciertos talentos. Después de las dos derrotas consecutivas en casa en la Copa de Italia contra mi Parma, Berlusconi comprendió que quizá yo fuera el entrenador que buscaba, porque desplegaba en el campo un fútbol que le gustaba, divertido, agresivo, espectacular, sin miedo. No tuve una historia importante como futbolista, traía ideas innovadoras, y esto gustaba al nuevo club.

Giovanni Trapattoni era un gran entrenador, que interpretaba magistralmente la ortodoxia del fútbol italiano. Lo estimaba mucho, aunque mis convicciones eran diferentes. La Juventus en aquel periodo buscaba un nuevo entrenador que lo sustituyese y pensó en mí, pero yo interpretaba un fútbol muy distinto del suyo: siempre he creído que todo debía partir de un club organizado, moderno, que ponga en el centro primero a la persona, a la constante búsqueda de la excelencia, luego al jugador funcional y complementario con los otros, y, por último, al talento. Así estás en las mejores condiciones de trabajar. Si una organización de conciertos quiere un espectáculo de rock, no entiendo por qué luego llaman a cantantes melódicos, líricos o de sala de fiestas. Y esto vale para el fútbol. Si quieres jugar un fútbol total, deberás comprar a jugadores inteligentes con capacidad de juicio, sentido de la posición y en condiciones de moverse con y para los compañeros. Muchachos que sepan participar en las fases ofensiva y defensiva, y que estén siempre activos. Jugadores universales, no especialistas o individualistas.

En mi fútbol, los líderes eran la idea del juego y el colectivo. ¿Es más importante el motor o el piloto en una carrera automovilística? Pues ambos, pero si no tienes el motor a punto, ni siquiera arrancas.

Sin una idea de juego hay improvisación e imprecisión. No es el genio o el talento el que crea el equipo, sino que es el juego construido y pensado por el entrenador el que hace grande al conjunto y valoriza el talento en el campo. En Italia es preciso mejorar la cultura futbolística, se razona aún con la panza y con los pies, no con la inteligencia. Bertolt Brecht decía que hasta los mejores actores sin un guion y sin la colaboración de los otros no consiguen expresarse completamente. Me parecen conceptos muy sencillos; sin embargo, difíciles de aplicar en una sociedad individualista como la italiana, que no tiene una conciencia social de grupo.

En marzo de 1987, después de la segunda victoria de mi Parma en la Copa de Italia contra el Milan, me llamó Ettore Rognoni, con quien, desde muchacho, me unía una bonita amistad.

Nos había seguido durante todo el campeonato, hasta febrero. Me preguntó si el lunes siguiente podía ir a Arcore, para encontrarme con Berlusconi. Eso sí que no me lo esperaba. Silvio Berlusconi era un personaje extraordinario. Había percibido aquello que otros no habían ni siquiera imaginado. Sin embargo, tuvimos que aplazar la cita hasta la semana siguiente: por culpa de la nieve, el helicóptero no había conseguido elevarse en vuelo desde Saint Moritz, donde él se encontraba.

Lleno de confianza, me aventuré a decirle a Rognoni: «Voy cuando queráis, solo que el viernes no puedo porque ya estoy en conversaciones con un equipo importante. Si todo va bien, firmaré con ellos».

Ettore me llamó casi de inmediato y me propuso que nos viéramos el martes. Entonces comprendí que quizás algo estaba hirviendo en la cazuela. Era una sospecha. En el Parma teníamos jugadores interesantes, que el Milan habría podido comprar, como Mussi, Melli, Fontolan, Bortolazzi, Signorini y Bianchi.

Rognoni vino a buscarme al peaje de Milán y me acompañó a Arcore, donde me esperaban Galliani y Berlusconi. Hablamos de fútbol desde las ocho de la tarde hasta las dos de la mañana. A su propuesta primero dije que no, luego acepté; entonces me pidieron que postergara el encuentro con el otro club, que era la Fiorentina.

Por la noche, de vuelta a Parma, pensé que no habría sido correcto aplazar la cita: era una cuestión de respeto. El miércoles por la mañana (estaba programado un doble entrenamiento) llamé a Ettore, le di las gracias y le dije que no me veía con ánimos de postergar la cita con la Fiorentina, para luego decir que no iría.

—¡Tú estás loco! —reaccionó Rognoni—. He hablado con Galliani, que me ha hablado del entusiasmo de Berlusconi. Al noventa y nueve por ciento eres el nuevo entrenador del Milan.

—No quiero tratar así al otro club —respondí, y fui a hacer el doble entrenamiento con el corazón en paz.

Por la tarde volví a casa. Aún no existían los móviles.

—Ha llamado dos o tres veces Ettore Rognoni, y me ha dicho que le devuelvas la llamada de inmediato —me contó Giovanna.

Llamé a Ettore:

—Mira, Arrigo, debemos ir a Milán. Berlusconi no estará, pero estarán Foscale, Galliani, Paolo Berlusconi y Confalonieri.

—Para mí son incluso demasiados —respondí.

—Están listos para firmar.

Me habían convencido. A continuación, me enteré de que Berlusconi no estaba porque debía firmar un contrato con Raffaella Carrà y Pippo Baudo para sus nuevas televisiones.

Llegué a Milán y dije:

—Os agradezco vuestra confianza. Habéis tenido un gran valor. Firmaré en blanco. Quiero responder a vuestra confianza de este modo.

Galliani me había ofrecido menos de lo que ganaba en el Parma. Pero estaba contento. Era un sueño que se hacía realidad.

Mi llegada a Milán fue, como siempre, difícil. Fue un gran impacto para el equipo. Se notaba cierta desconfianza. Mi discurso era diferente. Decía cosas distintas sobre fútbol, acerca de la mentalidad que se debe mantener en el campo, sobre la programación de los entrenamientos. En Italia, no hay que olvidarlo, quemaron a Giordano Bruno. Y a mí se me veía como un hereje. El entorno del fútbol y una parte de los periodistas me consideraban un subversivo, un marginado, un adversario al que, si era posible, había que batir, porque ponía en crisis su liderazgo y su rol de poseedores de un saber anticuado, viejo. Por otro lado, los jóvenes y los menos conservadores me miraban con cierto interés. Así me presentaba en Milán. «¿Quién es este que nunca ha jugado al fútbol? Quiere hacer cosas distintas de las que siempre hemos dicho y escrito. ¿Por qué cambiar?»

Una vez me invitaron a la Bocconi para una conferencia. La primera pregunta que me hizo un estudiante fue:

—¿Cómo puede entrenar a jugadores de alto nivel si usted nunca lo ha sido?

—¡No sabía que antes de ser jinete sea necesario haber sido caballo! —respondí, suscitando la hilaridad general.

Ya estaba acostumbrado a tales muestras de desconfianza.

Tenía a gente a favor y en contra. Eran como dos facciones. Hubo incluso periodistas que llegaron a las manos. Pero yo no tenía la intención de hacer revolución alguna, solo quería implementar el fútbol que me gustaba. En Italia se gastaba muchísimo dinero en comprar jugadores de calidad, pero luego se dejaba el juego a los adversarios. Era absurdo. Yo apostaba por los jóvenes italianos voluntariosos, con buena cabeza y buenos pies, abiertos, capaces de expresar el juego que yo quería. Había ganado el campeonato de tercera con un equipo que tenía una edad media de veinte años y medio.

Una vez Galliani me dijo:

—¡Mira, Arrigo, que puedes gastar lo que quieras, no hay problema!

—No —respondí—, debemos comprar jugadores que necesitamos para el equipo y el juego; si cuestan poco, tanto mejor, así tendréis también más paciencia: a menudo, quien gasta mucho pretende resultados inmediatos.

En Italia se ganaba, sobre todo, a través de las individualidades, por medio de la acción genial de un jugador, apostando por el contragolpe. Por desgracia, la mentalidad sigue siendo esta. En general, somos un país ignorante, que no sabe. Y, si no sabe, se ata al pasado. En Italia lo nuevo conlleva un trauma. Me atraía lo nuevo, sobre todo en el campo técnico. Natale Bianchedi, mi ojeador de confianza, daba la vuelta al mundo para ver cómo entrenaban otros, como Cruyff, Lobanovsky y Rehhagel. Y me preparaba informes para hacer nuestras las novedades.

Que me acogieran con desconfianza no era nada nuevo. Cuando fui a Milán, la hostilidad alcanzó su punto máximo. En Parma, no, en la ciudad ducal había encontrado gente con la mente abierta, con gran entusiasmo, también porque en el campeonato de tercera no era un desconocido, tras haber trabajado dos años con el Rimini.

Un periódico importante, cuando llegué a Milán, me acogió con un artículo donde se sucedían una serie de «Se dice» tan denigratorios que solo faltaba la acusación de pedofilia. Llamé a Galliani para que me aclarara el porqué de esos artículos tan llenos de veneno, pero él no le dio importancia. Simplemente, me dijo: «No los leas».

Fue la primera señal de que detrás de mí tenía un club sólido, que me defendía y me ayudaba. Siempre he tenido el consuelo de Berlusconi y Galliani. Era importante para mi proyecto. En caso de necesidad me habrían ayudado siempre. Eso me tranquilizaba. Tuvo mucho mérito por su parte dejarme trabajar en las mejores condiciones, con amistad, estima, cultura e inteligencia. Jamás me quitaron un ápice de autoridad.

Tenía cuarenta y un años. Era uno de los técnicos más jóvenes, mejor dicho, jovencísimo. Nils Liedholm era un hombre culto, inteligente e irónico, autoirónico. Sabía que yo había fichado por el Milan, pero el club lo negaba porque el campeonato estaba en juego. Al final de un partido entró en la sala de prensa precisamente en el momento en que estaban entrevistando a Galliani. Lo acribillaban a preguntas para saber el nombre del nuevo entrenador del Milan, querían que confirmara los rumores que circulaban en torno a mi nombre. Cuando entró, Galliani dijo: «Nils, ven, échame una mano». Y él, sin decir una palabra, le alargó la derecha, sonriendo.

El Milan que heredaba de Liedholm era un equipo de buenos futbolistas, pero no todos iban a funcionar en mi proyecto. Por ejemplo, Agostino Di Bartolomei era un buen jugador, pero inadecuado para interpretar el fútbol que tenía en la cabeza, por eso no lo quise. Otro era Dario Bonetti, que jugaba también en la selección, pero había confundido el día con la noche.

—¿Y a quién cogemos en su puesto? —me preguntó Berlusconi.

—¿No está su suplente, Filippo Galli? Me parece un excelente profesional.

Liedholm, después de años difíciles, había hecho un buen trabajo técnico que se reveló también como un terreno fértil para mi juego; sin embargo, partía de presupuestos muy diversos, no de los individuos, sino de una técnica colectiva.

Liedholm me fue, por tanto, de gran ayuda. Desgraciadamente, nosotros, los entrenadores, estamos solos, siempre, sobre todo cuando se pierde. Solos frente a los jugadores, a los periodistas y al público. Se podría escribir un libro entero sobre la soledad del entrenador, con sus decisiones dictadas por las circunstancias, las tácticas y las necesidades. Las elecciones más impopulares a menudo son las únicas posibles porque el juego lo exige.

Antes de mi llegada, en el final del campeonato de 1986-87, Fabio Capello fue nombrado entrenador. Cuando vinieron a jugar a Parma, después de nuestra victoria en Milán, Liedholm estaba en la tribuna y Capello en el banquillo. Lo sentía por Nils, pero el entrenador debe saber que en este campo también se vive al día. Osvaldo Bagnoli, extraordinario entrenador, solía decirme: «Hoy entrenas al primavera del Cesena y yo al primer equipo, pero el día de mañana puede que sea al revés», y me lo decía con todo el afecto y la generosidad de un hombre y un técnico consciente de lo precario de su papel. Bagnoli era de verdad una persona de gran humanidad, muy humilde, un personaje de los que hay pocos en el fútbol. Todos los viernes nos reuníamos con la sección juvenil y luego él venía con nosotros a cenar. Es un hombre al que debo mucho.

Tal fue mi inicio en un club lleno de entusiasmo, que nos transmitía a mí y a la afición una tremenda ilusión después de años difíciles. La decisión misma de ponerme en el banquillo del Milan tenía algo de revolucionario. El club estaba organizado, era perfeccionista, con una visión amplia, no solo técnica, sino también humana, del fútbol. Silvio Berlusconi era formidable. Les repetía a todos: «¡Quiero hacer del Milan el equipo más fuerte del mundo!». Y tal voluntad se reflejaba en su manera de actuar.

En el Parma había alcanzado el máximo de intensidad en los entrenamientos. En el Milan, junto a Vincenzo Pincolini, comenzamos de manera más gradual; sin embargo, para aquellos habituados a los entrenamientos con Liedholm, supuso un trauma.

Quería transmitir de inmediato mis convicciones, a menudo fuera de los cánones de los mismos jugadores. Por ejemplo, quería hacer ver que para defenderse debían atacar y no echarse atrás. No daban crédito. Debía enseñarles y transmitirles otro modo de jugar, otra mentalidad, basada en una colaboración y organización distinta del estereotipo italiano. Tenía que convencerlos de que encontraran dentro de ellos las ganas de ganar y de jugar mejor.

Después de dos meses de trabajo intenso, cogí aparte a Berlusconi y le dije: «Mire que aquí estamos soñando solo usted y yo; mientras no los hagamos soñar también a ellos, no habremos resuelto el problema».

Acabado uno de los primeros entrenamientos, estábamos comiendo en Milanello con todo el equipo, cuando entró Berlusconi. Ninguno de los presentes se puso de pie. Los jugadores siguieron comiendo. Yo me enfadé mucho, porque aquella era una falta de educación y de respeto hacia el propietario del club, hacia quien cree en ti y en tu trabajo.

«¡Muchachos, si no hay ética, no hay crecimiento!», exclamé. El respeto está en la base de la civilización. Eso es lo que, en general, nos falta como pueblo. «Yo quiero, ante todo, hombres fiables, luego jugadores que sepan ser hombres dentro pero sobre todo fuera del campo.»

Quería también un club que respetase las propias convicciones. Estábamos siguiendo a un par de jugadores, al principio. Me encontraba en Arcore, en casa de Berlusconi, cuando recibió una llamada de Cesare Romiti, que entonces era un importante ejecutivo de la FIAT y una persona muy cercana a la Juventus. «¡Me ha dicho el abogado [Gianni Agnelli] que te diga que dejes tranquilo a ese jugador porque nos interesa a nosotros!»

Berlusconi acababa de entrar en el mundo del fútbol, era un novato como presidente; los Agnelli y la Juventus eran la historia del fútbol italiano. Me acuerdo de que pinché un poco al presidente y lo herí en lo más profundo: «Doctor, si tenemos que convertirnos en el equipo más fuerte del mundo, no podemos dejar las primeras elecciones a los otros. ¡Nos complicaremos la vida! No podemos sufrir presiones de otros clubes por nuestra actuación».

El rostro de Berlusconi se ensombreció. Lo había entendido. Nunca lo había visto tan enfadado. Cogió el teléfono y llamó a Romiti inmediatamente: «¡No te permitas volver a hacerme una llamada semejante!».

Era también un modo de hacer entender a los otros clubes de primera que él no era un intruso, que quería ser protagonista también en el mundo del fútbol. Cuando ves estos gestos, te sientes protegido, adviertes que tus objetivos no se oponen a los del club y obtienes una ayuda moral que difícilmente encuentras incluso en clubes laureados.

Con Giampiero Boniperti hubo un rifirrafe antes del campeonato. Él era muy supersticioso. Y en el fútbol nunca se desea «buena suerte», porque dicen que trae desgracia.

—Buena suerte a usted —le respondí de inmediato—, buena suerte a usted.

La Juventus nos miraba como a un equipo y un club inferiores. Ellos eran la *Vecchia Signora*. Y tal sentimiento de superioridad por su parte resultó muy útil para construir el sentimiento de pertenencia al Milan, el orgullo *rossonero*.

Mientras tanto, el club había comprado a dos holandeses. Veíamos a Ruud Gullit como líbero. En Holanda juegan de este modo, con dos que marcan y un líbero, un jugador que hace y va donde quiere. Gullit a veces jugaba así. Lo compraron al PSV. Ya lo conocía, pero para mí no era un líbero. Tenía una potencia física de tiro y de carrera impresionante. En verdad era un atacante, un tipo que daba miedo por su fuerza física, veloz; un verdadero talento, con un tiro formidable y una base adecuada. Se pagaron trece mil millones de liras entre ficha y publicidad. Compraron también a Marco van Basten, que terminaba su contrato con el Ajax. Sandro Mazzola se acordó, en una entrevista, que había visto jugar a Van Basten de chaval. Debía convertirse en el nuevo Cruyff por su genialidad, su talento, su elegancia en el campo, su altruismo y sus goles imposibles.

El PSV Eindhoven, con el dinero obtenido de la venta de Gullit, construyó una tribuna, invirtió en estructuras, a pesar de que era propiedad de una multinacional, la Philips, y en 1987-88 ganó el campeonato holandés, la Copa y la Copa de Europa. Un verdadero ejemplo para nuestros clubes.

Compramos a Angelo Colombo. El presidente Berlusconi me dijo:

—Sacchi, no me puedo gastar cien mil millones de liras en comprar a un jugador que se llama Colombo. ¿Se puede saber quién es?

—Hay que fichar a jugadores útiles, que van a funcionar en nuestro juego —respondí.

Después de tres años en el Milan, Berlusconi ya no quería vender a Colombo, pieza estratégica de nuestro juego, un todoterreno formidable que incluso marcaba cuatro o cinco goles por temporada.

Fui de nuevo donde Berlusconi y le dije:

—Cómpreme a Ancelotti. Si viene él, ganaremos el campeonato.

Insistía: me fiaba de él, tenía problemas en una rodilla, pero la cabeza le funcionaba bien, era generoso, profesional y daba el máximo. Un ejemplo positivo para todos. Un gran jugador. Pero en Roma, se decía, lo consideraban un «timo».

El viernes a medianoche me llamó Galliani para comunicarme que había llegado a un acuerdo con la Roma y que, si Berlusconi daba el sí, lo compraríamos.

El sábado a mediodía se cerraba el mercado. Era la última ocasión. Berlusconi se encontraba en Saint Moritz. Le telefoneé.

—Cómpreme a Ancelotti, es un gran jugador, un

profesional ejemplar, un muchacho extraordinario, un ejemplo para todos.

—Pero ¿cómo le tengo que comprar un jugador que solo puede jugar al ochenta por ciento de sus posibilidades? —replicó Berlusconi.

—Cómpremelo, doctor.

—Se lo repito: ¿cómo le tengo que comprar un jugador que solo puede jugar al ochenta por ciento de sus posibilidades?

—Pero ¿dónde está el problema? —le pregunté al presidente.

—En la rodilla —respondió él.

—La rodilla no me preocupa, me preocuparía si lo hubiera tenido en la cabeza.

Lo convencí. Y así compramos a Ancelotti.

Después de tres o cuatro meses, Berlusconi no estaba en absoluto satisfecho con la compra. Me dijo:

—¡Ha querido un director de orquesta que no se sabe la música!

Hablé con Carlo y le transmití las palabras del presidente.

—¿Qué hacemos? —me preguntó él.

—Debes tomar clases particulares. Ven antes y nos entrenamos con los muchachos del primavera.

Lo había fichado para convertirlo en un medio centro, que jugaría por delante de Baresi y por detrás de Gullit. Carlo, con mucha humildad, dedicación, espíritu de sacrificio y ganas de mejorar, comenzó a asimilar el juego que quería en el campo haciendo entrenamientos suplementarios con los jóvenes del equipo primavera.

Antes de entrar en política, Berlusconi era un auténtico hombre del espectáculo, sabía que hasta la más pequeña victoria era importante, un acontecimiento que festejar. Como un verdadero empresario, ya no pagó a los jugadores con los premios por partido. El dinero llegaba si se alcanzaban los objetivos. Así pues, las gratificaciones llegaban de manera muy distinta respecto de antes, en función de la posición alcanzada en el campeonato. También este aspecto fue revolucionario, porque, incluso a equipos que descendían, los presidentes les pagaban por cada punto que conseguían.

Otro hecho de notable importancia fue la organización de una comisión de técnicos, psicólogos, gabinete de prensa, junto a directivos de la organización y de todo el grupo, el preparador de porteros y el segundo entrenador, Italo Galbiati. Este último supuso para mí una verdadera ayuda, un colaborador de confianza, gran profesional, un fenómeno de longevidad futbolística. Cometí un error cuando no lo llevé al Mundial porque tenía diez años más que yo; a continuación se convirtió en el brazo derecho de Capello en la selección rusa con casi ochenta años. También había un preparador físico, Vincenzo Pincolini; Guido Susini como encargado de prensa; Paolo Taveggia, director de organización; Bruno De Michelis, psicólogo; dos médicos: Giovanni Battista Monti, traumatólogo, y Roberto Tavana, un ortopeda, médico deportivo, ambos excelentes. Para completar este grupo de verdaderos profesionales, Silvano Ramaccioni, representante del equipo, de gran capacidad, hombre cultísimo, no siempre sostenido por la voluntad, y Adriano Galliani, un fenómeno que ha sido durante muchos años gestor administrativo de Fininvest y del Milan a la vez. Una plantilla de nivel mundial, que hacía grande al Milan.

Durante cuatro días, toda la directiva permaneció encerrada en un castillo en Erba, cerca de Como, para cohesionar el grupo, para compartir objetivos y experiencias. Y, sobre todo, para conocerse mejor. Era un club bien organizado, moderno, donde cada uno tenía su papel y sabía lo que debía hacer.

Al final le pedí a Berlusconi que evitara los gestos

impactantes para presentar al equipo. El año anterior había aterrizado con helicópteros y los jugadores habían sido objeto de burla, no solo por parte de los periódicos. Así que se organizó una presentación en el Palatrussardi y comenzamos a trabajar apoyados por el entusiasmo de la afición.

Nos entrenábamos en Solbiate, pero cuando estábamos en Milanello no queríamos a nadie, para poder trabajar en paz. En Solbiate, los entrenamientos los hacíamos a puerta abierta. Entre hinchas y curiosos acudían cinco o seis mil personas.

Mi debut en el banquillo *rossonero* fue en un amistoso contra la Solbiatese, el 2 de agosto de 1987. Ganamos 7-0. Recuerdo aquel partido como algo especial. De inmediato, comencé a actuar en serio, aunque se había tratado de poco más que un entrenamiento.

Los periodistas que presenciaban los entrenamientos empezaron a escribir sobre lo que hacíamos en el campo. También para ellos era una novedad, un maná caído del cielo para sus artículos. Se hablaba de ejercicios para desarrollar la psicocinética, que exigían un pensamiento por parte de cada jugador, que desarrollaban las capacidades de atención y concentración. Nos entrenamos de inmediato con el balón, desde el primer día; tenía prisa por hacer entender lo antes posible lo que quería. Miguel Ángel decía que los cuadros se pintan con la mente, no con las manos. Yo pensaba que el fútbol debía jugarse con la mente, los pies son solo un medio que facilita el aprendizaje. Si tienes una buena técnica, pero te faltan capacidad interpretativa y lógica, pasas la pelota adelante cuando debes pasarla atrás, retienes la pelota cuando debes tocarla de primera, la juegas antes cuando debes retenerla. No basta la técnica, es funcional, pero no suficiente.

Todo esto era música nueva para los oídos de los jugadores, que no estaban habituados a tanta carga de trabajo durante la semana. Sin embargo, solo así podía hacer entender la belleza de aquella nueva manera de jugar al fútbol. Cuando hay cambios y convicciones nuevas, hay necesidad de transmitir todo tu saber con una determinación feroz, sin titubeos. Carlo Ancelotti confesó: «¡Era tan decidido! Arrigo estaba tan convencido que al final nos convenció».

Hablaba mucho con los jugadores, intentaba hacer entender y transmitirles mis ideas. Por las tardes pasaba por las habitaciones para ver si estaba todo en orden. Había puesto a dormir juntos a los jugadores de cada línea, porque quería que hubiera sintonía y amistad también fuera del campo. Tassotti ha confesado que a veces apagaban la luz cuando oían que estaba a punto de llegar, para librarse de mi constante presencia. En esas ocasiones daba también consejos para el partido del día siguiente, no dejaba de pensar en el encuentro.

Alguien me ha acusado incluso de injerencia. Puedo aceptarlo, pero miremos el resultado. Algunos ya tenían veinticinco o veintisiete años, y ninguno de ellos había estado nunca entre los primeros diez de la clasificación de *France Football*, ninguno había ganado el Balón de Oro. Luego, cada año (desde que nos hicimos con el primer campeonato y el equipo jugaba como un rodillo compresor) presentamos cinco o seis en la clasificación. Quien me planteaba críticas sostenía que desgastaba a los jugadores. Excepto Van Basten, que tuvo problemas en el tobillo, los otros han jugado en la máxima categoría hasta una edad que va de los treinta y cuatro a los cuarenta y un años. El mismo Van Basten ganó conmigo dos veces el Balón de Oro. Y Gullit, la única vez que lo ganó, fue con mi Milan. Franco Baresi quedó segundo; Rijkaard, tercero. Era un equipo que tenía, al principio, solo cinco jugadores de sus respectivas selecciones: los dos holandeses, Maldini, Baresi y Donadoni. Ancelotti comenzó a jugar en la selección con más continuidad. Luego todos se pusieron, quien más quien menos, *la azzura*. También yo he llevado a muchos a la selección: Evani, Mussi, Tassotti, Costacurta, Massaro, Albertini... El único que se quedó fuera fue Colombo, porque había bajado su rendimiento.

En el campeonato empezamos mal, porque el esfuerzo había sido difícil de digerir y los jugadores necesitaban tiempo para asimilar el nuevo juego.

Al principio, para no traumatizar al equipo, hicimos el veinte o veinticinco por ciento menos respecto del trabajo que hacíamos el segundo año con el Parma. Maldini ha afirmado: «En verdad, trabajábamos muchísimo».

El segundo año vinieron a vernos, para entender cómo nos preparábamos para el partido, entrenadores como Arsène Wenger, actualmente en el Arsenal, Gérard Houllier, entonces segundo entrenador de la selección francesa, y Luis Fernández. Se quedaron siete-ocho días en Milanello. Al final aseguraron que nunca habían visto trabajar tanto a un equipo. Vinieron también Salvatore Bagni y De Napoli con la selección y asistieron al doble entrenamiento del miércoles y el jueves. Al final, Bagni me dijo: «Lo que hacéis en dos días es el trabajo que nosotros hacemos, *grosso modo*, en un mes». De Napoli ya lo sabía porque había sido jugador mío. En el Rimini hasta había llegado a hacer tres entrenamientos diarios.

Silvio Berlusconi no aprobaba que vinieran otros técnicos a vernos. Yo respondía siempre:

—Que vengan, incluso pueden copiar los ejercicios. Al final lo que cuenta es la sensibilidad del entrenador: es él quien debe saber dirigir y mejorar al jugador, él es quien debe mover al equipo en el campo. Él debe corregir los errores en el entrenamiento. Todo lo que no se corrige se convierte en una limitación en el partido.

ϒ

Como he dicho, comenzamos mal, con resultados alternos. Contra el Pisa me estrené en primera ganando 3-1, goles de Donadoni, Gullit y Van Basten.

En el segundo partido, en una espléndida jornada de sol, en San Siro, perdimos 0-2 contra la Fiorentina. El equipo tuvo muchas ocasiones, pero no consiguió marcar. Nos castigaron Díaz, primero, y luego Roberto Baggio, que con un regate espectacular dejó sentado a Galli y marcó a puerta vacía.

Un día Van Basten me dijo:

—Míster, ¿por qué me trata como a los otros?

—¿Por qué no debería hacerlo? Eres un muchacho inteligente: si te tratara de manera diferente a los otros, rompería la armonía del grupo. Las reglas son iguales para todos, la retribución es la única diferencia.

Después de la derrota en casa con la Fiorentina, hizo declaraciones que dieron pábulo para que la prensa escribiera: «Van Basten contra Sacchi», «Van Basten suspende a Sacchi».

En el curso de la semana no dije nada. Había empezado el campeonato, y no era desde luego un momento fácil para mí y para el equipo. En la tercera jornada, en Cesena, comuniqué la alineación. Van Basten se quedaría en el banquillo.

—Dado que sabes mucho de fútbol, ven conmigo al banquillo, así me explicas dónde me equivoco.

Debía hacer entender que el liderazgo era del club y que yo era el hombre al que habían encargado las cuestiones tácticas y técnicas. Era un advertencia a todos los jugadores. Ya Gullit y Van Basten habían buscado privilegios, como cuando fuimos a jugar un amistoso con la Lazio en Roma, y por la tarde ya estaban listos para salir del hotel.

—¿Adónde vais? —les pregunté.

—¡En Holanda lo hacemos así! —respondieron.

—Esto no es Holanda. Todo el equipo ya está en la cama, y vosotros debéis hacer lo mismo.

Si hay privilegios, no hay democracia, y sin igualdad no se crece. Debía hacer entender cuál era mi papel. Mi autoridad y mi disciplina estaban orientadas a la mejora del juego del equipo y de los individuos.

De inmediato, los periódicos comenzaron a decir que no llegaría a Navidad. Estaba muy preocupado y trataba de esconder la desilusión de un partido, aquel con la Fiorentina, que habíamos dominado, uno de aquellos a los que me gustaba definir como «desafortunados», porque el balón no entraba en la portería ni llevándolo con la mano. Nos llovieron las críticas también sobre el presidente Berlusconi, que había expresado de manera entusiasta, pero quizás un poco demasiado sincera, la idea de un Milan ganador no solo en Italia, sino también en Europa, y de querer construir el equipo más hermoso del mundo. No comenzamos de la mejor manera posible. El peso de la derrota se hacía sentir.

La crisis empezó después de haber perdido contra el Espanyol. El partido, valedero para la segunda ronda eliminatoria de la Copa de la UEFA de 1987-88, lo disputamos en el campo neutral del Lecce el 21 de octubre de 1987, dada la sanción de dos jornadas infligida al campo del Milan. Aquel año, el Espanyol jugó la final, que perdió contra el Bayer Leverkusen.

Sabía que era un partido difícil. Tenía tres jugadores lesionados: Maldini, Bortolazzi y Donadoni. Nos la jugamos a calzón quitado, con muchas ocasiones también para nosotros, pero perdimos 2-0. La vuelta se cerró con un 0-0 que nos costó la clasificación. Y empezaron las críticas.

Sin embargo, se convirtió en una derrota catártica. Aclaré mis ideas y Berlusconi se las aclaró a todos los jugadores.

La noche después de la ida ni siquiera me fui a la cama. Vi vídeos del Verona, nuestro próximo adversario. Me pesaba muchísimo aquella dolorosa derrota: una ocasión de Gullit con un disparo fallado por poco, otra de Virdis... En resumen, repasaba mentalmente todo el partido, reflexionaba sobre las acciones y acerca de un equipo con poco espíritu y desatento en el juego. No conseguía digerir la tensión de antes y durante el partido. No podía tranquilizarme. Errores, inexactitudes... Luego lo archivé todo y comencé a estudiar al Verona. La única solución era mirar hacia delante, al domingo siguiente. Después de momentos difíciles siempre me he metido con más fuerza en el trabajo para entender dónde me había equivocado o qué no se había hecho para evitar el fracaso.

Con el Espanyol, antes del partido, habían ocurrido dos hechos a tener en cuenta. Estábamos concentrados. Gullit, aunque eso lo supe después, por la noche había vuelto tarde, había salido, según los rumores que circulaban, con una periodista. No sé si era verdad o no, pero su prestación en el campo fue muy decepcionante. Y luego, en el entrenamiento, pero también en el vestuario, antes del partido, los jugadores hablaban más de las subidas y bajadas de la bolsa de Milán que del encuentro. En aquella época, la bolsa era volátil. Yo me dije: «¡Se ve que la primera funciona así!».

Al final del partido entendí que no se podía tolerar semejante desconcentración. Los jugadores no estaban con la cabeza en el partido. Y, en consecuencia, habíamos perdido. Entendí que debíamos trabajar en nuestra mentalidad. Me había equivocado, me había desnaturalizado, tratando de ser menos rígido conmigo mismo y con los jugadores. Y lo había pagado caro.

Por la tarde me llamó Berlusconi:

—¿Necesita algo?

—Sí, necesito algo.

El jueves fui a Milanello, donde había muchos periodistas. Me parecía que estaba en el juicio de Núremberg. Comenzaron a escribir que no solo no llegaría a Navidad, y quizá ni siquiera estaría allí el Día de Todos los Santos.

El domingo nos esperaba el Verona, uno de los equipos punteros de los últimos campeonatos. Miré el partido anterior para ver cómo jugaban. Me apunté las estrategias que podían ponerlos en apuros y las ensayamos en el entrenamiento.

Berlusconi se reunió el sábado con nosotros en el vestuario e hizo un discurso brevísimo, pero de extraordinaria eficacia: «A este entrenador lo he elegido yo, goza de mi máxima confianza. Quien no siga sus indicaciones no se quedará», e hizo un gesto elocuente con la mano. «Les deseo a todos un buen trabajo», y se marchó.

Aquellos jugadores del Milan eran mucho mejores que sus colegas del pasado. Eran desconfiados, pero no recelosos. Yo había sido claro y el apoyo de todo el club me daba autoridad.

En el vestuario me encaré con ellos: «Yo soy un don nadie, pero tampoco vosotros, hasta hoy, habéis hecho cosas maravillosas. El año pasado quedásteis quintos, empatados con la Sampdoria. Hace diez años que no ganáis el campeonato y desde hace veinte no tocáis la Copa de Europa. Me parece que podríais reflexionar seriamente sobre esto». Debía inculcarles la idea del trabajo y del equipo, no solamente el espíritu de juego, sino también el de la victoria. «Yo estoy aquí para haceros mejores, para haceros aún más buenos —añadí con determinación—. Un piloto no se entrena yendo a cien kilómetros por hora para luego correr a doscientos el domingo.»

En verdad, estaba atravesando uno de los momentos más difíciles de mi carrera. Desde el punto de vista psicológico, el inicio con el Milan fue, en ciertos aspectos, devastador. Pero tenía que aguantar y no dejar ver ni una fisura, especialmente con los jugadores. Estaba decidido y convencido de lo que hacía, pero me sentía tenso y preocupado. No pensaba que fuera tan duro, culpa de la presión de los periódicos, de los hinchas y de la ciudad entera. En esto el club tuvo un papel fundamental. Y el apoyo de Berlusconi y toda la directiva me dio un gran sostén moral.

Fuimos al campo del Verona, que dos años antes, en 1984-85, había ganado el campeonato de primera. Allí comencé a ver finalmente al Milan que quería. Al parecer, necesitábamos la debacle de Lecce para que naciera el nuevo Milan. Por primera vez vi jugar el fútbol que siempre había soñado, un verdadero equipo, atento, dueño del campo y del juego, agresivo, concentrado, con los comportamientos adecuados por parte de los jugadores. El Verona, dijo el cronista televisivo, había jugado solo tres minutos, en los que había desperdiciado dos ocasiones, pero nada más. Durante todo el partido, habíamos dominado el campo.

En el *Messaggero*, el responsable de deportes, Gianni Melidoni, y el periodista Ruggero Palombo escribieron que no solo llegaría a Todos los Santos y a Navidad, sino que en mayo festejaría la victoria del campeonato.

El equipo había superado la crisis. En aquel momento de ofuscamiento y de dificultades, tales afirmaciones me levantaron la moral. Por primera vez, mi trabajo estaba dando sus frutos. Los goles los marcaron Gullit y Virdis, este tras un saque de esquina.

Gullit me había dejado impresionado (Van Basten en aquella época ya estaba en Holanda, lesionado). Me había impactado mucho también su preparación para el partido. Las veces anteriores parecía desenfadado, reía o bromeaba con sus compañeros. Antes de salir al campo con el Verona, en cambio, estaba sentado en su sitio, con las zapatillas en la mano. Las mantenía apretadas, las miraba, concentrado. Nunca lo había visto así. Al final del partido, Silvano Fontolan y otro defensor del Verona me dijeron, hablando de él: «Pero ¿de qué está hecho, nos hemos hecho daño nosotros mismos a fuerza de golpearlo?».

Ruud Gullit fue el verdadero motor de aquel primer año. Rijkaard aún estaba en el Zaragoza y Van Basten jugaría solo tres partidos completos de treinta, aunque marcó goles decisivos. Esto para responder, de una vez por todas, a aquellos que sostienen que ganamos solo porque teníamos a los tres holandeses. No, nosotros éramos un equipo. Gullit tenía la personalidad de los grandes, fue un ejemplo fundamental para el fútbol que quería en el campo, hacía correr hacia adelante a jugadores que, por su historia y las costumbres de este país, preferían permanecer atrás. Esta era una de las grandes diferencias. Era un ejemplo de fútbol valiente, optimista, de personalidad y de capacidad interpretativa. En la fase de no posesión de la pelota corrían adelante, atacando, se cerraban para prevenir contraataques. Era un equipo de una organización formidable, los jugadores tenían sobre todo un gran sentido del tiempo, porque basta un instante de desatención para encajar un gol de contragolpe, la táctica que mejor conocen los italianos.

Gullit era un gigante de uno noventa y noventa y un kilos: un bronce de Riace. Recuerdo una cena en Milán. Sentados junto a nosotros, mi mujer Giovanna y yo, había dos magistrados, marido y mujer. El esposo seguía preguntándome por qué no hacía jugar a Gullit dos metros más adelante o dos más atrás. La mujer, en un momento dado, le respondió, con toda la capacidad de síntesis que tienen las señoras: «Pero ¿qué te importa, no ves que cuando corre parece un caballo?».

Era la segunda vuelta. Nos encontrábamos en la sala VIP a la espera del vuelo para Avellino. Gullit se recostó sobre las sillas y se durmió. Estaba pálido, cansado. Cuando llegamos, le pregunté: «¡En el hotel sube a verme, tengo que hablarte!». Y añadí, duro: «Nosotros damos la vida para ganar este campeonato; en cambio, tú no usas el cerebro que tienes, pues empleas otra cosa. Nunca he visto a alguien de color volverse blanco, como haces tú».

Ruud no respondió nada, pero comprendí que mi reproche había sido para él un bocado amargo. En el partido siguiente puso el alma. Al final me dijo: «No vuelva a decirme esas cosas». Era todo orgullo y personalidad.

Era un hombre de equipo. Teníamos a Franco Baresi como defensor central, a Carlo Ancelotti en el centro del campo y a Ruud Gullit, el atacante, sobre la misma línea vertical. Eran nuestra espina dorsal. Una vez, Maldini, ante la pregunta de un periodista sobre nuestra manera de entrenar, respondió: «No dejamos de correr..., si lo pienso, aún me duele la cabeza por lo que trabajamos».

Al principio, durante los entrenamientos, la mayoría de los jugadores llegaban diez minutos antes de comenzar. Y muchos, después de haber terminado, se cambiaban y se escapaban deprisa y corriendo. Llegaban y se marchaban. No, aquello no estaba bien. Comprendí que había alcanzado otro importante objetivo: convertirlos en verdaderos profesionales, apasionados por su trabajo y deseosos de mejorar sus capacidades técnicas cuando los vi llegar al campo con antelación, pero sobre todo cuando, después del entrenamiento, se demoraban para mejorar el tiro a portería; jugar con el pie que no era de su preferencia, ensayar penaltis, pases y centros para mejorar la precisión. Sentí una gran satisfacción porque les había transmitido una mentalidad ganadora, el anhelo de mejorar para imponerse tácticamente sobre el campo. Un grupo de jugadores se estaba transformando en un equipo, multiplicando sus capacidades. El hilo conductor era el juego, que ampliaba el talento de todos.

Cuando aflojé la intensidad de los entrenamientos tácticos defensivos porque el equipo estaba atravesando una fase de involución, procuré aligerar la carga de trabajo, dejé de hacer ejercicios para la fase de no posesión, presión, marcaje con dos defensores, uno contra uno, bloqueos y colocaciones preventivas, zona, diagonales, elástico defensivo, fuera de juego, etcétera.

Los bloqueos y las colocaciones preventivas en la fase sin balón aún no se conocían, eran una gran novedad. En la fase de no posesión la referencia primordial es el balón, luego el compañero y, por último, el adversario; mientras que en Italia el orden era inverso: primero el adversario y luego el balón. «Pero, muchachos —decía—, si seguís al adversario, nunca formaréis un bloque y nunca seréis un equipo, jugaréis siempre uno contra uno.»

Después de siete u ocho días, Franco Baresi, un fuera de serie, me dijo: «Si no repetimos los ejercicios, los olvidaremos». Era otra señal de que la mentalidad ganadora de un equipo no se adquiere, no se compra en ninguna parte: es el fruto de la determinación del grupo, del conocimiento y de la capacidad de trabajo. Habían entendido la importancia del esfuerzo diario.

Los primeros seis meses en el Milan concluyeron de la peor manera posible. A fin de año nos esperaban algunos partidos importantes: la Roma, el derbi con el Inter y, en enero, después de las fiestas de Navidad, el Napoli y la Juventus.

En casa con la Roma, un homónimo mío lanzó un petardo al campo antes del inicio del segundo tiempo. Franco Tancredi cayó al suelo, desmayado. El informe médico hablaba de estado de *shock*, presión altísima, hipertensión y falta de sensibilidad en las piernas. Tras salir en camilla, cerca de una hora después del estallido,

Tancredi recuperó todas sus funciones físicas. En el campo ganamos 1-0, pero, a causa de la responsabilidad objetiva, nos dieron el partido por perdido: 0-2. Era otro duro golpe. Lo acusé desde el punto de vista psicológico. El lunes por la mañana me sentía destruido.

Y aquí debo subrayar otro aspecto de la grandeza de Berlusconi. Declaró a los periodistas que los esfuerzos y el entusiasmo de todo un grupo no se detendrían frente al gesto irracional de un gamberro. No era posible que todo mi trabajo y el del equipo se fuera a pique por alguien que ni siquiera era digno de ser llamado «hincha».

Por la noche no pude conciliar el sueño. Estaba hundido, agotado. Para recuperar mis energías fui al gimnasio y comencé a levantar pesas, a hacer banco incluso con cien, ciento diez kilos. Soltaba toda la rabia que tenía en el cuerpo. Por suerte, mis tiempos de recuperación eran rápidos, gracias también a técnicas de relajación o al gimnasio. El psicólogo De Michelis había enseñado a todos los jugadores que, en una fase de tensiones demasiado fuertes, era preciso descargar esa tensión, incluso montando en bicicleta, por ejemplo. Había que moverse, correr a pie o en *mountain bike*. El trabajo me ayudaba mucho (siempre ha sido una buena manera de mantener controlado el estrés): cuanto más trabajaba, más me convencía de que las cosas saldrían bien.

El martes volvimos al trabajo. El sábado antes del partido con el Inter, Berlusconi, que sabía que yo firmaba los contratos de año en año, porque, como he dicho, siempre tenía la idea de dejarlo al final del campeonato, afirmó frente a los periodistas: «El entrenador del próximo año continuará siendo Arrigo Sacchi». Qué gran presidente. Berlusconi había entendido que estaba en apuros; de aquel modo, me daba energía y autoridad en relación con el equipo. Además, ponía también la confianza en el trabajo de los muchachos.

Duodécima jornada. Derbi con el Inter. El estadio estaba a reventar. Había tomado una decisión: poner como pareja atacante a Gullit y Massaro. Este último ya tenía veintiséis años y nunca había jugado de delantero. Jugaba por la banda, pero lo veía bien en aquel papel, mientras que no me convencía en el centro del campo. Era una novedad táctica, otro señuelo polémico para los cincuenta-sesenta periodistas llegados a la sala de prensa para el derbi; se olían mi destitución y no querían perderse el espectáculo.

Franco Baresi, además, estaba sancionado. Así pues, tomé otra decisión nueva, otro gesto temerario, según ellos: hice debutar a Costacurta, que venía de tercera. Hacer que se estrenara en el derbi como el Pequeño Baresi, confiándole el eje de la defensa, podía parecer demasiado arriesgado. Pero quien confía en las propias ideas y en las personas debe arriesgarse. Y, como siempre digo, es el juego el que cuenta: los jugadores son los ejecutores más o menos talentosos de un proyecto.

Dejamos en fuera de juego al Inter al menos quince o veinte veces. Enseguida conseguimos marcar. Gullit presionó a Ferri, que, con un cabezazo, pasó atrás a Zenga; lo pilló fuera de los palos, descolocado.

Ganamos 1-0. El gol en propia puerta no fue fruto del azar. La presión y la agresividad del Milan habían obligado a los jugadores del Inter a precipitarse, a cometer errores: aquello era nuevo para ellos. Siempre es preciso saber leer bien el partido, también porque los errores del adversario suelen ser el resultado indirecto de decisiones tácticas y técnicas invisibles al ojo profano o del hincha, que se deja embrujar por el regate o el gesto espectacular del jugador, pero luego ignora completamente el movimiento sin pelota de quien cubre perfectamente los espacios, impidiendo que jueguen los adversarios.

El derbi supuso otro punto de inflexión aquel año. El equipo había perdido cualquier freno.

Trabajamos muchísimo en la pausa de Navidad. Nos sentíamos eufóricos, llenos de ganas de demostrar sobre el campo lo que valíamos de verdad. Ruud Gullit ganó el Balón de Oro. Supuso una satisfacción para todos, no solo para él, sino para el equipo en general: aquel premio era el fruto de un trabajo común, al que Gullit había dado altavoz gracias a su gran presencia física, su talento y sus goles.

Era la demostración de que el juego exaltaba las cualidades del individuo. Aquello fue un subidón para todos nosotros. La victoria con el Inter había disparado el entusiasmo y la confianza en nuestro juego. Los hinchas, que nunca nos habían abandonado, comenzaron a sentirse intranquilos.

Faltaban tres jornadas para el fin de la primera vuelta. El partido siguiente se jugaba contra el Napoli, que estaba dominando el campeonato. Para prepararnos organizamos un amistoso con el Bologna. Marcamos cinco goles. Eraldo Pecci, exjugador del Torino, Bologna y Napoli, al que conocía bien, y que conocía al equipo rival, me dijo:

—El domingo será duro.

—El domingo será duro, lo sé, pero lo será aún más para ellos —le respondí.

Maradona acababa de volver de Argentina. El Napoli no tenía solo a este fuera de serie, sino también un equipo lleno de grandes individualidades. Por ejemplo, Careca estaba en el apogeo de su carrera.

Se jugaba un partido de nivel mundial, con los más grandes campeones. Por primera vez se encontraban Gullit y Maradona, dos estrellas de primera magnitud. El estadio de San Siro estaba abarrotado, con ochenta o noventa mil personas.

Apenas sonó el silbato del árbitro, nos lanzamos a

su área y aplastamos a los napolitanos en su mitad del campo. No conseguían jugar. Pero luego llega el fuera de serie que logra hacer lo imposible. Pelota a Maradona sobre la derecha, que regatea a un par de jugadores que regresan a posiciones defensivas. Nos pilla mal colocados. Careca, asistido por Maradona con un toque delicioso, evita hábilmente el fuera de juego, girando en semicírculo. Ya en el área controla la pelota con el pecho; entonces, con la derecha, sin dejar que la pelota toque el suelo, lanza una vaselina: un gol espectacular con solo dos toques. Después de apenas nueve minutos estábamos por debajo en el marcador. De pie, me giré hacia los jugadores y grité: «¡No, no es posible! ¡Solo hemos jugado nosotros!». No me lo podía creer. Maradona y Careca habían tirado por el suelo todas mis teorías sobre el fútbol.

Debíamos mantener la posesión. Aquí comenzó el verdadero partido del Milan, que encerró al Napoli en su propio terreno de juego. Gracias a una acción entre Tassotti y Gullit, Colombo, en el centro del área, completamente solo, rompió la defensa rival. El Napoli tuvo alguna oportunidad, pero fue el Milan, al final, quien hizo doblete con Virdis, que superó a dos adversarios en el área y, solo delante de Garella, marcó. Gullit, de cabeza, mandó un balón al palo; luego le tocó la misma suerte a Filippo Galli. Era una demostración de que todo el equipo atacaba. Si el primer tiempo se hubiera cerrado con tres o cuatro goles de ventaja, nadie se habría asombrado.

En el segundo tiempo, Gullit superó a toda la defensa con un regate y selló nuestra superioridad en el juego con un tercer gol. Cerró el partido un gol de picardía de Donadoni: al portero Garella se le había escapado la pelota, resbaladiza también por culpa de la lluvia. Vencimos 4-1. El estadio era una fiesta. Ganamos un partido extraordinario con personalidad y carácter. Habíamos sido los dueños del campo y del juego. Jugamos con un ritmo y una velocidad impresionante: un verdadero espectáculo.

Al domingo siguiente, nos esperaba la Juventus. Hacía nada menos que diecisiete años que el Milan no ganaba en Turín.

Gianni Agnelli invitó a comer a Berlusconi. Cuando volvió me dijo:

—Agnelli me ha pedido venir a saludar a los jugadores antes del partido, ¡si no hay contraindicaciones! —Luego, como hombre precavido, me preguntó—. Sacchi, ¿usted qué piensa?

—¿A qué hora llega el Abogado?

—¡A las dos menos cuarto!

—Bien —respondí—. A la una y media hago salir a mis jugadores para el calentamiento.

Tenía miedo de que el Abogado los influyera o los hipnotizara con su carisma. Cuando llegó a los vestuarios, Agnelli nos encontró solo a mí y a Berlusconi. Siempre tenía una ocurrencia a punto: «Sabía que teníais un gran equipo, ¡esperaba que vosotros dos lo estropearais!».

Ganamos 0-1. Franco Baresi estaba emocionado: «Ya hace diez años que vengo aquí, y nunca había ganado». Ir a Turín significaba una derrota segura, el Milan perdía siempre. Un jugador de la Juve me detuvo en el vestuario y me dijo: «Finalmente, un equipo que juega de verdad al fútbol».

En el primer tiempo no habíamos jugado bien: a consecuencia de un despiste de Franco Baresi, Rush se había encontrado solo delante de Galli, que se había superado a sí mismo con una parada imposible. Me enfadé mucho. No quería que los jugadores perdieran la concentración. En el segundo tiempo, Gullit aceleró el ritmo. Después de varios intentos vanos, perforó la portería con un cabezazo tras un centro de Tassotti y después de saltar por encima de todos los defensores. Tenía una potencia increíble. Por eso había invitado a los dos a jugar de ese modo, aprovechando la cabeza de Ruud.

Aquella victoria nos hizo sentir una gran satisfacción. Había ganado el equipo que se lo había merecido, aunque nos habíamos despistado demasiado.

Desde aquel partido se empezó a creer en nosotros. Quizá la liga aún no estaba perdida.

Mientras tanto, el Napoli continuaba ganando con los goles de sus fuera de serie: Maradona y Careca, Giordano y Carnevale, pero su juego tenía muchas carencias y sufrían mucho en defensa.

Luego ocurrió algo que me convenció de que ganaríamos el campeonato. Fui invitado por la UNICEF para participar en un equipo de fútbol sala durante el carnaval de Venecia. Debía entrenar a uno de los dos equipos, compuestos por los mejores jugadores del campeonato. El dinero recogido iría a la beneficencia. Fui con mis tres queridos amigos: Natale Bianchedi, Italo Graziani, *el Profesor*, y Mario Baldassarri, un auténtico caradura. El entrenador del otro equipo, en el que jugaban Carnevale y Maradona, del Napoli, era Helenio Herrera.

Estaba preparando a los primeros cinco jugadores cuando llegó uno de los directivos que habían coordinado el encuentro. Estaba furioso porque, después de haber trabajado en el evento todo el año, había llegado un desconocido que le había birlado la organización de las azafatas. Se trataba de Baldassarri, que se había colado en la operación porque era todo un seductor que montaba eventos y espectáculos con los VIP en Milano Marittima. Había trabajado conmigo como vendedor cuando dirigía la fábrica. Un amigo en común que lo conocía me dijo una vez:

—Es tan bueno que vendería neveras en Alaska.

Acabado el partido, todos a cenar. Yo estaba con mis amigos. También vinieron Marino Bartoletti, el periodista, y detrás de nosotros, en otra mesa, cenaban Carnevale, Maradona y otro jugador, con cuatro o cinco bellísimas muchachas.

Maradona, que siempre ha tenido una gran pasión por las mujeres, involuntariamente nos ayudó. Sabíamos que el Napoli tenía al mejor jugador del mundo, pero nosotros teníamos el equipo, el colectivo. El Milan estaba mucho más cohesionado.

En un momento dado, Carnevale y Maradona vinieron a hablar conmigo, se desplazaron de mesa y, sin ningún reparo ni pudor, echaron pestes de su entrenador, Ottavio Bianchi. Nos quedamos en la mesa hasta las cuatro y media de la mañana. Maradona me confió: «Si tenemos seis o siete puntos de ventaja, me voy una temporada a Argentina».

Volví a casa, a Fusignano, hacia las seis y media de la mañana, dormí una hora en el diván y volví a partir hacia Milanello. Eran casi trescientos kilómetros; no podía faltar al entrenamiento. Enseguida reuní a todo el equipo. «Tengo una noticia muy importante que daros —dije—. Yo nunca he visto tan poca estima y tanto odio hacia el entrenador. Si no hay ética ni respeto, si no hay autoridad y respeto, un equipo no llega lejos. Si vosotros creéis en ello, ganaremos el campeonato.»

Natale Bianchedi iba a ver los partidos del Napoli; después me telefoneaba o venía a Milanello para explicarme las continuas dificultades que encontraba el equipo partenopeo en su juego. El Napoli jugaba partidos que parecían interminables; muchas veces marcaba en el último minuto o en el descuento. Entonces en el club estaba Moggi, un buen directivo, pero ya entonces muy criticado.

Partido tras partido, en la segunda vuelta sumamos puntos, ganando y goleando, imponiendo nuestro juego, dentro y fuera de casa, anulando completamente el factor campo.

Al final del campeonato, el Napoli parecía dormido. Perdió en Turín, en casa de la Juve, y nosotros ganamos en Roma por 0-2. Habíamos arañado otros dos puntos, y quedaban otros tantos.

Al domingo siguiente, el Napoli fue a jugar a Verona. A nosotros nos tocaba el derbi de vuelta contra el Inter de Trapattoni. Más que un partido fue un monólogo. Al final del encuentro Prisco dijo: «Si el derbi hubiera sido un combate de boxeo, habría tirado la toalla». Altobelli, antes de entrar en los vestuarios, gritó en el pasillo: «¡Árbitro, cuéntelos, porque no son once, sino quince!».

Dominamos el partido de cabo a rabo. Ganamos 2-0, pero nunca un resultado fue más engañoso. Gullit jugó un partido extraordinario, el mejor del año. Abrió el marcador con un disparo de tal violencia que por suerte no golpeó a Zenga en la cabeza; la pelota entró a escasos centímetros del travesaño. Cuando acabó el derbi, Gullit me cogió aparte y me dijo de nuevo: «Usted sabe que yo lo estimo, pero no vuelva a decirme las cosas que me ha dicho». Aún no se había olvidado de mi rapapolvo.

Virdis hizo un doblete, con un gol que pasó a la historia. Presionó a Passarella, adelantándose a él y quitándole la pelota, regateó a Zenga y marcó a puerta vacía. Un gran gol que nacía del largo trabajo que habíamos hecho en el entrenamiento, con la mentalidad de quien ataca y no afloja nunca, en especial frente a la portería adversaria, obligando a los oponentes a cometer errores. Era consecuencia de la presión. Virdis era un gran goleador, aunque un poco perezoso, tanto que, después del gol, Allodi me dijo: «¡Si consigues que Virdis marque un gol haciendo presión, es que eres un fenómeno!».

En el campo nos divertíamos, no teníamos freno. «Si los otros son mejores —comenté—, que ganen los otros, nosotros jugamos así.» Éramos un tanque que creaba decenas de ocasiones de gol.

Nos pusimos a un punto del Napoli, que empató a uno en Verona, con la magia del habitual Maradona y el empate de Galia. Al domingo siguiente nos esperaba el foso infernal del San Paolo, el campo del Napoli.

Berlusconi no cabía en su pellejo, veía acercarse la liga. Me llamó:

—¿Qué debemos hacer?

—Estamos bien. Por mal que vaya, quedaremos segundos —le respondí.

—¿Puedo invitaros a cenar? —me preguntó.

El martes por la tarde fui a Arcore con todo el equipo.

Para Berlusconi, ese gran hombre de negocios, el fútbol era una pasión. Al principio no lo llamaba. Pero él insistía. «Llámeme, Sacchi, para mí el Milan es un momento relajante y agradable. Llámeme incluso un par de veces al día.» Y así lo hice. El equipo le transmitía entusiasmo y energía; Berlusconi, a su vez, se la transmitía a sus administradores. Durante la jornada nos hablábamos al menos un par de veces. Y, por aquel entonces, aún no existían los móviles.

Aquella tarde, en Arcore, Berlusconi habló durante casi media hora, de pie delante de todo el equipo. Contó qué importante era el Milan en su vida, qué suponía para él el fútbol. Ganar el campeonato significaba también ir a Europa y participar en la Copa de Europa. Perseguía construir el equipo más poderoso del mundo.

Estaba emocionado. Hacía diez años que el Milan no ganaba nada. Aquella sería una ocasión extraordinaria para él, para la ciudad, para el equipo y todo el club, después de apenas dos años de presidencia. Era algo increíble, que quizá no se repetiría. No se podía faltar a la cita con el destino. Por eso Berlusconi pidió algo igualmente extraordinario a los jugadores. Entonces tenía cincuenta y un años, estaba lleno de energía. A aquella edad aún se podían hacer grandes *performances* con las mujeres. Si los jugadores tenían apenas veinte años, les esperaba, pues, toda una vida de placeres y de gloria también en este sentido.

—Por eso, queridos muchachos, os pido que hagáis un sacrificio por mí, un mes de abstinencia sexual, porque la ocasión es ganar un campeonato italiano, y estas ocasiones se presentan pocas veces en la vida: todas vuestras fuerzas y vuestras energías debéis ponerlas en el campo, asegurando así la máxima concentración.

Nadie habló. Yo miré a Gullit, que balanceaba la cabeza como un toro, con aquel pelo rasta que oscilaba en sentido negativo.

—Presidente, creo que Ruud quiere decir algo —dije yo.

Gullit se puso de pie y, mirando primero a todos los jugadores y luego a Berlusconi, dijo:

—¡Presidente, yo con las pelotas llenas no puedo correr!

Todos nos reímos, aunque quizá Berlusconi no se lo tomó a bien, porque el suyo había sido un discurso muy serio. En los periódicos se proclamó la noticia a los cuatro vientos: NADA DE SEXO, SOMOS EL MILAN. Además se hablaba del regreso de Borghi y de la llegada de Borgonovo, y de que el premio en dinero solo se daría por la victoria en el campeonato. Aquello también supuso un importante incentivo.

El club preparó el viaje a Nápoles de la mejor manera. Es algo que puede resultar clave. La afición rival intentó molestarnos durante toda la noche, pero el club había reservado un hotel situado en el piso treinta y dos de un rascacielos, y la calle de abajo había sido cerrada al tráfico. Nada de ruido. Dormimos muy bien, aunque la tensión era máxima. Era otro partido del siglo, donde el destino nos estaba esperando. Después de diez meses de trabajo entre críticas, dudas, esperanzas y sueños, en noventa minutos me lo jugaba todo.

Era el 1 de mayo de 1988. Una fecha festiva que muchos hinchas del Milan aún recuerdan. Para los jugadores era el partido del año, un encuentro de los que marcan época, donde se jugaban toda la temporada, un campeonato. Aquello podía marcar sus carreras. Una realidad nueva, el Milan, que se enfrentaba en la cumbre con un equipo que ya estaba plenamente consolidado, el Napoli. El mundo del fútbol estaba pendiente del encuentro.

En las calles leí una frase: «*Ramaccioni infame*». Telefoneé a nuestro gerente para contarle, entre risas, la acogida que le había reservado Nápoles.

El equipo estaba lleno de energía. Creían en ello, como yo. Queríamos atacarlos desde el primer minuto. Ahora los jugadores sabían que nuestro juego era nuestro salvavidas.

El Milan volaba, y cuando volaba no había nada que hacer. En el primer tiempo presionamos, mantuvimos el balón, conseguimos también algunas ocasiones. Maradona era un jugador sublime, de otro planeta, que en el partido de ida, con la asistencia a Careca, había trastornado y tirado por tierra mis teorías sobre el fútbol. Antes de entrar en el campo, Maradona la definió como «la final del mundo», un partido que todos los aficionados enamorados de nuestro juego no se podían perder. Para nosotros ganar suponía un paso de gigante, para el Napoli bastaba un empate para defender el puntito de ventaja a dos jornadas del final. Su primera vuelta había sido impresionante: veinticinco puntos en quince partidos. Como el número noventa[2] había salido en el bombo de la primitiva de Nápoles y como la sangre de San Genaro no se había licuado, tenían miedo. Malos augurios.

El árbitro era Rosario Lo Bello: cuando había partidos importantes y decisivos, mira qué casualidad, siempre nos arbitraba él.

En el campo, ni siquiera reparé en los aficionados, aunque las gradas estaban repletas. Cuando estoy concentrado, puede haber un millón de personas en el estadio: ni las veo ni las oigo.

Salvatore Bagni, del Napoli, tras el pitido inicial, vio a once jugadores que se le venían encima y luego iban adelante y atrás como una ola. A continuación me confesó que, en aquel momento, comprendió que sería durísimo. El Milan se movía unido, adelante y atrás: potencia, belleza, presión. Un Napoli desunido lo estaba pasando fatal. Virdis marcó el 0-1 en el minuto treinta y seis. Nos poníamos por delante.

Sin embargo, enfrente estaba Maradona, que marcaba la diferencia. Una vez más, el Pelusa hizo de las suyas, magia. Al final del primer tiempo, Rosario Lo Bello pitó una falta al borde del área. La barrera (y basta mirar los documentales) estaba extrañamente puesta mucho más allá de la distancia reglamentaria, nueve metros. Traté varias veces de convencer a Giovanni Galli para que pusiera un jugador en el palo opuesto de la barrera, pero él no cedió. El último hombre en la barrera era Gullit, que debía cubrir el palo. Maradona después del partido dijo que no había espacio para tirar a portería, debía rozar la oreja de Gullit para marcar gol. Acarició los rizos del holandés con una seguridad y una precisión impensables en otro jugador. La pelota

---

2. En la primitiva de Nápoles, «la ruota di Napoli», el número 90 significa precisamente «el miedo». *(N. del T.)*

entró por aquella rendija, fulminante, imposible de parar. El estadio de San Paolo estalló de alegría. Una vez más, la magia de un grande como Maradona nos devolvía a la realidad.

En el descanso, los jugadores, todos sentados en su sitio, con la cabeza entre las manos, parecían desilusionados y abatidos. Debía hacer algo, devolverle de inmediato la moral al equipo después de aquel golpe. Estaba seguro de nuestra fuerza. Los miré. «Estoy tan seguro de que ganaremos este partido que pondré a otro delantero.» Saqué al campo a Van Basten, de vuelta de una larga lesión. En aquel campeonato había jugado poquísimo.

En el segundo tiempo, Gullit se salió. Ruud estaba convencido de que asaltaríamos San Paolo. Tras un saque de esquina, Bruscolotti, el defensor del Napoli, dio una patada a Gullit, que saltaba, el cual se volvió y le dijo: «¿Qué haces? ¿Sabes que si te doy una patada te reviento?». Gullit era una roca. Era el hombre del partido. Tras una internada por la derecha, centró después de haber regateado a un par de jugadores; se la puso perfecta para Virdis, que marcó de cabeza. De nuevo ventaja para el Milan. Esta vez teníamos de verdad el partido en un puño. Después de una parada de Galli, Gullit cogió la pelota, atravesó todo el campo y dio al fin un balón fantástico a Van Basten, que marcó el 1-3.

A pocos minutos del final, Careca volvió a abrir el partido con un cabezazo, después de un saque de esquina. Sus goles no respondían al juego colectivo, sino a sus grandes individualidades. Al final del partido, Maradona declaró que el Milan era más fuerte, que seríamos los campeones de Italia. Era una rendición incondicional. El público de Nápoles nos reservó un aplauso tan largo que resultó emocionante. Se habían rendido, habían vivido grandes emociones. Al final, había ganado el fútbol, había vencido el equipo más fuerte en el campo. Y quien había perdido le homenajeaba. San Paolo y los napolitanos fueron un ejemplo de verdadera deportividad.

La liga era casi nuestra. El domingo siguiente jugaríamos con la Juve en San Siro. Ya éramos primeros, pero la Juve era un equipo difícil y jugaba por un puesto en la Copa de la UEFA. Cuando tienes la victoria tan cerca, existe el peligro de perder por miedo a ganar. Me sentía agitadísimo, seguro de conseguirlo, pero la ansiedad no me dejaba tranquilo. Estaba a un paso de alcanzar un gran sueño.

Baresi estaba lesionado y sancionado, así que hice jugar de nuevo a Costacurta. La Juventus puso el autobús. Decir que intentó echar el cerrojo es quedarse corto. Buso corría detrás de Maldini; Laudrup, detrás de Tassotti. Rush estaba siempre solo. En el primer tiempo bloquearon nuestro fútbol. No jugamos bien, el miedo nos atenazaba las piernas y la cabeza. En el vestuario comencé a gritar. Debía despertarlos de algún modo. Creo que nunca había gritado tanto.

Giampiero Boniperti, que nunca conseguía ver el segundo tiempo de un partido, al salir del estadio pasó por delante de la puerta de nuestro vestuario y me oyó gritar hasta el punto que dijo a su acompañante: «¡Sabía que nos odiaba!».

En realidad, yo no odio a nadie, nunca he odiado a nadie, pero perder en el último partido el sueño de una vida es como vivir una de esas pesadillas en las que persigues algo y no logras aferrarlo. Entonces te despiertas con una angustia profunda.

Estábamos empatando, el Napoli perdía. Aún no éramos campeones matemáticamente, todavía faltaba un punto. Pero no conseguimos abrir el marcador ni siquiera después de una serie de jugadas de Gullit que, al final, con un lanzamiento formidable, rozó la escuadra. El partido acabó 0-0. Tenía la sensación del maratonista que corre y está a punto de desmoronarse al final porque no tiene fuerzas. El miedo nos había bloqueado. En tanto, el Napoli, cansado y deshilachado, desmoralizado después de la paliza en casa contra nosotros, perdió 3-2 contra la Fiorentina.

Nos esperaba una semana de preparación, sobre todo psicológica. No podíamos permitirnos un partido como aquel contra la Juve, aunque teníamos dos puntos de ventaja sobre el Napoli. La tensión crecía a medida que se acercaba el domingo. El club, Berlusconi y todo el equipo estaban nerviosos. Estábamos a punto de vivir un momento memorable para todos, seguros de conseguirlo, pero con la preocupación de que el sueño pudiera desvanecerse justo al final: la conquista de la undécima liga, tan esperada, tan anhelada por la afición. Un sueño para el club, que había alcanzado uno de sus objetivos apenas dos años después de la llegada de la nueva directiva. Y para mí podría suponer la conquista de la liga en el debut en primera.

Después de la derrota del Napoli en Florencia, nos bastaría un empate. Y cuando salimos al campo, en medio de un estruendo de sonidos y colores, de coros que nos animaban, bastaron pocos minutos para que Virdis marcara un gol. En la reanudación, el Como empató; luego esperamos un final que no llegaba nunca. Miraba continuamente el reloj. Los miedos, a medida que pasaba el tiempo, se desvanecían. Aquel con el Como no sería un gran partido, pero era el último paso, vacilante pero necesario, para convertirnos en campeones de Italia.

Cuando el árbitro pitó el final, vivimos una auténtica liberación. Una alegría incontenible explotó en el aire. Los muchachos y todo el grupo me llevaron en volandas. No queríamos que aquella fiesta terminara, queríamos disfrutar aquel momento hasta el final. Era el resultado de mucho trabajo, de mucho sufrimiento, de muchas noches pasadas en blanco. Finalmente, la alegría. Las polémicas, los momentos amargos, los dolores y las fatigas quedaban en nada frente a aquella inmensa felicidad.

Algunas semanas antes, una noche, había acompañado al centro a una amiga de la familia: coros, gritos, bocinas que sonaban enloquecidas, banderas que ondeaban en el aire. Un grupo de hinchas estaban de celebración en la plaza. Estaba tan concentrado en mi trabajo que no había querido perder ni un instante. No sabía de qué equipo eran aquellos hinchas.

Me había detenido a mirar la fiesta, en la oscuridad de la plaza.

«Qué hermoso sería poder festejar algo así por nosotros», había pensado. Y ahora también yo vivía aquel momento.

Milán, llena de orgullo, se vistió toda de *rossonero*. Hacía diez años que no se veía una procesión de coches, trompetas, banderas y muchachos bailando por la calle. Cantaban y entonaban coros. La alegría deportiva se extendía por las plazas como un río en plena crecida. Solo en aquellos momentos consigues entender el sentido de belleza y de felicidad que, de verdad, transmite el fútbol.

Cuando volví a casa después de la ebriedad de la victoria y de liberarme de tanta ansiedad, me senté en el diván y en el silencio del salón pensé en mi hermano Gilberto, hincha del Milan, que muchos años antes había perdido la vida en un estúpido accidente de coche. Habría querido que estuviera junto a mí para disfrutar de aquella felicidad con mi familia. La alegría de la victoria la compartía con él en mi corazón. Se lo debía. El fútbol también es capaz de obrar estos milagros.

8

Mi fútbol

El fútbol es lo más importante
de lo menos importante.

*E*ste es el esquema que siempre me ha ayudado a hacer entender a los clubes, a los cuerpos técnicos, a los jugadores, a los aficionados y, por último, a los periodistas deportivos qué era para mí el fútbol. Los padres fundadores lo pensaron como un juego ofensivo y de equipo:

QUÉ ES EL FÚTBOL PARA MÍ
—Un espectáculo deportivo donde se debe divertir, convencer, vencer.
—Una victoria sin mérito no es una victoria.

CÓMO SE REALIZA
—El club: que tenga un proyecto ambicioso, organizado, moderno y con objetivos claros.

EL CUERPO TÉCNICO
—Una brillante idea de juego, capacidades educativas y didácticas, con perfeccionismo y sensibilidad.

EL JUGADOR
—La persona, la motivación, la inteligencia, la con-

ciencia de la colectividad, el temperamento, la velocidad, el talento y la técnica.

CÓMO SE TRABAJA

—Sobre la didáctica colectiva y de juego para adquirir una técnica individual a través del equipo y el juego.

—No a una técnica circense, se parte del equipo y del juego para llegar al individuo; no al revés.

—No a un fútbol defensivo, individual y especializado.

—Formar un grupo que se transforma en un equipo a través del posicionamiento, la comunicación y la conexión.

—Una interacción técnico/táctica/psicológica.

—Todos deben participar y conocer las fases de ataque y de defensa, todos deben trabajar con y para el equipo, en todo el campo y todo el tiempo, once jugadores en posición activa con y sin pelota.

—Cuanto más compacto sea el grupo, más se ayudará al individuo y se facilitará la técnica y la colaboración.

—Simular en los entrenamientos todo aquello que ocurrirá en el partido; solo así el jugador no se encontrará desprevenido y tenso.

—Corregir significa mejorar.

—Velocidad y adversarios son las dificultades del partido, pasar de lo fácil a lo difícil, de lo simple a lo complejo para alcanzar una situación similar al encuentro.

—La alineación para ser eficaz debe modificar el pensamiento y orientar los comportamientos de aprendizaje y transformación.

OBJETIVOS

—Mejorar al muchacho y al jugador.

—El fútbol colectivo.

—El fútbol total.
—Solo en el protagonismo se crece.
—Ser el *dominus* de la situación.
—Ser los dueños del campo y del balón.
—Ganar con respeto, perder con dignidad.

El Milan de esos cuatro años consiguió interpretar de la mejor manera mi idea de juego. Mi sueño era entrenar a un equipo que jugara con personalidad, que quisiera ganar siempre, convencer y divertir. Dueño del campo y del balón. Lo repito, una victoria sin mérito no es una verdadera victoria.

Para mejorar la técnica, la convicción, la fantasía y la autoestima de los futbolistas consideraba fundamental el dominio del balón.

Siempre he creído que solo en la construcción y con la posesión de la pelota se podía realizar completamente todo esto. Y por eso era importante ante todo tener a las espaldas un club que compartiera mis ideas, una institución seria, fiable, inteligente y competente, y que contratase a hombres con pasión, amor y generosidad. Por tanto, ante todo está la persona con su compromiso y motivada en busca de la excelencia; luego la funcionalidad del proyecto. De ser posible, un jugador que sea complementario para la idea del equipo, y solo después que tenga talento. Siempre he pedido a los futbolistas una implicación total. Decía: «O se da todo, o nada».

Siempre he interpretado el papel del entrenador pensando que mi tarea era como la del autor y el director de orquesta en la música o la del guionista y el director en una película. Creía profundamente en mis ideas, una convicción total que a través de la comunicación y el trabajo intentaba transmitir a los futbolistas. Como el fútbol es un deporte de equipo, empezaba precisamente por el concepto de equipo, que se forma únicamente a través de una interacción entre el componente humano y el técnico-táctico. Un espíritu de equipo elevadísimo era fundamental, como la gasolina para un coche. La voluntad y el conocimiento producen sinergia y multiplican las soluciones y las certezas.

Partía del equipo para luego ir al juego, que consideraba como el motor para el coche o la trama para la película. El juego puede ser como la trama: escaso, suficiente u óptimo, depende del talento, la claridad, la capacidad didáctica, la sensibilidad y las intuiciones del técnico. Los jugadores son los intérpretes que no conseguirían transformar una mala trama en una gran película. En un equipo que juega mal, también parecen mediocres los campeones. Un ejemplo es el Real Madrid de 2005-2006 con sus numerosos ganadores del Balón de Oro, un equipo que Di Stéfano catalogó de «feo y aburrido». Las correcciones en los entrenamientos y la elección de los ejercicios más idóneos para llevar a cabo la teoría son fundamentales. Todo lo que no se corrige en los entrenamientos supondrá un obstáculo para la óptima elaboración del juego.

La sensibilidad y la claridad del entrenador marcan la diferencia (una ópera lírica es prácticamente igual para todos, pero, si la dirige Muti, resulta mejor). La sensibilidad no se copia; los ejercicios sí.

Sin embargo, añadía que habrían copiado el ejercicio, pero no mi conocimiento y sensibilidad. Naturalmente, sé que hay muchos entrenadores que interpretan este papel de manera distinta, pero yo os estoy contando mi idea del fútbol, sin tener la presunción de pensar que solo existe este camino: sin embargo, siempre he creído que el fútbol nace de la mente y no de los pies. Decía: «¿Puede nacer algo de los pies?». ¡Deteneos cuando se dice que alguien «piensa con los pies»! Siempre he considerado que era más fácil y sencillo mejorar los pies que la cabeza.

Nunca he renegado de nuestra historia futbolística; es más, ha sido importante porque ha enseñado a los jugadores la concentración casi mística, la atención y la pasión por la victoria. Todas cualidades que permiten una competitividad y una capacidad de aprovechar al máximo lo poco que se crea. Sin embargo, nunca he pensado que, si se dejaba la iniciativa y el juego al adversario, nuestros futbolistas desarrollaban completamente técnica, fantasía y autoestima. Siempre he tratado de dotar de un estilo, de una identidad a todos los equipos que he entrenado, desde los aficionados de cuarta (semiprofesionales) y tercera, a las secciones juveniles, o los profesionales de segunda y primera. Como también a la selección y a las selecciones juveniles de 2010 a 2014. Siempre prescindiendo de la calidad de los individuos, he trabajado para que el equipo y el juego fueran lo más importante. Me ha ido bien, nunca he sido destituido y las plantillas que he entrenado jamás han descendido.

Para lograrlo, lo repito, partía del equipo, del juego que le daba; más allá de la fiabilidad de los intérpretes. Siempre he privilegiado a los equipos jóvenes y llenos de entusiasmo porque son sinónimo de frescura y ganas de hacer y de aprender, aunque poco expertos y espabilados, inadecuados para un fútbol preferentemente defensivo, pesimista y miedoso.

Los equipos que he entrenado en distintas categorías con intérpretes de valores diversos siempre han jugado como protagonistas. Eran ellos los que estaban al mando. Tal idea maravilló a Berlusconi cuando el Parma, que militaba en segunda, se enfrentó con el gran Milan.

Habían entendido, como antes los jugadores de Fusignano, el Alfonsine, el Bellaria, el primavera del Cesena y de la Fiorentina, el Rimini y el Parma, que la clave para mejorar su calidad y las posibilidades de alcanzar éxito era el propio juego. Para mí, los jugadores del Milan eran los mejores del mundo, ¡pero fue el juego el que los llevó a realizarse completamente! ¡Todos mejoraron! En el anterior campeonato, los *rossoneri* habían quedado quintos, empatados con la Sampdoria, habían encajado veintiún goles.

En mi alineación titular que ganó el campeonato de 1987-1988 había nada menos que ocho futbolistas que habían jugado el año anterior; solo tres refuerzos: Colombo (del Udine descendido), Ancelotti y Gullit. El gran Van Basten tuvo varias lesiones y jugó apenas tres encuentros enteros. La misma defensa (Giovanni Galli, Tassotti, Filippo Galli, Baresi y Maldini) tan solo encajó doce goles (hubieran sido dos menos si no nos hubiera caído esa sanción tras el partido con la Roma).

La nueva didáctica se centraba en la fase de no posesión. Era una zona de presión que había modificado completamente la ortodoxia del fútbol italiano en general, hasta entonces basado en el marcaje al hombre, con una defensa siempre protegida por un líbero; eran equipos pesimistas: más volcados en la destrucción que en la construcción; era un fútbol miedoso, con muchos jugadores al borde del área y que no afrontaba al adversario en todo el campo porque estaba en inferioridad numérica; siempre con uno o dos jugadores preparados en la cobertura. Luego se esperaba marcar un gol de contragolpe, una invención del número diez o un error del adversario.

El fútbol que yo quería era activo también en la fase de no posesión; los jugadores debían ser protagonistas gracias a la presión. También las referencias eran distintas: para el fútbol italiano, la principal referencia era el adversario; la lucha era uno contra uno. En mi fútbol, lo primero era el balón, luego el compañero y después el adversario. Se buscaba una defensa colectiva y se iba al marcaje o a cubrir el espacio. La inteligencia, la atención, el posicionamiento y la capacidad de decisión eran básicos; había que evitar la lucha uno contra uno; se marcaba, en cambio, colectivamente, gracias a secciones conjuntas que se movían de manera ordenada y sincronizada. La fuerza que producen once hombres nunca podrá alcanzarla nadie individualmente. Se hacía un ejercicio de diez o quince minutos con el portero, más los defensores, contra un equipo de once compuesto por Van Basten, Gullit, Donadoni, Massaro, Ancelotti, Rijkaard, etc., en todo el campo. Poquísimas veces los once marcaban gol. Decía a Van Basten, que apostaba conmigo y pagaba siempre el champán: «Mejor cinco organizados que once sin una línea de juego».

Nos ejercitábamos también en la fase de no posesión para los bloqueos y las colocaciones preventivas, además de para la presión, algo casi desconocido en nuestro campeonato. La presión exige un equipo compacto y organizado, tiempos de ataque y marcaje escalonados; a la vez, por otro lado, es preciso deslizarse y cubrir con diagonales. El problema consistía en hacer correr hacia delante a futbolistas que desde siempre corrían hacia detrás. Hacia delante solo se corre si se está organizado y se sabe cuándo y cómo hacerlo. El objetivo era estar siempre en superioridad numérica cerca de la pelota.

La presencia de Gullit me fue muy útil, como los ejercicios para cambiar la mentalidad, que no se compra y no se crea sin la determinación del grupo; nos ejercitábamos mucho también con las selecciones juveniles para mantener un equipo compacto y que se moviera como un solo hombre, simulando y corrigiendo situaciones análogas a las que encontraríamos en los partidos. A los futbolistas italianos lo nuevo les asusta; sin embargo, cuando están convencidos, lo interpretan mejor que los otros, que en la fase de no posesión muchas veces son imprecisos. Se hacían ejercicios con los colores para habituarlos a moverse simultáneamente y en sincronía: se llamaba a un color (cada color significaba un balón) y todos se movían adelante, atrás o lateralmente con sus compañeros y llegando a la vez.

La distancia longitudinal entre la línea de los defensas, de los centrocampistas y de los delanteros no debía ser superior en general a los diez o doce metros por línea, mientras que la distancia en anchura entre centrocampistas y defensores, para formar un bloque y coparticipar en el juego, no debía ser casi nunca superior a los seis o siete metros. Sin la pelota, cuando el balón lo tenía el rival, nos ejercitábamos para cubrir el espacio y correr atrás, así como cuando el equipo sufría un contragolpe y estábamos en inferioridad numérica se debía correr; luego, cuando la situación cambiaba, había que encontrar los tiempos justos para la presión. De este modo, pasábamos de una situación negativa a una positiva, y creábamos cierta descompensación en los adversarios. Tener una defensa alta permitía mayor espacio y tiempo para posicionarse correctamente.

Saber escalonarse hacia delante o lateralmente, tener dominados los tiempos de la presión como de la cobertura, jugar sin tener siempre un defensor fijo más atrás, que cubre, según el sistema puro, buscando la superioridad numérica en defensa a través de la organización y el movimiento: todo eso requería mucho esfuerzo y concentración de los jugadores, para no estar en inferioridad numérica en el centro del campo.

En el despeje, la línea de defensa debía subir rápidamente (difícil también con los muchachos, porque tienen miedo, no están habituados a verlo ni siquiera con los mayores). El concepto es: ser compactos para mejorar la colaboración y la conexión. Tener once jugadores activos con o sin la pelota; solo así se siente que el grupo, que el bloque está unido.

En mi fútbol, estaba antes la capacidad de juicio y el sentido de la posición, la capacidad de prevenir; la parte física y la técnica para mí siempre han sido medios, nunca fines.

También la técnica era colectiva. Preferentemente, se debía adquirir a través de situaciones de juego y simulación. El entrenamiento, para ser verdaderamente útil, debe hacer experimentar durante la semana todas las situaciones que se encontrarán en el partido; teniendo en cuenta que en las situaciones inéditas solo habría desconsuelo y tensión. Se ha de tener muy claro que el entrenamiento, para ser eficaz, no puede olvidarse del adversario y ha de ejecutar los movimientos a toda velocidad.

En la fase de posesión preparaba muchos ejercicios (también con las selecciones juveniles). En la fase defensiva, un portero más cuatro defensores contra seis u ocho u once adversarios. Luego 1+4+2 contra 11, 1+4+4 contra 11. Al final, once contra once contra el segundo equipo, que debía tratar de salir desde atrás tocándola o jugando con el portero.

Entrenábamos una presión defensiva en nuestra mitad de campo, ofensiva ocho o diez metros más allá de la mitad de campo y ultraofensiva en el área adversaria. Con las divisiones juveniles, apenas perdida la pelota, se buscaba la presión inmediata; encontrábamos muchas dificultades por el atávico miedo generado por la tradición y el no saber qué hacer. Entrenaba también todos los aspectos defensivos, del movimiento colectivo a la presión, al fuera de juego, al marcaje entre dos, a los marcajes escalonados, a las luchas uno contra uno, a los despejes y al rápido repliegue. Solo a veces se hacían ejercicios individuales. Y lo subrayo de nuevo: el fútbol es un deporte de equipo, no individual. Partía de los once y del juego para enseñar una técnica ya relativa a las situaciones del partido.

No quería perder tiempo. A través de ejercicios de juego, entrenaba la técnica colectiva de los jugadores; así no debían aprender primero la técnica individual y luego introducirla en los once y más tarde en el juego. El fútbol ha cambiado radicalmente cuando se ha pasado de una técnica individual a una técnica colectiva. Antes se quería hacer «uno más uno, más uno, más uno...» para llegar a once. Yo partía de los once para llegar a uno.

Por tanto, además de las ventajas antes citadas, se podían realizar de la mejor manera los bloqueos y las colocaciones preventivas, ser cortos y estrechos. La presión y los bloqueos preventivos permiten correr menos, ahorrar energía; los *sprints* son breves y se evita una larga carrera hacia atrás de todo el equipo. Si se bloquean de inmediato los contraataques rivales a través de la presión, se crean las condiciones necesarias para completar unas transiciones letales, que son lo mejor del fútbol italiano ofensivo. Para hacerlo, se necesita una gran capacidad organizativa y de juicio, así como un conocimiento que solo se obtiene a través de un trabajo largo, fatigoso y paciente. Les pedía a mis jugadores y al club paciencia, porque los milagros no existen.

En la fase defensiva y de posesión, me parece fundamental que el equipo sea corto y estrecho. En la fase de posesión, mi sistema de juego se basa en los sincronismos y en los tiempos. Dejamos espacios. Es complicado llegar en movimiento. Pero también resulta más difícil de controlar por parte de los adversarios. La distancia entre quien tiene la pelota y los receptores no debe ser superior, en general, a los doce o quince metros. Si la distancia es mayor, el pase será menos preciso, casi siempre alto, lento, y el receptor estará aislado. Además, el defensa, cuanto mayor sea la distancia, menos teme ser atacado por la espalda... y tiene treinta o cuarenta metros para anticiparse.

El pase a diez o doce metros es fácil, no exige una técnica demasiado exquisita. Los desmarques, los tiempos, las distancias y una recepción correcta beben de una buena técnica. Todos colaboran y pueden recibir. El movimiento es breve y no exige demasiado gasto de energía. El modo en que se recibe la pelota, de cara o de espaldas a la portería rival, marca la diferencia, tal como recibirla quietos o en movimiento. He aquí por qué el equipo debe ser estrecho, para luego tener espacios y jugar en profundidad por la banda.

Salvo los cambios de juego, los pases deben ser a ras de suelo y rápidos.

Los desmarques y las fintas son importantes para recibir la pelota más cómodamente, para la planificación del pase y de quien recibe (hacer una finta demasiado pronto o tarde complica la recepción y la situación técnica). Cuanto mejor se recibe la pelota, con buenos desmarques, más aumentan la fantasía y la velocidad, cosa que una buena técnica facilita. Los desmarques pueden ser individuales o de grupo (uno va y uno viene, cruce, uno corta y otro detrás).

El compañero con la posesión de la pelota debería tener varias soluciones para elegir la más ventajosa y crear más problemas al adversario. Yo deseaba que el poseedor tuviera siempre cuatro-cinco posibilidades de pase (un lateral, uno atrás y adelante, o bien dos laterales, uno adelante y uno atrás).

Si al compañero con la pelota se le presiona, el que está más cerca no debe cubrir el espacio, sino ir en su ayuda. En los ataques por el centro, los dos puntas entraban en profundidad, o uno iba a ayudar, mientras que el otro se desmarcaba en profundidad a sus espaldas, con un centrocampista detrás de los dos atacantes. En los ataques laterales: cerca del área, uno o dos ayudaban al jugador en la banda, y tres o dos se preparaban para recibir el centro; el de delante decidía dónde ir y los otros seguían, atacando uno el primer palo, uno el segundo palo; el otro debía ir por detrás (llegar en movimiento y con anticipación).

Siempre quería un mínimo de cinco jugadores más allá de la línea de la pelota y un buen posicionamiento para impedir los contraataques adversarios. Si el equipo adversario presionaba, los jugadores sabían cómo cambiar de juego. En especial internacionalmente, donde casi todos los equipos presionan, es importante trabajar en el entrenamiento tácticas para salir de la presión. Es fundamental poder desarbolar la presión del contrario.

Entre los ejercicios más frecuentes estaba el once contra cero para la fase ofensiva, donde exigía velocidad en los pases, en los desmarques; los jugadores debían imaginar que los marcaban. Todos debían estar en movimiento y actuar con los tiempos de los pases justos: recepción correcta de la pelota, alternar ataques laterales y ataques centrales. Hacerlo en velocidad después de una primera fase de calentamiento es imprescindible cuando no está el adversario.

Creaba simulaciones de juego con reglas siempre diversas para habituar a los jugadores a estar atentos.

Por ejemplo ¿el equipo es largo? Obligarlos a pases a ras de tierra; si no lo hacían, penalti a favor de los rivales.

¿El equipo tira poco a portería? En un espacio de 50x40 metros hacía jugar con un toque y disparo, un regate, un toque y disparo.

¿El equipo tiene demasiado la pelota? Juego el partido a un toque… y así sucesivamente.

Creaba otros ejercicios con los disparos y los centros, simulando las acciones, con algunos adversarios en los centros y en la banda, y siempre con tres atacantes que acosaban la portería. Siempre he pensado que entrenar la mente era lo más importante.

Para habituarlos a cabecear, se jugaba solo con la cabeza en un campo reducido. Esto porque debían acostumbrarse a cabecear en el partido y no solos: de este modo, a través de una técnica colectiva mejoraba la individual.

Siempre he activado muchas posesiones, pero orientadas (equipo alineado con cada uno en su papel) y siempre en superioridad numérica (por ejemplo, un portero más dos defensores, o un portero más cuatro contra cuatro adversarios).

Dar una alternativa a la posesión para que en el partido mis jugadores practicaran una posesión no pleonástica, que no fuera un fin en sí misma, era importante. La posesión es válida si es la premisa para el ataque en profundidad: saber mover la pelota rápidamente y luego encontrar la acción y el espacio para el ataque es vital cuando se encuentra el resquicio adecuado.

La técnica se entrena, también con los muchachos, a través del movimiento y en general en grupos, pero aún más en las posesiones. Creo que es importante enseñar una técnica a través del juego de manera global y no analítica.

Michels, grandísimo entrenador holandés, me decía: «Vosotros, los italianos, sois extraños, enseñáis la técnica separada del juego. Nosotros enseñamos cómo debe ser en el partido. Sería como enseñar a nadar poniendo a los futbolistas sobre una mesa y explicándoles que deben alternar el movimiento de los pies y de las manos. Nosotros los echamos al agua».

A Gullit, gran campeón en los partidos de tenis, nadie lo quería en el equipo; en los ejercicios técnicos individuales era mediocre. En el partido, en cambio, era buenísimo en todos los gestos técnicos: conducción, disparo, pase, cabezazos, regate, choque. Había adquirido una técnica de juego y no de circo.

Hacíamos muchas posesiones, muchos rondos, pero en movimiento, sabiendo cuándo y dónde posicionarnos para el desmarque. El entrenador debe intervenir y corregir todos los errores. Cuando Pep Guardiola llegó al Bayern, los jugadores hacían el rondo quietos y él dijo: «No me parece que el fútbol se pueda jugar estando quietos, os estáis habituando a lo que nunca sucederá en el partido. No solo perdemos el tiempo, sino que es contraproducente».

Yo quería partidillos con reglas, posesiones, rondos y ejercicios de grupo. Disparos, centros. Y había que hacerlos cada vez más a la velocidad del partido y luego también metiendo, a veces, adversarios en inferioridad numérica, como ocurre en la realidad de cada encuentro.

También la preparación física se realizaba cada vez más con el balón y cada vez más a través de partidos y ejercicios. Un ejemplo: un trabajo anaeróbico puede hacerse en seco (sin balón) con repeticiones, pero también con partidos en presión de una duración de dos, tres minutos (por ejemplo, partidos en una mitad de campo: portero + un organizador + cinco atacantes contra portero + un líbero + cinco marcajes al hombre). Las reglas son que el organizador y el líbero no marcados solo tienen dos toques; los otros, toque libre, y nadie podrá obstaculizar al organizador o al líbero. Se hacen acciones tipo partido 1:12 para habituar a todos a atacar y defender, si uno regatea al propio adversario, solo el líbero o el organizador pueden intervenir y hacer marcaje entre dos. Para mejorar los contraataques formaba tres equipos de seis contra seis en una mitad del campo, mientras otros seis esperaban en la otra mitad. Si el equipo de los seis atacantes pasaba la mitad del campo, se enfrentaba con los otros seis; si perdían la pelota, trataban de que los rivales no superaran la mitad del campo. Ganaba el equipo que hubiera marcado más goles.

También para habituar a la presión se hacen partidillos pensados para la ocasión. En los partidos de presión ponía portero + tres jugadores contra tres jugadores + portero en un campo restringido de 40 x 25 metros por un tiempo de tres o dos minutos. O bien portero + cuatro contra cuatro + portero, o portero + uno contra uno + portero durante dos minutos (y estos partidillos eran de verdad letales). Muchos de estos ejercicios se hacían en la jaula, donde la pelota no salía nunca. Yo estaba encima de una silla con el megáfono y gritaba, y los incitaba y les decía qué debían hacer. Los corregía, los espoleaba, los ayudaba a jugar uno contra uno. Ancelotti estaba casi siempre contra Rijkaard, un monstruo físicamente. En el ejercicio del portero + uno contra uno + portero, un día me dijo: «Míster, ¿qué he hecho de malo para que me castigue con Frank?».

O bien, la potenciación de las piernas y de la elevación se puede hacer en seco, pero también con un partido (si es posible, sobre tierra o césped sintético, donde se puede golpear solo de cabeza): se hacían veinte o treinta elevaciones con el balón.

Los *sprints* breves se pueden efectuar con un rondo donde quien está dentro debe atacar siempre la pelota durante seis o siete segundos; por tanto, esprinta con el balón como ocurrirá en el partido. Los *sprints* de diez, veinte, treinta metros se pueden hacer poniendo a los cuatro defensores que contrarrestan más allá de la mitad del campo y los cuatro defensores saltan hasta la mitad del campo orientándose con la pelota chutada. Y así los demás roles, para habituarlos a correr siempre en relación con donde se encuentra la pelota.

Con los años he recogido carpetas enteras de materiales, con fichas y ejercicios orientados a hacer mover al equipo, con ejercicios y reglas que luego daban sus frutos los domingos en los partidos. Todos eran ejercicios con el objetivo de entrenar mental y físicamente a través del balón y el juego. Era el resultado de la investigación cotidiana, del desarrollo de las ideas y de la reelaboración de conceptos que se debían concretar en el partido. Y este trabajo debe hacerlo el entrenador.

El fútbol ha ofrecido un pequeño grupo de genios de las ideas y de la táctica, así como un denso ejército de arribistas con escasas convicciones y conocimientos que tratan de seguir las modas del momento. Existe una tercera vía, la de los entrenadores ligados al pasado, que lo defienden orgullosamente. Son técnicos que no inventan ni transmiten a la posteridad una idea.

Yo siempre he buscado la innovación y la investigación, con un trabajo de estudio y de reflexión enorme para poder llevar a cabo mi idea del fútbol, haciendo un esfuerzo inimaginable para convencer al club, a los jugadores, a los aficionados y a los periodistas de las bondades de mi proyecto.

Ganar el campeonato italiano de primera división era solo la primera meta. Por aquel entonces, sin embargo, no podía imaginar adónde llegaríamos, los objetivos que lograríamos, los reconocimientos en todo el mundo. Muchos de mis jugadores han disfrutado de una larga carrera. Todo ello ha exigido por mi parte un esfuerzo físico y mental que me agotó y desgastó muy pronto. Es como la llama que da una gran luz, se apaga enseguida, pero, sobre todo, ilumina el cielo.

8

Un equipo de leyenda

La suerte es el nombre que se da siempre
a la habilidad ajena.

*E*l Milan era un equipo con grandes jugadores. Habíamos ganado el campeonato porque, después del trauma que supuso la eliminación de la Copa de la UEFA, habíamos puesto en aquel torneo todas nuestras energías, físicas y mentales. Con la conquista de la liga podíamos jugar la Copa de Europa, la que hoy es la Champions League. Hacía veinte años que el club y la afición esperaban ese momento.

Apenas ganada la liga, fuimos a Mánchester, donde aquel año se celebraban los ciento diez años de vida del club. Habían quedado segundos por detrás del Liverpool.

Berlusconi, con su habitual presteza, había organizado dos amistosos para llevarnos de inmediato a Europa. Era la primera salida oficial. Ganamos 2-3. Dominamos el partido, poniendo en apuros a los adversarios con una presión y una personalidad arrolladoras. Recibimos los aplausos y los elogios del muy deportivo público inglés, que reconoce el mérito de los adversarios si juegan mejor.

Luego nos enfrentamos al Real Madrid en San Siro, preludio de encuentros memorables con este equipo en la Copa de Europa. Eran pruebas importantes, no solo amistosos, sino verdaderos partidos, jugados con vehemencia, tensión y voluntad de ganar. Tanto si el Milan jugaba con los grandes de Europa como si lo hacía con un equipo de cuarta división para el entrenamiento semanal, yo quería que nuestros futbolistas dieran lo mejor, honrando la camiseta *rossonera* con el orgullo de quien pertenece a un gran club.

Los torneos internacionales o el partidillo de los jueves eran ocasiones para mantener en forma al grupo. Creía mucho en el trabajo. Roberto Antonelli, gran jugador del Milan, el Monza y la Roma, que entrenaba a la Caratese, hacía mucho que me pedía jugar contra su equipo, que militaba en cuarta división. Fuimos a Carate Brianza en 1991. «Nosotros somos el Milan —decía—. Debemos ir allí y jugar al máximo nivel.» Creo que marcamos quince o dieciséis goles. El público se divirtió tanto que le pidió al árbitro que no pitara el final. Así quería al Milan, siempre al máximo, fuera un jueves en un amistoso, fuera en un partido europeo del máximo nivel.

En aquella época, estalló también el caso de Claudio Daniel Borghi.

Berlusconi se había enamorado de este jugador durante la final de la Copa Intercontinental de 1985 entre la Juventus y el Argentinos Juniors, equipo en el que militaba este centrocampista ofensivo, de indiscutibles dotes atléticas, con buenos pies, fantasioso, muy espectacular en sus números, pero desde luego no un jugador entregado al juego de equipo. Por sus mágicas pinceladas al balón lo definieron como «el Picasso del Fútbol».

En 1987, Berlusconi lo había comprado en una subasta, a la cual concurría también la Juventus. Cuando Borghi vino a entrenarse con nosotros, Vincenzo Pincolini me dijo: «¡Mira, Arrigo, que, cuando corro, lo dejo atrás!». A Borghi no le gustaba correr, sostener el ritmo de los entrenamientos. Pensaba que eran inútiles. «¿Qué sentido tiene correr durante kilómetros, si el campo tiene cien metros?», me dijo una vez.

En el entrenamiento no hacía buenas migas con los demás jugadores, había discutido con Ancelotti y con Virdis. Era perezoso y jugaba un fútbol individual, se movía poco y mal en la fase ofensiva, mientras que en la fase defensiva era inexistente. Tenía una buena técnica, pero carecía de una cultura del trabajo y del grupo. No lo quería. Llovieron críticas y aparecieron artículos de periódico vitriólicos, pero en el fútbol no se puede razonar siempre con las tripas. A veces hay que tomar decisiones difíciles, más allá del talento de un jugador en concreto. Es preciso tener las ideas claras sobre el juego y decidir qué jugadores funcionarán mejor en el proyecto.

Frank Rijkaard se había ido del Ajax. Lo había comprado el Sporting de Lisboa, que luego lo había cedido al Real Zaragoza. Visionando todos los casetes de los partidos de la selección holandesa para estudiar a Van Basten, había reparado en él: me gustaba, me entusiasmaba. En aquel momento, tenía la idea de poner un centrocampista defensivo al lado de Baresi porque quería comenzar la acción de juego desde la defensa. En tales tareas, sumaría esfuerzos con Franco, otro constructor de juego. Rijkaard, además, iba bien de cabeza; compensaba a Baresi, que no lo era demasiado. «Este es nuestro jugador», dije.

Cuando vino al Milan, miramos con Rijkaard dos partidos del equipo para hacerle entender cómo jugábamos. Él me dijo:

—Pero usted ya tiene un director en mi puesto.

Era Ancelotti.

—Sí, pero yo no te he elegido para jugar en el centro del campo, sino en la defensa, como jugabas con Holanda.

Finalmente, cedimos a Borghi al Como.

El primer año, Van Basten había jugado poquísimo por problemas en los tobillos. Antes del Europeo del 88, fui a un amistoso de Holanda para ver en persona a Rijkaard. Decidido, le dije a Berlusconi que quería al holandés y no a Borghi, que había regresado de su cesión en el Como. Y le dije que a Borghi nunca lo habría aceptado en el equipo porque era exactamente lo contrario de lo que quería en cuanto a ética y comportamiento. Además, no funcionaba bien en nuestro fútbol; no se compenetraba correctamente. Si hubiera querido contentar al presidente y nos lo hubiéramos quedado, habríamos cometido un error garrafal. Y añadí: «Si usted hace jugar a Borghi, yo dejo de trabajar un año». Reconozco que lo dije, en parte, porque no veía la hora de tomarme un año sabático. Era mi sueño.

Entre tanto Galliani, como siempre, me ayudó mucho. Me encontraba en Stuttgart para ver la final de la Copa de Europa entre el PSV y el Benfica junto a Braida, al cual había dicho: «Vamos a verla porque el año próximo estaremos nosotros en la final».

En el hotel, descubrí que tenía un montón de llamadas de la secretaria de Berlusconi, que me quería ver. A la vuelta de Stuttgart me vinieron a buscar al aeropuerto. Una vez en Arcore, mantuvimos una larga conversación. Le dije a Berlusconi:

—Para todos sus enemigos, es un placer que usted haga jugar a Borghi.

—Confíe en mí —me respondió.

—Yo soy también su amigo, y le digo que estamos cometiendo un error enorme. Si usted ficha a Borghi para el equipo, yo ya no seré el entrenador del Milan.

Mientras tanto, Galliani tenía una cita con los directivos del Sporting de Lisboa para la compra de Rijkaard. A las cinco de la mañana estaba en el aeropuerto y esperaba el visto bueno de Berlusconi. El retraso en la compra de Frank le costó al Milan uno o dos mil millones más. Firmaron. Galliani se hizo con el contrato. En el momento de los saludos, los hinchas furiosos arremetieron contra la puerta y comenzaron a golpear a los directivos del Sporting. Galliani y Braida se refugiaron en el baño. Solo salieron a la calle después de algunas horas, cuando las aguas se habían calmado. Fueron a un bar y llamaron a Berlusconi. Galliani se lo contó todo para hacerle entender la importancia del jugador que habían comprado. Berlusconi, que no afloja nunca (jamás habrá un delfín del Cavaliere), esa vez dijo: «Dejadlo todo y poneos a salvo».

En cuatro años, aquella fue la única vez que estuve en desacuerdo con Berlusconi. Durante un tiempo, abandonó al Milan. Cuando lo vi, le dije: «¡O usted vuelve a hacer de presidente, o me echa! No puede hacer como el marido traicionado que para vengarse de su mujer se corta los cojones».

A menudo, el espectador medio, que mira los encuentros para relajarse y por placer, no ve más allá de las apariencias. Borghi no siempre jugaba en equipo, como, en cambio, sí hacía Colombo, que disputaba buenos partidos acaso tocando poquísimo la pelota, pero manteniendo perfectamente la posición en el campo, impidiendo la maniobra adversaria o facilitando la nuestra, sea en ataque, sea en defensa, solo con su buena colocación.

Ciertamente, resulta más espectacular un jugador que juega de rabona, que regatea, que se va de dos adversarios, que juega de tacón balones imposibles respecto de uno que mantiene unido al equipo moviéndose con inteligencia. Borghi era uno de esos fenómenos, pero no se adecuaba al juego y al fútbol total que yo quería. Era un solista, no un instrumentista.

En su cesión al Como (que para salvarse jugaba con una defensa en cerrojo a ultranza), Borghi jugó poquísimo: siete partidos y ni un solo gol. No era fácil usar su talento en el campo. Los entrenadores eran Aldo Agroppi y, después de su destitución, Tarcisio Burgnich. Borghi declaró respecto de ellos: «Eran el antifútbol: me decían qué no debía hacer en el campo, pero no qué hacer».

Después de haber ganado la liga, repetí a Berlusconi: «No puedo aguantar la ansiedad, me destruye. Pero siento que podría con otro año. Está la Copa de Europa y aún tengo energías para intentarlo».

Berlusconi, que no quería que me marchara, propuso incluso hacerme un contrato como administrador delegado del Milan, porque entonces Galliani trabajaba en ambas empresas, en el Milan y en Fininvest. Respondí que no. Galliani ha sido un gran colaborador, un gran gerente.

Una tarde, durante la cena, sostuve con ambos la idea de que quienes escribían bien de Borghi en los periódicos les estaban tendiendo una trampa. Confalonieri, que estaba presente, me confesó: «Los "no" que hoy ha dicho a Berlusconi no se los he oído decir en un año». Esto permite entender la relación de amistad que mantuve tanto con el presidente como con sus colaboradores. Era una relación verdadera, de respeto, sincera. Yo era el entrenador, pero incluso en un diálogo acalorado nunca pusieron en discusión mi autoridad.

«¡Otro romañol que me vuelve loco!» Eso es lo que Berlusconi solía repetir de mí. En aquella época, estaba comprando la Standa de Carlo Sama, un romañol cuñado de Raul Gardini.

Borghi se convirtió luego, en 2002, en un buen entrenador. Berlusconi, que no afloja nunca, un día me dijo: «¿Y ahora, cogería a Borghi?».

El gran Milan ya era una realidad. El juego había transformado al equipo. Cuando llegó al Milan, Ancelotti ya tenía veintiocho años; Colombo estaba en el descenso con el Udinese; Van Basten, el primer año, apenas jugó tres partidos completos, luego se lesionó. Es decir, que el juego había sido la base de la revolución del equipo y que los jugadores habían demostrado ser unos profesionales ejemplares, personas serias y de carácter, unos intérpretes magníficos. Siempre he creído que el juego era el verdadero motor sin el cual la máquina no habría funcionado. Y ellos eran unos espléndidos pilotos.

Gullit, en el primer año con el Milan, en 1987, quiero recordarlo una vez más, ganó el Balón de Oro.

Ahora conocía bien a los jugadores, todos con excelentes cualidades técnicas. Mi grupo partía de Giovanni Galli, magnífico profesional y portero de grandes virtudes. Jugar en el Milan era particularmente difícil, pues, con una defensa impenetrable, el portero tiene poco trabajo y, por tanto, su atención y su concentración son fundamentales; equivocarse en una intervención podía ser la única oportunidad que tuvieran los adversarios durante todo el partido. Giovanni era particularmente bueno entre los palos, pero yo quería que saliera más, pues con un equipo muy junto y adelantado se dejan muchos espacios que el portero debe cubrir. Giovanni Galli no tenía tal capacidad, pero mejoró muchísimo gracias a los entrenamientos. Cuando jugaba con nosotros, tuvo que aprender a salir de la portería donde, por tradición, el portero estaba durante casi todo el partido. Era una persona positiva, en el campo y fuera de él. Era un hombre de bien que no se merecía vivir el dolor de la pérdida de un hijo de apenas diecisiete años. Cuando se marchó del Milan, me llevé un gran disgusto.

Mauro Tassotti era un romano gracioso e inteligente; había entendido que cuanto más trabajáramos, más pronto alcanzaríamos grandes objetivos. Me lo confesó un día durante los primeros meses de entrenamiento, cuando el equipo comenzaba a encadenar victorias mostrando una gran personalidad y un juego de ataque sin prejuicios. Tassotti era un profesional excelente. Simpático e irónico hasta consigo mismo. Un lateral derecho dotado de grandes cualidades técnicas y tácticas, pero poco considerado en Italia, donde se prefería a un defensor marcador y rocoso. Debutó en la selección con treinta y dos años. Era un jugador moderno y total, que sabía desarrollar a altos niveles las fases defensiva y ofensiva. Era importante por su contribución al juego, pero también para la armonía del vestuario. Había traído conmigo del Parma a dos defensores, Bianchi y Mussi. Una vez le dije:

—¿Sabes? ¡Confío en ti!

Y Tassotti me respondió:

—Lo sé, ¡de otro modo habrías traído cuatro laterales del Parma!

Actualmente es el segundo entrenador del Milan.

Cuando me surgieron problemas con la voz, porque durante los entrenamientos y en los partidos gritaba continuamente, comencé a usar un megáfono. Mi mujer, Giovanna, un día se encontró con Tassotti y le dijo:

—¡He visto que ahora Arrigo usa un megáfono!

Tassotti le respondió:

—¡Sí, ahora grita con un megáfono!

Paolo Maldini ha sido uno de los más grandes laterales de todos los tiempos. Potente, veloz, resistente, generoso. Fuerte físicamente y en el juego aéreo. En el Milan mejoró también en el marcaje; maduró velozmente junto con compañeros veteranos y gracias, también, a la ayuda de su padre. Profesional serio, muchacho amable y leal. Subía la banda a una velocidad fuera de lo común. Un gran punto fuerte del Milan y de la selección. La excepcional duración de su carrera es sinónimo de su calidad como persona y como profesional. Entre el Milan y la selección lo he entrenado casi diez años. Un placer, una fuerza de los *azzurri* y de los *rossoneri*. Veinticinco años de carrera (de 1984 a 2009) que han hecho de él un icono del fútbol, y que le hicieron lograr numerosos éxitos deportivos incuestionables.

Alessandro Costacurta es un muchacho que ha tenido una carrera extraordinaria. Venía de tercera. Lo hice debutar como titular en primera en el derbi con el Inter; más tarde lo hice jugar con la Juve como sustituto de Baresi. Mejoró casi día a día, a pesar de que no destacaba por su físico ni por su condición atlética, que fue mejorando a través del compromiso y la inteligencia. Discreto con la pelota, hábil en el marcaje; era un defensor del fútbol total, no un especialista. Se compenetraba excelentemente con sus compañeros. Se sabía posicionar muy bien y sabía anticiparse al rival. No era todo fuerza ni un gran atleta, pero contaba con una personalidad arrolladora. Fue siempre un jugador fiable y de buen nivel. Originariamente jugaba de líbero junto con Baresi: tenía dos líberos que sabían marcar, pero también participar en el juego. Ha gozado de una carrera larguísima y siempre de alto nivel. Un elogio a la inteligencia.

Υ

Franco Baresi, *el Capitán*, era un fuera de serie. De pocas palabras, pero un ejemplo para todos. Todo un luchador, siempre lo daba todo. Jugador de gran temperamento y resistencia física, estaba dotado de una rapidez y una velocidad notables. Con buena técnica, quizá se excedía con los pases en largo. Su capacidad táctica era más que excelente y dirigía la defensa con astucia y oportunismo, sostenido por su talento y su buen juicio. Difícil de superar en el uno contra uno, era veloz y sabía anticiparse a la acción del contrario. Movía toda la defensa y hacía mejores a sus compañeros. No he visto jamás un defensa tan bueno como él.

Casi diez años antes, un Franco Baresi apenas debutante había ganado el último campeonato con el Milan. Cuando llegué, se mostró algo reticente con mi nuevo modo de trabajar. «Dame dos meses», le dije. Y él se convenció. Cuando, después de cuatro años, llegó Fabio Capello, fue precisamente Baresi quien se opuso a los cambios tácticos que Capello quería implementar en el equipo. Fue un jugador fundamental. Había adquirido los movimientos del equipo y los ennoblecía con sus cualidades físicas, atléticas y temperamentales. La línea de cuatro en defensa se movía perfectamente bajo sus órdenes, con los tiempos y el ritmo justos. Una vez, Giancarlo Beltrami, director deportivo del Inter, viendo jugar al Milan, dijo: «¡Ni siquiera las hermanas Kessler están tan sincronizadas!». Cuando teníamos la pelota, Baresi hacía que la defensa se adelantase. Si había que volver hacia detrás, también lo hacíamos perfectamente sincronizados. Solíamos lanzar el fuera de juego, por lo que el equipo debía moverse de un modo compacto; era una consecuencia de nuestra presión, tan agresiva. La idea principal era favorecer el ataque; no lo empleábamos como arma defensiva, como muchos creen.

Lo llamábamos «el elástico»: nuestro avanzar o retroceder velozmente según si estábamos o no en posesión de la pelota trastornaba a los adversarios.

En la semifinal de la Copa de Europa con el Real Madrid pusimos nada menos que veintiséis veces en fuera de juego a sus atacantes. Baresi era el director de este juego. En el campo expresaba garra, personalidad y talento. Era un hombre silencioso, hablaba poco. Era introvertido, debías ganártelo para que se abriera a ti. Tenía una gran fuerza atlética y una enorme resistencia al dolor, incluso para las vicisitudes familiares. Una roca. A Franco le decía siempre: «Si te colocas bien en el campo y te cuidas, aprovecharás mejor tu físico y tendrás una carrera más larga. Solo lamento cuando lanzas el balón hacia delante. Cada vez que veo eso, es como si me dieras una bofetada». Quería que pasara la pelota a ras de suelo y construyera el juego; los pases en largo era una herencia del pasado y de un modo de jugar a la italiana: defensa a ultranza, desplazamientos largos al atacante, de quien se espera que marque siempre gol solo gracias a su pericia.

En 1989 quedó segundo en la votación del Balón de Oro, por detrás de Van Basten. El delantero es siempre espectacular; llama más la atención. Pero aquel era el año de Franco Baresi. El segundo puesto valía tanto como el primero. Un gran campeón, un ejemplo de seriedad. Recuerdo cierta vez, cuando llevábamos diez días sin hacer ejercicios de defensa; se acercó y me dijo: «Míster, así perdemos los sincronismos».

Roberto Mussi, un muchacho de bien, era tímido, perfecto en las coberturas, resistente y veloz. No es que destacara por sus cualidades técnicas. En la fase defensiva confiaba en la anticipación; en la fase ofensiva era hábil a la hora de moverse sin pelota. Se compenetraba perfectamente con los otros tres defensores: era muy difícil superar esa línea. Un suplente valioso que ha jugado también en la selección, incluida la final mundial contra Brasil.

Filippo Galli, gran profesional, atento, serio, determinado, resuelto. Clásico defensor inteligente y bien posicionado. Se movía correctamente con sus compañeros. Destacaban su carácter y su precisión. Iba muy bien de cabeza y se anticipaba como pocos. Un valor añadido para el equipo: siempre atento y motivado. Filippo Galli fue un ejemplo de profesionalidad e inteligencia, que venían a suplir unas condiciones físicas y atléticas normales. Nosotros jugábamos con un sistema puro. Recuerdo que en un partido contra el Avellino, a pesar de que Walter Schachner era mucho más veloz que él, no le dejó ver la pelota; se le anticipaba siempre. Ya lo podías sacar en el último minuto del partido, él estaría más concentrado que ninguno.

Angelo Colombo, fichado del Udinese, supuso una gran sorpresa. Lateral derecho, bajo el cuidado de Galbiati mejoró en la técnica: marcó varios goles y dio diversas asistencias a los delanteros. Resistente y veloz, su técnica y su visión de juego eran más bien normales, pero no paraba de moverse, de colaborar con los compañeros… Cosas como esas, le hacían un jugador importante. Se desmarcaba muy bien en ataque. Él jugaba con y para el equipo, en todo el campo. Su contribución física, atlética y táctica fue más que notable.

Carlo Ancelotti es una persona generosa y leal. Profesional perfecto, gran conductor del juego, fue el director de orquesta; junto a Baresi y Gullit, formó la espina dorsal del equipo. «Un director que no conoce la música», dijo bromeando una vez Berlusconi. Carlo era desinteresado, modesto, altruista con todo el equipo. Ganábamos cuatro a cero, y él, por hacer un gol, se rompió una mano. La anécdota ilustra la generosidad de este jugador de enorme inteligencia futbolística. Tenía los tiempos justos de recepción, de desmarque y de jugada. Se anticipaba siempre a las intenciones de los adversarios, con lo cual compensaba su falta de velocidad. Humilde, trataba siempre de ser mejor; en los entrenamientos, daba el máximo. Estaba decidido a mejorar su velocidad y su fuerza. Su habilidad técnica solía hacerle salir victorioso de los choques con el contrario. Sabía manejar el juego y el tempo del partido. Cuando hacíamos pruebas de velocidad, de cincuenta metros, siempre le decíamos que había hecho menos tiempo del real, para no desmoralizarlo. Anceloti era la fuerza humana y táctica del equipo.

Frank Rijkaard debutó con nosotros contra la Fiorentina, en el campeonato de primera, el 9 de octubre de 1988. Se convertiría en un pilar de mi fútbol, un centrocampista de un potencial increíble, con un buen sentido de la posición, duro en los choques, con olfato para el gol. Así el Milan se convirtió en el equipo de los tres holandeses. Rijkaard era un gigante físicamente. Una buena persona, con cualidades atléticas fuera de lo común. Dotado de una buena técnica, gran claridad, potencia extraordinaria, velocidad y resistencia, cubría el campo con facilidad, presionaba fuerte. Nunca fallaba en los partidos importantes. Destacó más como centrocampista que como defensor. Era un hombre de honor: en 1993, cansado, dejó el Milan para volver al Ajax, donde percibiría la décima parte de lo que ganaba en Italia. Con cierta frecuencia, marcó goles fundamentales, como en las finales de la Copa de Europa, la Supercopa de Europa y la Copa Intercontinental. ¡Un grande! Luego ha sido entrenador de alto nivel. Ganó un par de ligas españolas y la Champions con el Barcelona.

Roberto Donadoni es una persona y un profesional excelente. Tenía una gran técnica y un regate rápido y resistente. Era un mediapunta que interpretaba perfectamente su papel. El jugador más difícil de sustituir; no era un especialista, sino un jugador de fútbol total. También generoso, daba siempre el máximo. Tácticamente era buenísimo en la fase defensiva, donde se colocaba bien y sabía presionar como nadie; en ataque sabía desmarcarse muy bien. Marcaba menos que los mediapuntas de valía, pero hacía un trabajo para el equipo decididamente superior a sus colegas en la posición. No tenía contraindicaciones, como la definición de «mediapunta» daría a entender. Actualmente, es un técnico de buen nivel e incluso ha entrenado a la selección italiana.

Cuando Alberigo Evani llegó al Milan, lo querían vender al Genoa. «No, no —les dije a Berlusconi y a Galliani—, nos lo tenemos que quedar.» Tenía un tendón roto y no jugó durante cuatro o cinco meses. Contaba con buena técnica y un gran sentido táctico. Sus goles fueron pocos, pero importantes. En 1994 lo convoqué para jugar el Mundial. Jugador muy técnico, resistente, rápido, continuo, era un excelente profesional y un muchacho serio y generoso. Nuestro juego lo ayudó a mejorar su nivel. Tácticamente bueno, siempre bien situado, con la pelota jugaba con sencillez. Sus centros eran buenos. Destacaba su colaboración con los centrocampistas en la fase defensiva y sus desmarques en ataque. Una pieza importante para el juego del equipo.

Y

A Daniele Massaro lo conocía desde que trabajaba con las categorías juveniles de la Fiorentina. Jugaba por la derecha, por la banda o medio ofensivo, siempre en el centro del campo. No había asimilado de inmediato nuestra cultura, nuestro modo de jugar, por tanto, lo cambié de rol y lo puse de punta, como delantero centro. Como centrocampista no se movía correctamente: se equivocaba y creaba despistes y grietas en la línea del centro del campo. En cambio, era un punta buenísimo. Se movía con los tiempos justos y tenía una capacidad de elección notable. Maestro en el desmarque y dotado de gran técnica, marcó también goles importantes.

Una vez, antes de una preparación con el psicólogo para relajar la mente del estrés previo al partido, él no estaba. En un momento dado, oímos unos disparos que llegaban del bosquecillo de Milanello. «¿Qué son esos disparos?», pregunté. Era Massaro, que se preparaba para el partido. «¡No, no nos preparamos así para el partido!», dije, y no lo dejé jugar. Buscábamos tranquilidad y concentración, y él disparaba en el bosque de Milanello.

Siempre se lamentaba de problemas físicos más o menos inventados. Una vez, después de un amistoso, estaba tendido en la camilla con tres bolsas de hielo, una sobre el tobillo y las otras dos sobre las rodillas. Gullit, que pasó cerca de él, cogió una, se la puso en la cabeza y dijo: «Es aquí donde debemos enfriar». Era un perezoso. Durante los entrenamientos solía echarse al suelo; yo no quería que entrara el masajista porque me rompía el ritmo. Una vez, Filippo Galli, durante un entrenamiento, se acercó a Massaro, que continuaba en el suelo, y le dijo: «Ponte de pie, que ya hemos perdido el partido».

Lo mandamos a la Roma. Yo era duro y severo con mis jugadores y en mis elecciones. Él era el preferido de Galliani, que lo había traído del Monza, pero me mostré inflexible. Durante un partido contra el PSV Eindhoven se había comprometido poco. En el Trofeo Bernabéu, contra el Real, no calentó suficientemente: no lo hice jugar y alineé en su puesto a Mannari. Lo llevé aparte y le dije: «Mira, yo ya no te quiero». En la Roma, supimos, hablaba siempre de cómo trabajábamos y nos entrenábamos en el Milan. Un día me telefoneó; «Míster, déjeme volver, le prometo que seré el mejor profesional que tiene en el equipo». Acepté. Desde aquel momento siempre lo alineé e incluso lo llevé a la selección: de hecho, jugó la final del Mundial de 1994.

Ruud Gullit era una fuerza de la naturaleza, velocísimo, con un salto y una potencia extraordinarios. Con gran personalidad y carisma, tenía un ego fuere y era muy orgulloso. Buena capacidad técnica y gran capacidad para cubrir los espacios en los tiempos justos. En la fase de no posesión arrastraba al equipo en una presión furiosa. Un verdadero líder que me ayudó mucho a la hora de implantar una mentalidad ganadora. Difícilmente se equivocaba en los partidos importantes.

Gullit es la prueba de cuán equivocado es privilegiar la técnica individual, si no se enseña a través del juego, la posesión de la pelota y el movimiento correcto. Gullit tenía algunas dificultades en los ejercicios de técnica individual, pero era buenísimo en la técnica relativa al juego y sabía interpretar muy bien el fútbol. Un gran jugador. Un campeón con la personalidad y el orgullo de un fuera de serie. Ha sido entrenador en equipos importantes y hoy es comentarista deportivo en televisión.

ϒ

Marco van Basten era la guinda del pastel. El más talentoso, pero también el más discontinuo de los jugadores. La clase era cristalina. Su estilo era inimitable: un cisne que bailaba con el balón en los pies. Goleador que conectaba estupendamente con sus compañeros, aprovechando las sinergias. Marcaba de derecha, de izquierda, de cabeza, jugaba y definía. Tenía una técnica depuradísima, soluciones impensables, sabía regatear. Era ágil y rápido, a pesar de su altura. Era un muchacho introvertido, pero bueno y sensible, que sufrió muchas lesiones. Le afectaban las condiciones meteorológicas. Era un punta de extraordinario valor.

—Ahora que soy entrenador —me dijo un día—, he entendido cuántos problemas te he creado.

Y yo le respondí:

—¡Si te sirve de consuelo, también me resolviste muchos!

Ganó tres veces el Balón de Oro, a pesar de que tuvo que retirarse con tan solo veintiocho años. Un fenómeno que ha dejado goles de filmoteca.

Pietro Paolo Virdis fue decisivo para que lográramos el campeonato 1987-88. Logró goles muy importantes. Era un verdadero especialista. Se movía con olfato y técnica. Era astuto e intuitivo, cualidades que le permitían suplir su escasa velocidad. Su gol después de presión en un derbi con el Inter en el año de la liga es memorable. Tenía un buen salto y sabía desmarcarse como pocos. Un goleador formidable.

Marco Simone era bastante bueno técnicamente. Buena clase y con un regate rápido y veloz. Su contribución a las victorias del equipo fue diversa, pero importante.

Υ

Stefano Borgonovo. Un gol suyo con el Bayern en semifinales nos permitió ganar por segunda vez la Copa de Europa. Un muchacho muy desgraciado, que en la enfermedad demostró su extraordinaria fuerza y su grandeza. Con los *rossoneri* jugó solo un año, pero demostró valores técnicos y éticos importantes para todos. Este gran muchacho escribió una parte relevante de la historia del Milan.

Cuando Demetrio Albertini era jovencísimo, ya entrenaba con nosotros. Entonces dejaba entrever los valores humanos y futbolísticos que luego se revelarían en su extraordinaria carrera. En el grupo estaba, además, Giovanni Stroppa, centrocampista o mediapunta, que sustituía a Donadoni: gran capacidad técnica y buena visión de juego. Fantasioso y resistente, fue una pieza importante junto con Mario Bortolazzi, Stefano Carobbi, Stefano Salvatori, Diego Fuser, Angelo Carbone, Christian Lantignotti, Rufo Emiliano Verga, Francesco Antonioli y Andrea Pazzagli, que completaban el grupo de aquellos jugadores y profesionales extraordinarios. Por desgracia, Pazzagli, que trabajaba conmigo en las selecciones juveniles, nos dejó repentinamente una noche de 2011. Solo tenía cincuenta y un años.

Sebastiano Rossi era un portero de unas condiciones extraordinarias, aunque no siempre estuvo todo lo concentrado que debiera ni trabajó con tanto ahínco como se espera de un gran profesional. Fue un grande, aunque aprovechó solo relativamente su enorme talento.

Υ

Estábamos listos para la Copa de Europa. Aquel año, 1988-89, era nuestro primer objetivo. Queríamos ganar en Europa después de tantos años, llevar al fútbol italiano a la cumbre del deporte internacional. Berlusconi había entendido que solo un equipo protagonista en Europa podía obtener el reconocimiento mundial. Siempre ha sido un volcán de ideas; también había preparado un torneo europeo organizado por las grandes federaciones nacionales que pondría en jaque a la UEFA y a su Copa de Europa. Aquello no sentó muy bien a la UEFA, por eso quizá encontramos más de un obstáculo en nuestro camino hacia la final. Pero hay que decir que la Champions, tal como la conocemos hoy, con los grupos, da la razón en ciertos aspectos a la intuición de Berlusconi de hace muchos años.

El debut no fue fácil. Entonces el enfrentamiento era directo, ida y vuelta; se continuaba o se salía. Bastaba fallar un encuentro y se volvía a casa: había que estar siempre al cien por cien. Por tal motivo, sacrificamos algunos puntos y algunos partidos del campeonato: nuestro objetivo era la Copa de Europa.

El Inter de Trapattoni se aprovechó, pero nosotros queríamos convertirnos en un equipo de nivel internacional. Ganar una vez es muy difícil; repetir es complicadísimo. Tener dos objetivos en una temporada es casi imposible. Entonces las plantillas eran más cortas que hoy en día, veinte o veintidós jugadores.

Por mi parte, había pasado de ser «un don nadie» a convertirme en el «Profeta de Fusignano». Así me rebautizaron los periódicos. La Copa de Europa te la juegas de verdad una vez en la vida. Era el 7 de septiembre de 1988. No cabía en mí de emoción. Tenía la certeza de que seríamos grandes: disputar la Copa de Europa era un sueño hecho realidad. Debutamos con el Vitocha Sofia, un equipo búlgaro al que dominamos de principio a fin en ambos partidos.

Berlusconi llegó a Sofía, entró en el hotel y vino a verme a la habitación. Yo estaba durmiendo, extrañamente tranquilo. Empezó diciendo: «¡Como el príncipe de Condé antes de la batalla!». Me eché a reír recordando la batalla de Rocroi, de 1643, citada por Manzoni en el segundo capítulo de *Los novios*: «Se cuenta que el príncipe de Condé durmió profundamente la noche anterior a la jornada de Rocroi: pero, en primer lugar, estaba muy cansado; además, ya había dado todas las disposiciones necesarias, y había establecido lo que debía hacer por la mañana». Parecían palabras perfectas para describir mi estado de ánimo y el trabajo realizado antes del partido. Me sentía extrañamente tranquilo. Quizá porque habíamos ganado todos los partidos previos al campeonato, batiendo al Tottenham, Bayern, Arsenal, PSV Eindhoven (actual campeón), y habíamos ganado el Torneo Bernabéu (cero a tres al Real Madrid).

El Milan jugó el partido de ida al máximo, con elegancia, potencia; al final trajimos a casa un resultado importante: 0-2 con goles de Virdis y Gullit. El equipo se impuso también en el partido de vuelta del 6 de octubre.

El estadio estaba atestado de aficionados *rossoneri*. El debut estuvo precedido por cierta tensión en el vestuario. Los muchachos estaban inquietos por el partido. Finalmente volvíamos a jugar en Europa, ya no por la UEFA, sino por la máxima competición. Fue un encuentro de una sola dirección, con un Milan que arrolló al equipo búlgaro por 5-2. La estrella de aquella tarde fue Van Basten, que marcó cuatro tantos, de cabeza, de chilena, con el pie…, de todos los modos posibles. Una gran estrella del fútbol europeo. Aquella tarde había nacido una leyenda, el Cisne de Utrecht, como lo llamarían después.

Una vez más, después de Gullit, otro milanista ganaba la prestigiosa competición de *France Football*. Todos estábamos entusiasmados; el equipo llevaba a los éxitos individuales. En el segundo puesto, aquel año, quedó Gullit; el tercero fue para Rijkaard. Tres milanistas en los tres primeros puestos, pero junto con ellos estaba todo el Milan.

En la segunda ronda encontramos a un hueso duro de roer, el Estrella Roja de Belgrado. La ida se jugó en San Siro. El Milan tuvo problemas para arrancar contra un equipo hosco, de juego duro. El partido acabó 1-1 con goles de Dragan Stoichković y Pietro Paolo Virdis, que empató gracias a un precioso pase de Van Basten. El empate no satisfacía a nadie, y la vuelta se debía jugar en el infierno de Belgrado. La clasificación estaba en vilo, bastaba un error, un descuido, un partido no jugado al máximo y los sueños europeos habrían acabado muy pronto.

Pregunté a los muchachos qué pensaban. Van Basten me respondió que ya estábamos fuera de la competición.

La vuelta fue de veras un infierno, una pesadilla larguísima. Sobre el estadio de Belgrado cayó una niebla densísima, desde el banquillo no se veía absolutamente nada. De pronto, un alarido atravesó el estadio. La niebla iluminada por los potentes faros se había transformado en una sustancia lechosa absolutamente impenetrable a la mirada. Intuimos que el Estrella Roja había marcado, pero no habíamos visto nada. Me levanté del banquillo, protestando, pero no creo que el árbitro me viera ni me oyera. No se intuía ni siquiera lo que estaba sucediendo en el campo.

Estábamos perdiendo 1-0 cuando el árbitro Pauly, en el minuto doce del segundo tiempo, se rindió también él y suspendió el encuentro.

La neblina bíblica nos había salvado, por suerte. Era de veras una locura jugar en tales condiciones, no veía ni siquiera el otro lado del campo; apenas se divisaba algo a cinco centímetros de nuestras narices. Parecían esas nieblas en que me perdía de muchacho en Fusignano, cuando ni siquiera reconoces el camino a casa.

Bajamos con todo el equipo a los vestuarios. Virdis ya se había duchado y se había vestido.

—¿Y tú qué haces aquí? —le pregunté, asombrado.

—Me han expulsado —me respondió.

Nosotros no habíamos visto nada, no nos habíamos percatado de eso. Y no lo habíamos visto atravesar el campo para ir a los vestuarios.

El partido se jugaría al día siguiente, a la una de la tarde, en el mismo estadio, empezando de cero. El campo estaba llenísimo de gente. Habían abierto las puertas para hacer entrar a la mayor cantidad de espectadores posible.

Galliani nos alcanzó en el vestuario, preocupado. «¡Hay más de ciento veinte mil personas! No tengáis miedo», dijo. Pero él era el primero en tenerlo. Aquello era como un circo romano.

Gullit, que se estaba cambiando, preguntó:

—Pero, habitualmente, ¿cuántos vienen a ver los partidos del Estrella Roja?

—Treinta, cuarenta mil —respondió Galliani.

—¡Entonces los demás han venido a vernos a nosotros! —dijo Ruud, diluyendo la tensión.

En el estadio había un clima de tensión y violencia. Se respiraba el aire que llevaría a la guerra en Bosnia. Por la mañana, en el precalentamiento, oíamos golpes y estallidos continuos, pero no eran petardos o matracas, sino disparos y ráfagas de metralla. El jefe de la hinchada era el comandante Arkan, que se hizo tristemente célebre durante la guerra en Bosnia por las masacres y los genocidios cometidos. Lo vería en persona algunos años después.

Era una jornada de sol, sin niebla. Quien perdía se iba a casa. Los muchachos estaban tensos, sentían la presión del resultado y del partido.

Aquella noche no dormí. Estaba muy decidido. Debía hacer algo de inmediato, esconder mis temores y dar un latigazo de energía positiva. Me inventé una historia.

—Me ha llamado el presidente Berlusconi. No está dispuesto a gastar muchos miles de millones de liras para que nos eliminen en la segunda ronda, por tanto, debemos poner toda la carne en el asador.

Y así fue. Disputamos un gran partido contra un equipo cada vez más hosco y maleado. Jugamos sin freno y sin miedo. Aquellos octavos de final parecían no acabar nunca. Luego ocurrió algo extraño. Tras un despeje fallido de la defensa y una presión en el área, los jugadores del Estrella Roja se liaron y la pelota acabó en la red: un autogol clamoroso de Vasilijević. Sin embargo, no concedieron el gol: el árbitro y un juez de línea dejaron seguir el juego y fingieron que no pasaba nada. Un escándalo. Protestamos, pero no hubo nada que hacer. Nos adelantamos con un gol de Van Basten; esta vez el gol no pudieron negarlo. El Estrella Roja empató por medio de Stoichković.

Durante el descanso cogí por el cuello al árbitro en el pasillo de los vestuarios. Le dije en inglés que era un corrupto. No escribió nada en el informe del final de partido. (Cuando en el año 2000 estaba en el Parma, durante un viaje a Moscú para jugar contra el CSKA, fui a saludar al árbitro; el auxiliar del árbitro era él. Yo me quedé un momento perplejo, luego le pregunté: «*Do you remember?*». «*I remember!*», respondió.)

Al término de unos noventa minutos durísimos, el partido acabó en empate a uno. Habíamos dominado, nos habían anulado un gol y nos habían birlado un penalti. Se veía que todo jugaba en nuestra contra, pero el campo decretaba que nosotros habíamos sido más fuertes.

Fuimos a la lotería de los penaltis.

Stoichković se presentó en el punto de penalti, decidido, y marcó el 2-1. Respondió Baresi: 2-2. Por el Estrella Roja tiró Prosinečki, y de nuevo ellos volvieron a tener ventaja. Marco van Basten caminó hacia el punto de penalti bajo una lluvia de silbidos. Estaba tan seguro de marcar gol que tiró con una violencia que enmudeció el estadio. Empate. La seguridad de Van Basten debió de haber congelado no solo al estadio, sino también a los adversarios, que se presentaron en el punto de penalti con Savičevič. Giovanni Galli paró el disparo con los pies. Luego fue el turno de Evani, que marcó de nuevo. Nos pusimos por delante. Mrkela por el Estrella Roja sentía el peso de aquel penalti decisivo. Tiró desde el punto. Galli se alargó poniendo la pelota sobre el palo. Segundo penalti parado. Psicológicamente, los habíamos aplastado como habíamos hecho en el campo con el dominio del juego. Rijkaard marcó el gol decisivo y el Milan pasó a los cuartos de final, contra la niebla, la mala suerte, los goles no vistos y los árbitros.

El interminable desafío había acabado: nos sentimos liberados, llevados por una gran alegría incontenible. Había sido un enfrentamiento infinito, de gran intensidad. Recuerdo haber corrido al centro del campo para abrazar a los jugadores, descargando toda la tensión acumulada no solo en los dos días anteriores, sino también en la semana de preparación para aquel encuentro. Bastaba un penalti fallado, una vacilación por parte de uno solo y habríamos estado fuera de la Copa de Europa. Pero al punto de penalti habían ido jugadores que sentían que les habían intentado robar el partido; lanzaron convencidos de ganar. Y tal convencimiento pesó mucho sobre los errores de nuestros adversarios.

Muchos dijeron que habíamos tenido suerte, sacaron a colación la niebla bíblica y todo lo demás. No cabe duda de que la suerte también influye, pero es preciso saber cogerla al vuelo, aprovechar la ocasión cuando pasa. Estoy seguro de que ese partido lo ganamos por nuestra fuerza psicológica y porque estábamos convencidos de lograrlo. Nuestros adversarios no estaban en este punto. Por eso ellos fallaron los penaltis y nosotros no.

El presidente del Estrella Roja y el alcalde de Belgrado subieron al autocar para saludar a aquellos que, según ellos, serían los nuevos campeones de Europa. Y lo hicieron con gran deportividad.

El sorteo para los cuartos nos reservó al equipo alemán del Werder Bremen. Jugamos la ida en Alemania bajo una insistente lluvia. Sin Filippo Galli, ni Maldini ni Virdis, empatamos a cero, con otro gol no visto, esta vez por obra y gracia del árbitro Rosa dos Santos. Parecía que nos persiguiera la maldición de los goles fantasma. Un balón después de un cabezazo de Rijkaard fue mucho más allá de la línea blanca. Nosotros nos abrazamos, pero el árbitro no concedió el gol; incluso casi nos pillan al contragolpe. Solo teníamos bien colocados a dos defensas. El árbitro completó su nefasto arbitraje anulando un gol de cabeza firmado por Neubarth por una inexistente falta a Giovanni Galli, que había salido con los puños tras un córner.

Van Basten jugó un fútbol espectacular, junto con todo el equipo, pero la pelota no entró. Así pues, todo quedaría para la vuelta en San Siro.

Aquí el Milan dominó el campo, jugó un gran fútbol, tiró continuamente a portería, pero la pelota parecía que aún no quería entrar: daba la impresión de que la portería, una vez más, estuviera embrujada. Al final ganamos 1-0 gracias a un penalti dudoso, que suscitó polémicas y protestas por parte del equipo alemán. El destino parecía haber trazado su camino. El torneo era más duro de lo previsto. Tras mucho esfuerzo habíamos llegado a la semifinal. Habíamos dominado siempre los partidos, aunque el marcador no siempre reflejó nuestra superioridad.

El sorteo para la semifinal designó como nuestro adversario al Real Madrid. Uno de los equipos más fuertes del mundo, que había ganado cinco Copas de Europa consecutivas, con una historia incomparable, y que había escrito páginas épicas no solo del fútbol europeo. Y el primer partido debíamos jugarlo en Madrid.

Van Basten, en aquella ocasión, niveló la suerte con un gol formidable, un cabezazo desde el borde del área. Un golazo. El tiro sorprendió al portero. Un gol de filmoteca, un juego de prestidigitación, de fuerza, potencia, precisión e invención. El encuentro acabó 1-1 después de otro gol anulado, el enésimo, marcado por Gullit a puerta vacía. ¡Era un gol legal! Butragueño, apodado «el Caballero Blanco», me dijo: «Juego en el Real desde que tenía once años, y no recuerdo, ni de niño, ni como jugador, a un equipo como el Milan que haya venido aquí a imponer su juego, a atacarnos, a quitarnos el dominio del balón y del campo. Estábamos trastornados».

A pocos minutos del final, estuvimos a punto de marcar un gol con una combinación de nuestros dos centrales, Rijkaard y Baresi: cuando atacábamos o defendíamos, lo hacíamos los once. Habíamos hecho del movimiento nuestra razón de ser futbolística. Una vez más merecimos ganar, pero el paso a la final nos lo jugaríamos en San Siro, en un partido que marcaría la historia no solo de mi Milan.

En la vigilia del encuentro, durante el partidillo de preparación con los juveniles, Albertini entró con dureza sobre Evani, que se lesionó. Tenía en la cabeza diversos cambios, había preguntado también a los muchachos si tenían soluciones, pero todos me habían respondido de un modo diferente. No dormí en toda la noche, reflexionando en la charla táctica. El Real era bueno en ataque, pero no tanto en defensa. Al final confié en Ancelotti.

Era una solución extraña: Ancelotti era física y tácticamente el menos adecuado para reemplazar a Evani. Quería que cada jugador estuviera en el sitio correcto; que luego hiciera un partido brillante, suficiente o insuficiente era relativo. Me fie de su inteligencia y disponibilidad. Habría hecho bien o mal todo lo que el juego requería. Desplacé a Rijkaard al centro del campo e incluí a Costacurta en defensa.

Podía parecer un movimiento azaroso. El equipo fue: Galli, Tassotti, Maldini, Colombo, Costacurta, Baresi, Donadoni, Rijkaard, Van Basten, Gullit y Ancelotti. El Real tenía grandes campeones entre sus filas: Buyo, Chendo, Gordillo, Míchel, Sanchís, Gallego, Butragueño, Schuster, Hugo Sánchez, Martín Vázquez y Paco Llorente.

Las gradas estaban atestadas. En el aire, flotaba la posibilidad de que la velada llegara a ser legendaria. Faltaban solo noventa minutos. Era la final, la consecución de un objetivo casi impensable un año antes.

Pedí a todos la máxima concentración. El Real pensaba venir a Milán y realizar la hazaña. El público nos creía por cómo hablábamos con los periodistas. Yo, durante quince días, martilleé a los muchachos. «Tenemos que hacer un partido perfecto y jugar siempre a alto nivel. Deberíamos de haber ganado en Madrid, y si tienes que ganar y no ganas, al final lo pagas.»

De aquel partido recuerdo la clara superioridad de un equipo respecto del otro, además del resultado. Eso solo pasa si eres grande. El partido dividió en dos a Italia. Pero yo me pregunto cómo es posible que quien ama el fútbol no haya apreciado el juego de aquel Milan.

Antes del partido, Berlusconi estaba con nosotros en

los vestuarios, cuando se oyó un gran grito. El equipo del Madrid se daba ánimos de ese modo. El presidente me miró:

—Pero ¿por qué ellos gritan y nosotros no?

—¡Tienen miedo! —respondí.

Al principio, el equipo estaba agazapado por el empuje del Real, pero ellos no podían con la línea defensiva manejada por Baresi. Gullit, en el minuto dieciocho del primer tiempo, pasó la pelota a Ancelotti, que se liberó con un regate de dos jugadores adversarios y armó un disparo desde treinta metros que sorprendió al portero, Buyo, ligeramente fuera de los palos. Una parábola imposible de atajar. 1-0 para nosotros. Fue el inicio de un partido convertido en leyenda, quizás el más hermoso e importante jugado nunca por el Milan. Una especie de final anticipada.

La reacción del Real fue apagada de inmediato por un KO: una acción de Donadoni que pasó a Tassotti, centro con la derecha y Rijkaard firmó el 2-0. El Real estaba aniquilado por la potencia de juego, por la presión, por un Milan verdaderamente «endemoniado». Veía al equipo jugando al fútbol que siempre había soñado. El resto fue solo Milan, con el tercer gol, a pocos minutos de la reanudación, de Gullit. Y luego la puntilla de Marco van Basten al final del primer tiempo. El quinto gol fue obra de Donadoni, todo potencia física y personalidad. La única nota negativa fue la lesión en el menisco de Gullit. Pero aquella noche en San Siro habíamos escrito otra página memorable de aquel gran equipo. Un ascenso constante. La afición saltaba en las gradas, ebria de alegría, al canto de «¡Todos a Barcelona, todos a Barcelona!». Entonces no podíamos pensar en el reconocimiento internacional que tendría nuestro equipo.

Al día siguiente, *La Gazzetta dello Sport* titulaba «Milan Imperial», y *L'Équipe*, el más importante periódico deportivo francés, escribía «*Fantastique Milan AC*». Dábamos miedo. Y el 24 de mayo de 1989 nos jugaríamos la final en Barcelona. Con aquella goleada, se cerraba un ciclo, el del gran Real, y comenzaba el del gran Milan. El partido selló el paso del testigo. *World Soccer*, la Biblia del fútbol mundial, la más importante revista inglesa de fútbol, definió al Milan de 1989 como «el más hermoso equipo de clubes de todos los tiempos, y como conjunto solo por detrás de las selecciones de Brasil de 1970, en el primer puesto, de la de Hungría de 1953, en el segundo, y la de Holanda de 1974, en el tercero». *France Football*, a través de sus expertos, escribió de nosotros: «El más grande equipo de la posguerra». Y los objetivos por alcanzar aún eran muchos en el ámbito internacional. En Barcelona, nos esperaba el Steaua de Bucarest.

Fue el mayor éxodo que recuerde la historia del fútbol. Noventa mil personas se desplazaron de Italia a España con todos los medios posibles. De Fusignano partió el famoso minibús con mis amigos y Alfredo Belletti, mi maestro. Puesto que el régimen de Ceaucescu no había permitido que ningún hincha pudiera salir de las fronteras de Rumanía, el Milan pudo comprar todos los billetes del estadio.

24 de mayo. Llegamos al partido animadísimos. Podíamos convertirnos en campeones de Europa después de veinte años. Estábamos locos por que llegara la hora del partido. ¡Había noventa mil personas! En el trayecto del hotel al estadio no conseguíamos sortear con el autocar a la multitud de gente, hombres, mujeres y niños con banderas y camisetas *rossonere*. Habíamos llenado las Ramblas con la alegría y la felicidad de los milanistas de Italia. El amor de las personas y de la afición era tal que la policía debió emplearse a fondo para que el

autocar recorriera su camino. Los hinchas son como los animales, olían la sangre, la victoria. Y nosotros estábamos en una forma física y psicológica excepcional.

En el vestuario, los jugadores estaban sentados. Yo toqué la cabeza de cada uno de ellos. Sentían todo el peso de aquel momento histórico.

Traté de reconfortarlos uno a uno. Cuando llegué donde Franco Baresi, él levantó la cabeza y me dijo: «¿Y quién se lo dice a esos noventa mil que están ahí fuera si perdemos?».

Antes del partido, Gianni Brera había escrito en un artículo: «Jugamos contra los maestros de la pachanguita y de la posesión de la pelota, debemos esperarlos y sorprenderlos con el contraataque». Leí aquello a los muchachos y les pregunté: «Según vosotros, ¿es la táctica correcta?».

Gullit me respondió más decidido que nunca: «No. Debemos jugar como hemos hecho siempre. Los atacamos desde el primer al último minuto, mientras tengamos energía». Estaban todos de acuerdo. Pero, por desgracia, muchos periodistas habían entendido poco del fenómeno Milan: basta ver la historia y todos los reconocimientos que obtuvimos.

No podíamos perder. Éramos mucho más fuertes que ellos. Era nuestro partido.

El equipo estaba formado por un grupo unido de once jugadores. No jugábamos uno contra uno, sino once contra once. Anghel Iordanescu, entrenador del Steaua, pensó lo contrario. Con Evani lesionado, a quien sustituí con Ancelotti, pusieron de ese lado a Hagi, mucho más rápido y reactivo que Carlo. Le dije al equipo: «Si jugamos en treinta metros, no hay equipo que nos pueda batir; somos de verdad invencibles. Solo debemos estar juntos y ganaremos el partido».

Los rumanos no podían subestimarse. Tres años antes, en Sevilla, habían ganado la Copa de Europa contra uno de los grandes de Europa, el Barcelona. Había, además, grandes jugadores, como Gheorghe Hagi, Tudorel Stoica y Marius Lacatus, entonces estrellas de primera magnitud en el panorama del fútbol mundial.

El partido al final pareció incluso demasiado fácil. En los últimos tres encuentros contra el Real Madrid y el Steaua marcamos diez goles y encajamos solo uno. El Milan era una máquina de juego y de marcar goles. Los holandeses eran increíbles, nunca se equivocaban en los grandes partidos. Rijkaard construía el juego. Gullit era fuerza y potencia, acababa imponiendo la personalidad del equipo. Van Basten representaba la elegancia y la belleza en el campo.

Berlusconi llegó al vestuario conmigo.

—Doctor, se ha perdido cincuenta, sesenta, setenta mil personas que bloqueaban el autocar. Una señora, llevada por el ardor y el entusiasmo, se arrancó la camiseta delante de nosotros. Hasta Virdis, que de costumbre durante los viajes lee, ha bajado el libro y se ha puesto a mirar a la increíble multitud de hinchas. Un verdadero pecado. Pero ¿ha visto qué estadio? ¡Hay incluso una capilla!

Berlusconi me miró, serio.

—¡Bien, voy a rezar!

Cuando volvió me dijo:

—¡Le he dicho que nuestros adversarios son comunistas!

Contra el Steaua, Gullit abrió el marcador en el minuto dieciocho con un gol en una acción ensayada una y otra vez en el centro del área. También él marcó el tercer gol, una obra maestra desde fuera del área: paró el balón con el pecho tras un centro desde la izquierda y su disparo casi rompe la red. El primer tiempo acabó 3-0. En el segundo tiempo, un cabezazo de Van Basten selló nuestra victoria. Nadie pudo poner en duda nuestra superioridad.

El antes, el durante y el después del partido supusieron cumplir un gran sueño, en un marco incomparable. Una alegría, una felicidad sin límites daba razón a dos años de sacrificios intensos y, para mí, a algo inimaginable. Las sombras desaparecieron, los momentos difíciles se convirtieron solo en un desagradable y lejano recuerdo que la conquista de la Copa de Europa, después de la liga, borraba por completo.

Berlusconi, Galliani, los técnicos, todo el *staff* y yo nos abrazamos largamente camino del centro del campo. Luego empezó la fiesta y experimenté aquella plenitud del alma, como cuando gané mi primer campeonato con el Fusignano.

Son momentos imposibles de contar. Tras aquel partido, tapizamos Milanello con el titular de *L'Équipe*: «Después de haber visto a este Milan, el fútbol ya no será el mismo». El equipo de Berlusconi, después de la victoria épica sobre el Steaua, se ponía en la estela de los grandes como el Real, el Ajax, el Bayern y el Liverpool.

En el campeonato italiano de 1988-89, ganado aquel año por el Inter con 58 puntos, quedamos terceros a un punto del Napoli (47). Lejos, la Juve con 43 y la Sampdoria con 39. De todos modos, completamos un buen campeonato, con dieciséis victorias, catorce empates y solo cuatro derrotas, 61 goles marcados y veinticinco encajados.

Cerramos el año con la Supercopa de Italia, que se jugó en Milán el 14 de junio de 1989. Inaugurábamos aquel desafío inédito que enfrentaba al ganador del campeonato con el equipo que había ganado la Copa de Italia, la Sampdoria de Gianluca Vialli. Un partido duro para un galardón prestigioso, porque premiaba a uno de los ganadores de los dos torneos italianos más importantes. Otro objetivo que no podíamos perder.

Υ

El partido en San Siro se puso feo porque, después de haber dominado el primer cuarto de hora, un contraataque de Salsano pilló a nuestra defensa mal colocada; Vialli marcó con un *tacle*. Típico gol del fútbol italiano. Estábamos por debajo, aun habiendo dominado. Imposible. No me lo podía creer.

Después del aturdimiento inicial, volví a poner en movimiento al equipo, enrabietado y aún más determinado después de aquella injusticia. Un solo contraataque, un solo disparo y estábamos por debajo, después de haber dominado el partido desde el inicio. El Milan aplastó a la Sampdoria en su mitad del campo e invirtió el resultado, demostrando una vez más una resolución, una voluntad de ganar y una agresividad en la organización del juego que cuatro minutos después permitió que Rijkaard marcara. En el segundo tiempo, Mannari y, en el último minuto, Van Basten cerraron el partido a nuestro favor. Una remontada de apisonadora que trajo otro título a nuestro palmarés. No podíamos concluir mejor aquella temporada.

Por la tarde volví a Fusignano. Entonces vivía en el centro, en un edificio del siglo XVII. Me fui a la cama a descansar. A la mañana siguiente me desperté con un sabor dulce en la boca, una sensación rara y maravillosa que deseo que todos puedan experimentar. Una victoria que me compensaba de las numerosas desilusiones, amarguras y críticas recibidas con los años.

Estaba feliz por Berlusconi, por Galliani, por los jugadores y por la afición.

Había nacido un equipo de leyenda.

9

En la cima del mundo

No trates de ser mejor que los otros,
trata de ser mejor que tú.

WILLIAM FAULKNER

*L*a temporada de 1989-90 se abría con muchas citas que nos veían como protagonistas: el campeonato, la Copa de Italia, la Copa de Europa, la final de la Copa Intercontinental y la Supercopa de Europa.

Nos esperaba un año intenso, con semanas de entrenamientos y partidos sin un instante de respiro. Desde el punto de vista psicológico, me divertía, aunque la presión mediática era cada vez más fuerte. Intentaba descargar la tensión, y la consiguiente gastritis, como podía: levantaba pesas, iba al gimnasio, montaba en bicicleta. El deporte, es preciso decirlo, me ha salvado: porque si comienzas a ganar, el público se divierte y quiere continuar haciéndolo; ganar es como una droga, nunca tienes bastante. Yo miraba siempre hacia delante, al partido siguiente, a la nueva meta que alcanzar.

Con el club tratamos de construir una plantilla de al menos veinticuatro jugadores, dos por cada posición, para disponer de rotación para sustituir a los lesionados y sancionados, y crear un equipo donde el verdadero líder fuera el juego. Y todos, tanto los del año anterior como los nuevos, dieron lo máximo para alcanzar un año extraordinario. El equipo podía cambiar de nombres, pero era siempre el mismo Milan: al ataque, agresivo, presionante, armonioso, potente, dominador y hermoso.

El primer desafío de alto nivel nos esperaba al principio de la temporada: la Supercopa de la UEFA. Ida y vuelta con el Barcelona, ganador de la Recopa. Continuaba así el desafío contra el fútbol español. Después del Real Madrid, he aquí otro rey del fútbol internacional: el Barcelona de Johan Cruyff, uno de los maestros de la zona. Teníamos muchos lesionados, pero, como casi siempre, si el juego es el *dominus*, no debíamos tener miedo.

La ida debía celebrarse en el Camp Nou. Durante el viaje ocurrió un hecho tremendo. Mientras volábamos hacia España, un vacío de aire hizo precipitarse al avión durante no sé cuántos interminables segundos. Fue un instante de terror puro. Los jugadores, en *shock*, solo se recuperaron cuando tocamos tierra. Luego llegó la felicidad de estar vivitos y coleando, listos para jugar el partido, con aún más ganas de vencer.

Me telefoneó Ancelotti, pues en el avión faltaban él, Gullit y Baresi. Me dijo, bromeando: «¡Si hubierais caído, no habríais salido ni siquiera en primera página!».

El inicio del partido fue explosivo. Frank Rijkaard, después de apenas cuarenta segundos, se presentó delante de la portería española y por un suspiro no nos adelantamos. Así quería al equipo, agresivo desde el primer minuto. Pero el gol llegó solo al final del primer tiempo, cuando Massaro, escabulléndose hacia la portería de Zubizarreta, después de un pase milimétrico de Donadoni, fue zancadilleado por detrás. Penalti clarísimo, que Van Basten marcó con gran autoridad. Giovanni Galli en aquel partido paró lo imparable.

En el segundo tiempo, en el minuto veintidós, para aliviar la tensión en la defensa, Stefano Salvatori, en vez de despejar a la tribuna, pasó atrás con un toque suave hacia Galli. Una indecisión que pagamos cara. El Barcelona recuperó en el área y enfiló la portería: gol de Amor. Un resultado favorable, pero que no nos gustaba, aunque habíamos desplegado un fútbol espectacular, de alto nivel. Pero merecíamos mucho más.

A la vuelta la alineación fue: Galli, Carobbi, Maldini, Fuser, Tassotti, Costacurta, Donadoni, Rijkaard, Van Basten, Evani y Massaro. Faltaban Baresi, Ancelotti y Gullit, la espina dorsal del Milan laureado y victorioso en la Copa de Europa.

Todos sostienen aún que ganábamos porque contábamos con el tridente de los holandeses. Sí, pero la plantilla y el juego eran de verdad las claves del equipo, la mentalidad ganadora, las ganas de jugar y divertirse en el campo. Podían faltar hombres buenísimos, pero estaba siempre el juego para compensar las ausencias. Recuerdo un artículo bellísimo de Gianni Mura, en *La Repubblica*: después de un partido en la Copa de Italia entre el Milan y el Lazio, que habíamos ganado el año anterior con todos los jugadores del segundo equipo (Mannari, Villa, Cappellini, Lantignotti, etcétera), Mura subrayó precisamente este aspecto: «Cambian los intérpretes, pero la trama es siempre la misma». El juego era el líder, y los jugadores sus intérpretes más o menos brillantes.

En Milán, el Barcelona se jugó el todo por el todo. Ante un saque de esquina, Maldini, tras un cabezazo, metió miedo a la portería de Zubizarreta. Los ataques eran continuos, el Milan jugaba bien, con un público entregado. En otra acción, Maldini llevó la pelota hacia la mitad del campo, se apoyó en Van Basten que trianguló con Evani hasta llegar al borde del área adversaria; pase al centro y chut de Donadoni: fuera por poco. Una acción típica de aquel Milan veloz, fluido, que con cinco-seis pases llegaba a la portería contraria. Un fútbol espectáculo pensado para ganar y marcar.

Noventa minutos de adrenalina jugados de este modo habían aturdido al Barcelona. Las ocasiones eran continuas. En el minuto diez del segundo tiempo, Evani, con lanzamiento de falta, perforó la red del Barcelona con un zurdazo potente y preciso. Poco después hubo una volea acrobática desde el punto de penalti, tras un centro de Rijkaard, de Van Basten: un fuera de serie, todo elegancia, fuerza y coordinación. Un espectáculo. Zubizarreta se lució para atajar el disparo. El encuentro terminó 1-0, aunque en los últimos minutos del partido podríamos haber redondeado el marcador con otras dos ocasiones fallidas.

Por primera vez, el Milan escribía su nombre en el prestigioso álbum de oro de la Supercopa de Europa. Una alegría inmensa, una victoria que nos daba ánimos para la otra gran cita, la de Tokio. Y las victorias, las primeras victorias, son siempre las que se saborean más: son el acicate para continuar adelante y seguir ganando.

No había un instante de respiro.

Diez días después de la victoria contra el Barcelona, nos esperaba la final de la Copa Intercontinental contra el Medellín, el 17 de diciembre de 1989. Un partido que enfrentaba a los campeones de América y Europa.

En mi trabajo siempre me he fiado de una serie de colaboradores. Uno de ellos es un amigo de toda la vida, conocido en todos los campitos de Fusignano: Natale Bianchedi. Era mi observador, al que mandaba por todo el mundo para mirar partidos, jugadores y entrenamientos. Un entendido en fútbol como pocos. Todos lo conocían como «el espía», pero gracias a él he podido preparar encuentros y comprar a jugadores yendo sobre seguro, como en el caso de Rijkaard.

Bianchedi ha estado conmigo durante más de veinte años. Le gustaba tanto el fútbol como las mujeres. En efecto, era famoso también por sus aventuras amorosas, que vivía, gracias a su trabajo, alrededor del mundo. Un observador de novela, que incluso se disfrazaba, para no llamar la atención. Se hacía llamar «señor Valerio», grandes gafas oscuras, cuello del abrigo levantado. Alguien escribió que solo le faltaba una barba postiza para ser perfecto en su papel de espía.

Solía mandarme pormenorizados informes en los que me hablaba sobre los adversarios, acerca de la intensidad del entrenamiento, sobre si practicaban la presión, el doble marcaje, la posesión de la pelota... Quería saberlo todo. Me contaba lo que necesitaba desde el punto de vista técnico, del entrenamiento, de los ejercicios y de las simulaciones que hacía el equipo contrario, porque gracias a ello comprendía cómo jugarían. Le pedía consejos sobre las contramedidas que tomar para derrotar al adversario.

Recuerdo muchas anécdotas de él. Una vez lo mandé a ver al Real Madrid en la Copa de Europa. Debíamos enfrentarnos al equipo español pocos días después; entonces, sintonizando el informativo radiofónico de las ocho, oí que entre el Milan y el Real había estado a punto de estallar una crisis diplomática después de que un observador del Milan había sido descubierto en el estadio donde el equipo madrileño hacía un entrenamiento a puerta cerrada.

Cuando estaba conmigo en el Parma, como observador, percibía uno de los sueldos más altos. Cuando, en 2003-04, me marché, le dije:

—Ya no haré de director técnico. Me voy a casa, pero continúo como asesor de Tanzi.

—¿Y quién viene en tu lugar?

Cuando supo el nombre, dijo en dialecto:

—*Cl'umèt lé al me piés miga!* [¡Ese hombrecillo no me gusta nada!]

Y presentó la dimisión.

Bianchedi es uno de los pocos italianos que dimite. Ocurrió también en el Milan. En 1996 había firmado de nuevo para los *rossoneri*. En el Milan recomendó a Ronaldo y, cuando no lo cogieron, se marchó.

En otra ocasión, estábamos Galliani, Braida, él y yo. Le dije:

—Ve a ver a Rijkaard porque me interesa, necesito que lo veas.

—Voy —me respondió Bianchedi, que conocía bien la historia de Borghi—. Pero si se entera Berlusconi, nos echa a los cuatro.

La tarde anterior a la semifinal con el Bayern de Múnich, en abril de 1990, llegó Berlusconi, que estaba pasando un momento difícil: estaba en lucha con De Benedetti por la compra de la Mondadori, y De Mita le mandaba una semana sí y otra no a Hacienda a casa. Ocuparse del Milan y del fútbol era su manera de relajarse. Le dijo a Bianchedi:

—¡Cómo lo envidio! Quisiera estar en su sitio durante tres días. Usted puede ir por el mundo en los mejores hoteles, mirar partidos de fútbol, tener hermosas mujeres y un excelente sueldo. ¿Qué más se puede pedir de la vida?

—Sí, presidente —le respondió Bianchedi—, es verdad. Pero, si quiere hacer mi trabajo, le aconsejo que se compre un par de guantes.

Entonces le expliqué a Berlusconi qué había sucedido. El centro donde se entrenaba el Bayern con vistas a aquella semifinal era inexpugnable porque el entrenamiento del equipo era a puerta cerrada. Entonces Bianchedi, vista la jornada de sol, había subido a una pequeña colina desde la cual, con unos prismáticos, podía ver el entrenamiento. En marzo, el tiempo es voluble; en el curso de una hora, el cielo se nubló y comenzó a nevar. Bianchedi aguantó durante una hora y media el entrenamiento con las manos heladas y los dedos encogidos, luego volvió al hotel empapado y aterido.

—Mi trabajo es hermoso —comentó al final de mi relato—, ¡pero a menudo tiene sus contraindicaciones!

Antes de la final con el Medellín, que había ganado la Copa América, le pedí a Bianchedi que fuera a ver cómo jugaba el equipo. Pero aquella vez me dijo que no lo haría.

—¿Por qué?

—¡Mi madre no quiere! —me respondió.

En realidad, no quería ir por miedo a los narcotraficantes y porque la ciudad colombiana no era segura. El jefe era Pablo Escobar, que controlaba el ochenta por ciento de todo el tráfico internacional de cocaína y tenía relaciones con el equipo de fútbol. Higuita, el portero del Medellín y de la selección, pagó cara la amistad con el narcotraficante: por ese motivo se le impidió participar en las fases finales del Mundial en Estados Unidos.

En aquel momento, en Colombia se libraba una guerra entre los dos cárteles de la droga, de los cuales uno estaba controlado por el mismo Escobar, así como un conflicto político interno que había llevado, algunos años antes, al asesinato de la mitad de los jueces del Tribunal Supremo. Bianchedi no quería ir porque los periódicos reproducían cada día noticias de muertes y de asesinatos en plena calle.

—¡Venga! —le dije—. Son exageraciones de los periódicos. Ve tranquilo. Necesito ver cómo juega el equipo.

Al final se decidió. Cuando llegó a Medellín, en el estadio se consumó una tragedia. Un árbitro colombiano acusado de corrupción fue abordado por dos tipos, que dijeron a los jueces de línea que se apartaran; luego abrieron fuego contra él y lo mataron. La federación suspendió el campeonato durante un mes; Bianchedi se consoló con unas espléndidas vacaciones.

Antes de la final, los dos equipos tenían la posibilidad de salir al campo al menos durante una hora. El Medellín se había entrenado antes que nosotros. Una vez en el campo, los jugadores colombianos habían esperado a los nuestros. Y ocurrió un hecho que me impresionó mucho, que me hizo comprender su humildad y que lo darían todo en un partido que se presentaba dificilísimo: nos pidieron autógrafos.

La final con el Medellín fue muy equilibrada, lenta, no bella, de una gran tensión. Los colombianos esperaban un error nuestro, nosotros atacábamos y cada tanto un pase largo, en vertical, que los ponía en serias dificultades. Éramos los favoritos, y esto nos cargaba de más responsabilidad. Van Basten lo intentó todo. Al final del tiempo reglamentario, el resultado era 0-0. El marcador no se abría, aunque habíamos dominado el partido y no nos habían faltado las ocasiones. Cambié a Fuser; en su puesto puse a Chicco Evani. Llegó el tiempo suplementario. El partido parecía no tener fin. Cierta gente ya preveía la lotería de los penaltis. Al tercer minuto de la segunda parte de la prórroga, un disparo de Van Basten rozó el palo de la portería defendida por Higuita, a quien apodaban el Loco por sus actitudes extrovertidas y espectaculares que muy poco tenían que ver con el fútbol.

Al final de la segunda parte del tiempo suplementario, el Milan estaba más fresco y activo. Hubo una acción que debió señalarse con penalti, pero el árbitro pitó falta al borde del área. Era el minuto 117. Chicco Evani disparó un torpedo que perforó la portería del Medellín. El gol de la victoria. Vi a Galliani salir corriendo loco de alegría hacia el centro del campo perseguido por medio banquillo, luego miró a su alrededor con miedo a que el árbitro lo viera. Una especie de muelle lo había hecho salir como un cohete. Fue una liberación para todos. Éramos los campeones del mundo de clubes. El sueño de Berlusconi se había hecho realidad.

«Milan mundial», titulaba el *Corriere della Sera*, «Leyenda Milan», escribía en mayúsculas *Tuttosport*.

Por la tarde festejamos la victoria en el hotel. Baresi y Ancelotti me dijeron:

—Somos los mejores, estamos en la cima del mundo.

—¡Hasta medianoche! —repliqué.

Mi respuesta lo dice todo sobre cómo vivía las victorias en el banquillo. Con alegría, claro, pero miraba siempre hacia delante, al desafío por jugar, al nuevo partido que nos esperaba. La alegría duraba poco, hasta medianoche. Luego se volvía a comenzar.

No había tiempo para dormirse en los laureles.

Gracias a la conquista de la Copa de Europa podíamos disputar el torneo en la temporada siguiente. Éramos los grandes favoritos. Siempre se avanzaba por enfrentamientos directos, ida y vuelta, se continuaba o se salía: por eso nos habíamos dejado puntos en la liga.

Un campeonato de primera división maldito. Lo habíamos encabezado hasta el final, cuando nos quitaron la liga por aquella famosa moneda en la cabeza de Alemão, que hizo que se le diera el partido ganado al Napoli por 2-0.

Una injusticia. Enzo Ferrari decía que en Italia te lo perdonan todo, salvo el éxito, y nosotros veníamos de una serie de victorias increíbles.

Pero, entre tanto, perdida la carrera por el campeonato, habíamos alcanzado otra vez la final de la Copa de Europa.

Queríamos confirmarnos, pero, con todo lo que había ocurrido el año anterior, sería durísimo. En el debut en San Siro contra el HJK de Helsinki había alineado a Giovanni Galli, Tassotti, Maldini, Ancelotti, Filippo Galli, Costacurta, Stroppa, Rijkaard, Borgonovo, Evani y Massaro. Faltaban Baresi, Gullit, Van Basten y Donadoni. Marcamos un gol después de apenas cinco minutos con un disparo desde fuera del área de Stroppa, que debutaba en la Copa junto con Borgonovo y Simone.

Fue un partido de sentido único, con una serie de ocasiones que llevaron a los dos goles de Massaro, el primero después de una acción en profundidad de Ancelotti, que recuperó un balón presionando en defensa, remontó en velocidad hasta la mitad del campo y pasó a Donadoni: centro para Massaro que marcó el 2-0. Una acción perfecta, que demostraba, una vez más, que la presión durante el ataque adversario se realizaba no para defenderse, sino que era el objetivo para robar la pelota y contraatacar. Cuatro pases para acabar en la red. Era un Milan espectacular, dominador, que no dejaba pensar al adversario, que jugaba con gran personalidad, con un juego que exaltaba las cualidades de los individuos. El tercero lo marcó de cabeza. El partido lo cerró Evani gracias a un fallo del portero, que se tragó el gol.

La vuelta fue la ocasión para hacer debutar en la Copa de Europa a Pazzagli, Carobbi y hacer jugar también a Lantignotti. Entre lesiones y cambios, estaba en el campo otro Milan. Sin embargo, cuando lo que importa es el juego, se pueden hacer rotaciones. Mediado el primer tiempo, Borgonovo marcó el gol de la victoria.

En los octavos no podíamos encontrar peor adversario, el Real Madrid, con sus ganas de revancha contra nosotros. Después de la humillación del 5-0 de Milán, pocos meses antes, los españoles ansiaban dejarnos fuera del torneo. No fue fácil. La eliminatoria nos costó las derrotas en el campeonato contra el Cremonese y el Ascoli. La ida se jugaba en San Siro. La tensión antes del enfrentamiento era palpable. El estadio estaba atestado. Después de un inicio equilibrado, un centro de Van Basten por la derecha acabó con un cabezazo de Rijkaard: 1-0. Bastaron solo ocho minutos para demostrar al Real que el Milan dominaba el campo. El segundo gol se produjo, una vez más, gracias a nuestra gran presión. Martín Vázquez, de espaldas a la portería, en la fase defensiva, se distrajo un momento, Rijkaard con un *tacle* le quitó el balón, hizo un pase para Van Basten, que encaró a Buyo, el portero, y cayó al borde del área. El árbitro decretó un penalti que, sinceramente, no fue. Van Basten marcó el definitivo 2-0. Las ocasiones de gol en el segundo tiempo reflejaron nuestra superioridad.

El de vuelta, en Madrid, quince días después, sería un partido abierto, difícil. Con dos goles de ventaja no podíamos estar tranquilos: el Real seguía siendo un gran equipo. En la última media hora en San Siro, los españoles habían frenado los ataques, sobre todo por miedo a un contragolpe. El partido de vuelta estaba en la cabeza de los veintidós jugadores.

En el Bernabéu jugamos a calzón quitado, con ocasiones continuas para ambos equipos. Van Basten se plantó solo delante del portero, pero la jugada no acabó en gol. Todo aquello demostraba una vez más que jugábamos el partido no para defender el 2-0 de la ida, sino para ganar. Encajamos un gol cuando hacía rato que había pasado el tiempo reglamentario, en una acción confusa en el área, con un cabezazo en plancha de Butragueño.

Nos esperaba un segundo tiempo difícil. A Van Basten le hacían falta cada vez que tocaba el balón. De hecho, dos jugadores madrileños acabaron expulsados por sus continuas infracciones. La malicia y el nerviosismo aumentaban a medida que pasaba el tiempo. Perdimos 1-0, pero al final superamos la eliminatoria con gran mérito. Los españoles, trastornados por nuestro juego colectivo, cayeron en fuera de juego veintiséis veces.

En los cuartos nos esperaba el equipo belga del Mechelen (en francés, Malines). La ida, en Bélgica, acabó 0-0. Una vez más, en el partido de vuelta, no había manera de abrir el marcador. Fuimos al tiempo suplementario, después de que en el minuto noventa Clijsters fuera expulsado por doble tarjeta amarilla. Era un defensor rocoso y matón. El clima era difícil y la tensión tan palpable que Donadoni fue expulsado después de una reacción tonta. Había respondido a una provocación. Fuera. Al final de la primera parte de la prórroga, tras una falta al borde del área de Rijkaard, Tassotti siguió el balón y con un *tacle* lo centró para Van Basten, que marcó el 1-0. El estadio explotó.

Tenía el rostro crispado, la tensión a mil. Al fin, después de casi dos partidos, habíamos conseguido abrir el marcador. Miré el reloj. Finalmente podía suspirar de alivio, aunque todavía faltaba. Tassotti se había empleado a fondo porque había conseguido transmitir mi voluntad de no aflojar nunca, de disputar cada balón incluso en situaciones que parecían perdidas. Era un gol buscado con la cabeza y con las ganas de llevarse la victoria.

En la segunda parte de la prórroga, en vez de defender el resultado, asaltamos la portería del Mechelen, con continuas ocasiones. Marco Simone recuperó un balón en tres cuartos del campo, se coló entre la defensa, aceleró y soltó un derechazo preciso: 2-0. El gol de su vida, el gol que llevó al Milan a las semifinales. Un tanto que demostraba que nuestro equipo jugaba siempre compacto y que hizo callar dudas y críticas sobre nuestra capacidad después de dos derrotas consecutivas en la liga.

Baresi comentó: «Cada uno de estos partidos nos cuesta cinco años de vida». Era una exageración, pero dejaba clara la tensión con la que jugábamos nuestros partidos. Los asfixiamos hasta que claudicaron. Un partido que entusiasmó al público por su intensidad, su belleza y por la determinación con la que jugamos.

Para llegar a la final debíamos superar el escollo del Bayern de Múnich, uno de los favoritos del torneo. Frente a estos grandes equipos, el Milan se exaltaba y jugaba como no conseguía hacerlo a veces en el campeonato doméstico, no por falta de concentración, sino porque, una vez más, el objetivo era la final de la Copa de Europa.

Contra los alemanes fue un verdadero asedio. Nos defendíamos atacando; no íbamos a traicionar nuestro credo. El árbitro no vio dos penaltis claros sobre Simone y Massaro. Entonces, a la mitad de la segunda parte, decidí sacar, en el puesto de Simone, a Borgonovo, que fue derribado al suelo en el área algunos minutos después. Penalti. Van Basten marcó: 0-1 en el minuto treinta y dos del segundo tiempo. San Siro explotó en un alarido liberador.

Me puse de pie. Salté como un muelle. Aún había que sufrir, con nuevas ocasiones nuestras. No nos encerrábamos detrás, quería que el equipo siguiera presionando, sin dejar espacio ni aliento al adversario.

La vuelta en Alemania sería otra batalla. A apenas dos minutos del inicio, los alemanes avisaron con un disparo peligrosísimo de Strunz, que Galli rechazó con los puños. Asentados en el terreno de juego, jugamos abiertamente; las ocasiones, al final, fueron más nuestras que suyas. Al final del primer tiempo: Bayern un disparo; Milan once. Animaba al equipo, continuaba dando indicaciones, siempre de pie. No quería que los jugadores perdieran la concentración. Van Basten era una pesadilla para los alemanes. Las oportunidades llovían continuamente, habíamos tenido cinco contra una sola del Bayern, pero luego llegó un despiste, una distracción, dejaron pasar a Strunz, que regateó a Galli y marcó a puerta vacía. Qué injusticia.

No obstante, el empate nos valía. Incité a los muchachos: ¡no había terminado, al contrario! El tiempo reglamentario concluyó con una ocasión de Maldini, que, con un cabezazo, rozó la red en el último minuto. En el tiempo suplementario, en el minuto cien, con un globo, Borgonovo en plena área, marcó un gol espectacular. Un tanto importantísimo, otro gol que vale una carrera. Loco de alegría fui casi hasta la mitad del campo, con los puños apretados, una alegría y una satisfacción que nos abrían las puertas de la final. Eran emociones sobre emociones, continuas, hasta el gol de McInally, que devolvió la ventaja al equipo alemán. Borgonovo falló otro gol con la puerta vacía, pero superamos la eliminatoria por el valor doble de los goles marcados fuera de casa.

Estábamos de nuevo en la final. Estábamos ante la posibilidad de ganar la Copa de Europa por segunda vez consecutiva.

Nos esperaba la final con el Benfica de Sven-Göran Eriksson, en Viena. Otro día para recordar, el 23 de mayo de 1990. Podíamos repetir, podíamos subir una vez más al peldaño más alto.

Para la final había llamado a Bianchedi. «¡Por favor, ve con tiempo a Lisboa, porque luego cierran las puertas!».

Tenía una cita con Galliani en Milán. En el automóvil, Bianchedi, al regreso de Lisboa, me contó cosas del Benfica, pero sobre todo de sus aventuras, en particular de un coito consumado en Zaragoza dentro de una cabina telefónica. Él y la mujer habían colgado los impermeables en torno a la cabina mientras la gente desde fuera golpeaba porque quería telefonear. En un momento dado (estábamos en Modena Nord) le dije:

—¡Basta, Natale! ¡Acaba con estas aventuras! ¡Quiero saber cosas del Benfica!

—¡Eh, no, aún quedan muchas horas de relato! —me respondió, y continuó hablando, impertérrito, de sus hazañas amorosas.

Habíamos llegado a la final sin Gullit. Y así habíamos ganado la Supercopa y la Intercontinental. Para la final conseguí alinear al Milan en su mejor formación, recuperándolo también a él. Natale en el informe me dijo: «Estate atento, que han estudiado mucho cómo superar el fuera de juego». Ellos jugaban en zona, pero la principal referencia era el adversario; no sabían cuándo ir a cubrir al hombre o el espacio. Así marcamos un gol: Van Basten se llevó detrás de él al defensor y Rijkaard aprovechó el espacio generado.

Hacía tres años, disputar una segunda final de la Copa de Europa era impensable. El equipo había jugado a alto nivel, nunca había pensado en defender un resultado, había atacado sin cesar, dueño del juego, con una plantilla de jugadores siempre a la altura. La final acabó 1-0 con gol de Rijkaard, que marcó en una acción en vertical, en el centro del campo, con un disparo preciso y que hizo que nos lleváramos el tercer gran trofeo de la temporada, el más anhelado, el más deseado, el que confirmaba al Milan como el mejor equipo de Europa.

La noche de mayo contra el Benfica nos compensó de todas las amarguras italianas, deshizo el mal recuerdo de la liga y de la derrota con la Juve en la Copa de Italia. *La Notte* titulaba, con mayúsculas: «Los campeones somos nosotros». «¡Sí, es un Milan campeonísimo!», replicaba *La Gazzetta dello Sport*. «Milanísimo»: *Corriere dello Sport*. «Milan ¡Europa es tuya!», escribía *La Stampa*, «Gran Milan, ¡la copa aún es tuya!», comentaba *Il Giorno*, y *Tuttosport*: «Milan, ¡histórico triunfo!». También *L'Unità* titulaba: «¡El Milan entra en la historia!».

Pero yo no lo celebré. La segunda vez que ganamos la Copa de Europa no conseguí disfrutar con los otros por culpa de una liga que habíamos perdido inmerecidamente. Un verdadero escándalo, una farsa. Años después vi a Alemâo, que trabajaba como representante de algunos jugadores, lo señalé a los directivos del Real Madrid y dije que por su culpa había perdido un campeonato. «Tuve una bonita carrera —me respondió él, sincero—, jugué incluso en la *seleção* brasileña, pero todas estas cosas han sido borradas por el hecho de la moneda en la cabeza, cuando me dijeron que me tirara al suelo.»

Fue un año extraordinario, quizás el mejor. El equipo dio el máximo y jugó a un gran nivel. Por desgracia, las numerosas lesiones (Gullit estuvo en el dique seco todo el año) y los excesivos compromisos nos desgastaron. Llegamos al final casi sin aliento.

Terminado el partido con el Benfica, volví a la habitación y tiré con violencia mi bolsa en el pasillo. Estaba cansado, estresado, amargado. «Basta, no puedo más», dije a Ramaccioni. Berlusconi y Galliani me respondieron: «Vete a casa, descansa, nos vemos dentro de quince días».

Es difícil dejar algo que te ha gustado tanto y ha sido protagonista de tu vida, dejar un club que te estima, te quiere, un grandísimo club, el más grande. Marcharse de un gran equipo, con jugadores y hombres fuera de lo común, con un público que te ama. Por desgracia, ser diferente, vivir este deporte de modo distinto respecto de la tradición, no haber sido un buen jugador, son cosas que me han obligado a ir contracorriente, con un esfuerzo terrible. Debía convencer a todos. «Uno entre mil lo consigue —cantaba mi amigo Gianni Morandi—, pero qué dura es la subida…».

Había ganado todos los desafíos, entre críticas, recelos y desconfianzas, pero estaba agotado, sufría de gastritis, de dolores abdominales y pasaba las noches en vela. El desafío me había dado adrenalina, pero el estrés se estaba convirtiendo en un adversario invencible. Berlusconi me convenció: «Quédese otro año». Firmé un contrato de tres años, que nunca cumpliría, como confié a mi amigo Galliani.

Me refugiaba en la familia, pero el trabajo era una obsesión. Tenía ganas de salir, de descansar un poco después de tanta fatiga. Estaba exhausto.

10

El último año en el Milan

Sin entusiasmo nunca se ha
hecho nada importante.

RALPH WALDO EMERSON

*L*as victorias europeas y los trofeos internacionales nos exaltaban, pero nos habían demostrado que aguantar psicológicamente era una empresa titánica. Mantenía al equipo y a los jugadores bajo presión con un juego de ataque continuo, y quizá también ellos necesitaban recargar las pilas. Habían pasado tres años, pero me parecían al menos diez o quince, tanta era la energía gastada.

En el verano de 1990 se había disputado el Mundial de fútbol y la selección, dirigida por Azeglio Vicini, había hecho un buen papel y había quedado tercera tras muchos partidos emocionantes. Un resultado importante, pero que, en Italia, se vivió como una derrota. El tercer puesto no sirvió para calmar las polémicas nacidas después de la semifinal con la Argentina de Maradona, en Nápoles, que se perdió en los penaltis, después del 1-1. Un tercer puesto en el Mundial debería ser motivo de orgullo para toda la nación; en cambio, en Italia se convirtió en motivo de discusión. Éramos los organizadores, por tanto, deberíamos haber ganado.

Υ

Italia, entre el campeonato, las copas y el Mundial, estaba en el centro del fútbol internacional.

Entre finales de los años ochenta y principios de los noventa, jugaban en primera los más grandes del mundo; nuestros clubes dominaban Europa. El año anterior, la Sampdoria había ganado la Recopa; en los primeros meses de la temporada, el desafío por la Supercopa de la UEFA debíamos jugárnosla precisamente contra la Sampdoria de Gianluca Vialli y Roberto Mancini. Uno de los mejores equipos de Italia y de Europa. El equipo genovés había ocupado el puesto del Napoli de Maradona, siempre en la cima del campeonato y en lucha por ganar títulos europeos.

En el Milan habíamos hecho también algunas adquisiciones, como Gianluca Gaudenzi del Verona, Angelo Carbone del Bari y Sebastiano Rossi, junto con Massimo Agostini, del Cesena. En cambio, habíamos cedido a Giovanni Galli al Napoli, y a Fuser y a Borgonovo a la Fiorentina. Eso sí, la columna vertebral del equipo era siempre la de los años anteriores. No habíamos cambiado la manera de jugar, en cada partido íbamos al ataque. Cedimos también a Angelo Colombo al Bari. Berlusconi se había aficionado al «gregario»:

—Arrigo, ¿por qué cederlo? Con él hemos ganado tantas cosas —observó.

—Ya tiene un pie fuera —respondí.

—¿Y usted cómo lo sabe?

—Hace tres días que le llamo y me responde su mayordomo filipino. Presidente, si Colombo tiene mayordomo, es el final.

La ida de la Supercopa de la UEFA la jugamos en Génova el 10 de octubre de 1990. Debíamos defender el título ganado el año anterior contra el Barcelona. La alineación de la Sampdoria era la siguiente: Pagliuca,

Mannini, Invernizzi, Pari, Lanna, Pellegrini, Mikhailichenko, Lombardo, Branca, Mancini y Dossena. Faltaban piezas importantes, como Cerezo, Vialli y Bonetti.

En mi Milan alineé a Pazzagli, Tassotti, Costacurta, Gaudenzi, Filippo Galli, Baresi, Donadoni, Ancelotti, Massaro, Gullit y Evani.

Fue un partido de ida y vuelta, con ocasiones de una parte y de la otra. Massaro fue derribado en el área y Branca falló un disparo solo delante de Pazzagli. Tras un centro de Mancini en el minuto 31, Mikhailichenko se anticipó a Pazzagli y marcó con la izquierda: 1-0. Comenzamos a aumentar el ritmo de juego; Gaudenzi casi marca de cabeza a Pagliuca. En un saque de esquina, Evani, que a menudo resolvía los partidos difíciles, marcó un gol que era una obra maestra: una volea desde fuera del área que entró por un rinconcito de la portería de la Sampdoria.

El partido concluyó así, después de continuas ocasiones sobre todo por nuestra parte.

La vuelta se jugó el 29 de noviembre en Bolonia. Al principio del partido, robamos a menudo el balón a los genoveses, gracias a nuestra presión, pero fue solo al final del primer tiempo cuando Gullit, tras un saque de esquina, enfiló la portería de Pagliuca. El estadio era todo para él, coros continuos jaleaban al holandés. En la reanudación, en el minuto 76, Rijkaard marcó el doblete: ahí teníamos nuestro quinto título internacional. Era la segunda vez, consecutiva, que ganábamos la Supercopa, como pocos prestigiosos clubes habían hecho antes que nosotros.

Pero los desafíos contra la Sampdoria, aquel año, no terminaron allí. Todo lo contrario.

Υ

El 9 de diciembre de 1990 nos esperaba otra cita importante de la temporada. Nos jugamos en Tokio la Copa Intercontinental contra los paraguayos del Olimpia de Asunción. Conseguí alinear a los tres holandeses. Van Basten aquel día estaba incontenible. La primera ocasión, no obstante, fue para Samaniego; Pazzagli rechazó con los puños. Pero nada más. Fue el Milan el que presionó y creó ocasiones continuas. Tras un centro de Gullit, el cabezazo de Rijkaard sorprendió al portero y la pelota entró por la escuadra: 1-0. Nuestro dominio no admitía discusión.

No menos bonito fue el segundo tanto: Van Basten se presentó ante el área adversaria, regateó con una finta a media defensa y dejó tumbado al portero con un disparo violento que rebotó contra un jugador y contra el travesaño de la portería; un impetuoso Stroppa empujó dentro la pelota. Era el minuto diecisiete del segundo tiempo.

El tercero lo fabricó Marco van Basten. Su disparo desde fuera del área fue a parar a la cabeza de Rijkaard, que con un remate en plancha sentenció el partido y se adjudicó también el título de mejor jugador del encuentro. El dominio del Milan no dejaba dudas.

Por segundo año consecutivo, éramos el mejor equipo del mundo. Habíamos ofrecido un gran espectáculo con ciento seis televisiones conectadas desde todo el planeta. «Gran Bis Mundial, Milan infalible, Sacchi 6 [*sei* = seis/eres] el más grande», titulaba *La Gazzetta dello Sport*, jugando con los seis títulos internacionales ganados. El triunfo de Tokio lo celebraba el *Corriere dello Sport* con «MundoMilan».

Había llevado al equipo durante dos años consecutivos a la cima del mundo. Pero la presión era demasiada. Había ganado todo lo que se podía ganar y comencé a pensar en dejarlo. Aún quedaban el campeonato, la Copa de Italia y la Copa de Europa por disputar. Los objetivos eran importantes, pero se me estaba acabando la gasolina, las motivaciones, las ganas de afrontar más desafíos. Después de la segunda victoria de Tokio, pensé seriamente en irme.

Entre tanto, en el campeonato estábamos siempre en cabeza. En las tres primeras jornadas hicimos un pleno: ganamos al Genoa, al Cesena y la Fiorentina. Allí nos quedamos hasta el 28 de octubre, cuando nos encontramos de nuevo a la Sampdoria, en la séptima jornada. Para la Samp fue una jornada histórica, ganó en nuestro campo y nos descabalgó de la cabeza de la clasificación. Nunca había ocurrido tal cosa. Yo estaba en las gradas, pues me encontraba sancionado. Eso sí, estaba en contacto directo con Galbiati, que me sustituía en el banquillo. La Samp montó dos o tres contraataques que nos pusieron en apuros. Cerezo marcó un gol de volea que dejó en evidencia que el equipo tenía problemas. Fue el único tanto del partido. Perdimos en casa y ya no éramos los primeros de la tabla.

En la primera vuelta se alternaron en cabeza varios equipos, como la Juve y el Inter, que, un punto por delante de nosotros, se proclamó campeón de invierno. En la segunda vuelta, la liga nos la jugamos entre tres equipos: nosotros, la Sampdoria y el Inter. Perdimos otra vez con la Sampdoria, esta vez en su casa y por 2-0. Jugamos bien, pero no al nivel al que estábamos habituados.

La Sampdoria veía que se acercaba a la conquista de su primera liga. Primero un penalti transformado por Vialli y luego un bonito contragolpe de Mancini nos cerraron las puertas de la liga.

Υ

No podíamos dar siempre el máximo en todos los torneos. Cedíamos puntos importantes en el campeonato porque la Copa de Europa era de nuevo, por tercer año consecutivo, el primer objetivo de la temporada.

En los octavos habíamos eliminado al Brujas, con un empate en casa y una victoria extraordinaria en Bélgica por 0-1. El gol de Carbone fue de filmoteca.

En los cuartos encontramos al Olympique de Marsella. Empatamos en San Siro: 1-1. Nos adelantamos con un gol de verdadero fuera de serie de Gullit, que robó la pelota a un defensor que iba a despejar y marcó el 1-0. Los franceses, con un jugador del calibre de Papin, equilibraron el marcador. Eran más fuertes, más vivaces, más veloces y más agresivos que nosotros, admití. Así pues, el empate no era un mal resultado.

—¿Tendremos que esperar, entonces, a un Milan más veloz, más vivaz y más agresivo? —me preguntó un periodista, retomando mis palabras.

—¡Sí!

—¿De otro modo…? —me apremió.

—De otro modo, ¡pasará el Marsella si ha jugado mejor!

Tenía la cara menos tensa de lo normal, parecía casi relajado. O quizás escondiera el miedo de quedar eliminados de una competición que habíamos dominado durante los dos últimos años.

Pero el equipo no estaba bien. Antes del encuentro de vuelta, no me sentía tranquilo; hablé hasta las cuatro de la mañana con Natale Bianchedi para contarle mis dudas, que por desgracia se confirmaron.

En la vuelta, los franceses se mostraron aguerridos. Veían la posibilidad de pasar la eliminatoria. Dejar fuera al Milan, campeón durante dos años consecutivos, los estimulaba, los animaba. Fue un partido nervioso, con muchas pérdidas de tiempo por parte francesa y un juego discontinuo.

En el minuto setenta y cinco, Abedi Pelé centró, Papin vio a un compañero detrás de sí y peinó de cabeza para Waddle, que con un tiro defectuoso marcó en la portería de Rossi.

En el minuto noventa ocurrió lo impensable. De pronto, uno de los reflectores del estadio se apagó, lo que obligó al árbitro a suspender temporalmente el partido. Los equipos estaban desorientados, no sabían qué hacer. Gullit concedió una entrevista al borde del campo para decir que deberían aplazar el partido, como exigía el reglamento; Tassotti, siempre en los mismos micrófonos, dijo que había que terminar.

Galliani entró en el campo e invitó a los jugadores del Milan a volver a los vestuarios.

Poco después, las luces volvieron a iluminar parcialmente el campo, el árbitro volvió a poner el balón en juego para reanudar el partido, pero como nosotros no estábamos allí pitó el final. La UEFA dio la victoria del equipo francés por 3-0, y decretó un año de sanción para el Milan de las competiciones internacionales. («Milan vergüenza», tituló *La Gazzetta dello Sport*.)

Hubo mucha confusión, el público hizo una especie de invasión del campo porque pensaba que el partido había terminado.

Mi comportamiento fue irresponsable.

Un mes antes había entrado en contacto con la selección y había expresado mi deseo a Berlusconi de tomarme un año sabático y dedicarme a la selección después de la Eurocopa que dirigiría Vicini. La derrota con la Samp y la eliminación de la Copa de Italia por un autogol de Van Basten en un partido contra la Roma eran signos de un cansancio psicológico que antes o después tenía que afrontar. Una vez, Gianni Brera definió mi modo de hacer correr al equipo de «eretismo pedestre». Escribió también que agotaría a mis jugadores, que tendrían carreras brevísimas porque corrían demasiado.

Como ya he dicho, ocurrió todo lo contrario. Había regalado a la directiva, al Milan y al fútbol internacional uno de los momentos más hermosos de este deporte, con un equipo que aún tenía mucho que decir en el campo, con jugadores motivados que todavía podían obtener resultados importantes. Casi todos tuvieron una larga carrera de alto nivel, muy superior a la media. Una parte de los periodistas había comprendido poco de aquel Milan. Sus teorías fueron papel mojado.

Al final yo, el «don nadie», me había convertido en «el Profeta de Fusignano», había quemado etapas, lo había ganado todo. Eso sí, el único que salía hecho añicos de aquel Milan era yo.

11

En vuelo hacia América

La fortuna es árbitro de la mitad de nuestras
acciones, pero nos deja dirigir la otra mitad.

NICCOLÒ MACHIAVELLI

*A*sí que decidí no volver a firmar por los *rossoneri*. Desde febrero ya había manifestado al presidente Berlusconi la intención de no renovar el contrato.

Con el Milan, uno de los equipos más fuertes del mundo, había compartido de 1987 a 1991, también derrotas, pero sobre todo extraordinarias victorias y grandes satisfacciones. Con el Milan había ganado un campeonato, una Supercopa de Italia, dos Copas de Europa, dos Supercopas de la UEFA y dos Copas Intercontinentales consecutivas. Un récord: ganar en cuatro años ocho competiciones, participando en tres Copas de Europa y triunfando en dos consecutivamente. Eso es algo que jamás ha vivido un equipo italiano. Sin embargo, lo mejor era el juego practicado, que había divertido y emocionado al mundo. Eso había agigantado nuestras victorias. Y cuatro de aquellas copas las conquistamos tan solo en seis meses. Había ganado todo lo que un entrenador puede esperar ganar en una carrera y había quemado las etapas en apenas cuatro años. Pero ya no conseguía gestionar el estrés. Antes de las citas importantes no dormía, pensaba continuamente en la alineación, en los descartes y en las diversas posibilidades: por la mañana, lo tenía todo claro, pero me había pasado la noche en blanco. ¿Qué podía hacer? Mi vida insomne continuaba. Sin embargo, debía seguir adelante, encontrar una solución para seguir viviendo del fútbol, entrenando, porque esta era mi vida. No obstante, estaba claro que debía sacar el pie del acelerador.

El último partido del campeonato en el banquillo con el Milan fue casi un signo del destino. Lo jugamos en San Siro, precisamente contra el Parma, el equipo que me había lanzado al olimpo del fútbol. Había terminado un ciclo, necesitaba nuevas motivaciones, nuevos objetivos, nuevos desafíos. Aquel día, todo el estadio coreó una canción que se me ha quedado en el alma: «Nosotros, hinchas del Milan, tenemos un sueño en el corazón, Arrigo entrenador, Arrigo entrenador». La gente ya ni siquiera miraba el partido. Más de setenta mil espectadores cantaban a coro esta canción saltando sobre las gradas.

Tenía los ojos llenos de lágrimas y una sonrisa en los labios, la alegría en el corazón. En aquellos años, nunca había tenido tiempo para pensar, para mirar atrás. Levanté los ojos hacia las tribunas de San Siro, varias veces, mirando alrededor, quizá por primera vez consciente de aquello que había vivido en aquel estadio. En aquel momento comprendí que había hecho de veras algo bueno e importante para toda aquella gente que abarrotaba las tribunas. Y no solo para ellos. Su alegría la expresaban con el canto. Pero, por desgracia, cuando Van Basten tocaba la pelota todo el estadio lo silbaba, porque pensaban que me marchaba por mis desacuerdos con él. Pero no era cierto.

Aquel canto de alegría alejaba todas las cosas negativas sucedidas aquellos años y dejaba intacta la belleza de aquel equipo, la felicidad de las victorias, el reconocimiento por haberlo dado todo.

Fabio Capello heredó el equipo. El suyo era un Milan más eficaz en el campeonato y menos impetuoso en el ámbito internacional. Fabio se reveló como un gran entrenador, que conocía bien nuestro fútbol.

Se cerraba mi ciclo y comenzaba otro. El Milan de Capello conquistó cuatro ligas (tres consecutivas) y una Copa de Europa. Berlusconi había elegido a Capello porque aquella era la solución más adecuada para que el equipo continuara recogiendo, después de los éxitos internacionales, victorias y ligas. En Italia se gana más con el equipo volcado en la defensa y basándose en el talento individual; en Europa, con el fútbol ofensivo y colectivo.

Il Cavaliere estaba preocupado de que fuera a entrenar a la Juventus. Luca Cordero di Montezemolo había asumido, después de la dirección general de la Copa del Mundo de Italia 1990, el cargo de vicepresidente ejecutivo del equipo turinés. Sabía que mi contrato con el Milan estaba a punto de vencer y que quería tomarme un año de descanso a la espera de convertirme en seleccionador. Un año de descanso porque sabía que el comisario técnico Azeglio Vicini estaba disputando la clasificación para el Europeo de 1992. Llegaría a la selección después de la Eurocopa de Suecia.

Berlusconi estaba dolido.

—Sacchi, si usted va a la Juventus, me dará un gran disgusto —me confesó.

—Ficharé por la Selección —le respondí—. Y, además, debo dejarlo todo un año, esperando que Italia juegue el Europeo sueco. Necesito un año sabático.

Il Cavaliere no se fiaba. Sabía que Luca Cordero di Montezemolo le había preguntado si aquello de que quería dejar los banquillos durante un año era cierto. Además, también me pretendía Ramón Mendoza, en aquella época presidente del Real Madrid.

Berlusconi entonces me dijo:

—Si usted se va al Real Madrid, le hago un bonito regalo, y también le doy a un jugador.

Estaba claro que temía que fichara por la Juve, un rival histórico del Milan.

Mendoza había venido incluso a Milano Marittima para ponerse de acuerdo conmigo. En una pizzería del centro me ofreció un sueldo anual del doble de lo que cobraba en el Milan y de casi el triple de lo que habría cobrado con la selección.

—Pero ¿usted ya ha firmado? —me preguntó.

—¡No, solo he dado mi palabra!

—¡Bien, entonces firme por nosotros!

—No —le respondí—, para mí la palabra dada vale más que un contrato.

Sobre mi paso del Milan a la selección se han escrito artículos y páginas enteras de periódicos. Han hablado de desacuerdos con la directiva, con Berlusconi mismo, con el vestuario y los jugadores, que no podían más de entrenamientos extenuantes, de preparaciones asfixiantes para el partido y de una tensión nerviosa difícil de gestionar. Una tensión que habría transmitido incluso solo con mi presencia, mi rigor, mis gritos en los entrenamientos. Creo que solo un estúpido dejaría contratos millonarios, un club prestigioso y un trabajo que le gusta únicamente porque tiene discrepancias con alguien. La envidia en este campo hace verter ríos de veneno. Quien no tiene esta sensibilidad para entender es un ignorante o un superficial.

Y quiero dejarlo claro de una vez por todas: Berlusconi no me ha «colocado» en la selección, ignoraba cuáles eran mis intenciones. Como saben Gianni Petrucci, Antonio Matarrese y Antonello Valentini, exdirector general de la Federación Italiana de Fútbol, y el entonces vicedirector de la *Gazzetta dello Sport*, Alfio Caruso, que hizo de intermediario, Berlusconi no supo nada de mi voluntad de marcharme del Milan hasta febrero. Luego me volvería a llamar, por la estima que sentía por mí, en 1997 y después en 2014. A muchos jugadores del Milan, además, los convoqué para la selección; algunos de ellos no habían estado nunca allí. Las relaciones con el Milan continuaron y siguen aún hoy por la gran estima mutua.

Me quedaba la última gran aventura, la de la selección absoluta. Era mi último desafío después de haber ganado mucho y haber demostrado que también un don nadie, que ha jugado poco al fútbol y mediocremente, puede ser un entrenador de éxito.

La larga sombra de la fatiga mental me marcaba. Cuando volvía a casa, en vez de estar con mi familia pensaba en nuevos entrenamientos, miraba los partidos de los adversarios, estudiaba su juego, tomaba apuntes, dibujaba en fichas con un campo de fútbol impreso nuevos sistemas y nuevas posiciones de los jugadores en el campo. Analizaba pases y simulaciones. La selección podía ser un buen lugar donde juntar mis ganas de continuar entrenando, de afrontar nuevos desafíos, y la necesidad de aflojar la presión cotidiana que se vive en los clubes.

Mi mujer, entre tanto, en silencio, junto con mis hijas, me dejaba hacer. Nunca ha interferido en mi trabajo. El juego me absorbía demasiado, pero la familia era mi punto de referencia. Las tardes que estaba en casa, cogía en brazos a mi primogénita y la tenía conmigo, aunque ella durmiera profundamente.

En aquellos momentos pensaba a menudo en mi padre, en sus veladas en casa cuando era un chaval y él, después de la cena, hasta las dos de la mañana, trabajaba en silencio, repasaba las facturas, hacía las cuentas, estudiaba la evolución de nuestras fábricas. Hacía los mismos gestos, trabajaba con asiduidad y rigor como él. Había dejado mucho más que un signo en mi carácter. Tenía en el ADN su modo de trabajar, su obstinación, sus ganas de mejorar siempre, de dar siempre lo mejor.

Quizá buscaba otros objetivos. Había decidido abandonar a amigos queridos y de confianza, un club que me lo había dado todo: afecto, libertad y la posibilidad de realizar el fútbol que soñaba, con campeones extraordinarios. Dejaba un banquillo que me gustaba y que me había proporcionado grandes satisfacciones, renunciaba a un club de hombres de verdad que me habían apoyado siempre y nunca habían puesto en discusión mi autoridad, y un equipo de campeones: solo esto da idea de cuánto ha influido en mis decisiones la falta de energía, cuánto me habían desgastado la tensión y la sed de perfección, los compromisos cotidianos de los entrenamientos, el estrés de los partidos del campeonato y de copa, con dos encuentros por semana.

Fue a Berlusconi a quien, en una entrevista radiofónica, se le escapó la noticia de que me iría. Esto, aún hoy, desencadena un río de falsedades en los periódicos. Descubrí que no habían aceptado mi dimisión y que seguían pagándome el sueldo. Y no entendía el porqué. Esto de julio a finales de noviembre. En realidad, Berlusconi, como he dicho, tenía miedo de que me fuera a la Juve. El interés de Montezemolo lo había alarmado. Esto demostraba, una vez más, no solo la generosidad de Berlusconi, sino también su afecto y su estima hacia mí. Así ahuyentaba cualquier polémica.

Υ

No tuve tiempo de tomarme el año de descanso. Faltaban dos partidos para el final de la fase clasificatoria para la Eurocopa de 1992. La selección no consiguió clasificarse para la fase final en Suecia.

Era el 12 de octubre de 1991. El partido decisivo, URSS-Italia, se jugó en el estadio Lužniki de Moscú. La alineación de aquel partido, el último de la etapa de Vicini, fue: Zenga, Maldini, Baresi, Vierchowod, Ferrara, De Napoli, Giannini, Crippa, Lentini, Vialli y Rizzitelli. En el banquillo Lombardo, Mancini, Costacurta, Pagliuca y De Agostini. Solo dos del Milan, con Costacurta en el banquillo. A quince minutos del final, Italia se quedó con diez por una lesión de Baresi después de que Vicini ya hubiera hecho dos sustituciones. Un palo de Rizzitelli, a pocos minutos de la conclusión, cerró un partido desafortunado, con paradas imposibles de Pagliuca ante incursiones de los rusos y un ataque italiano que había creado ocasiones, pero no las había concretado.

En 1990 había ganado con el Milan la Copa Intercontinental, en mayo la Copa de Europa y en junio se había celebrado el Mundial de Italia 90. Petrucci y Matarrese, hablando entre ellos, dijeron que con Vicini nunca ganarían el Mundial. Matarrese me confió que estaban pensando en llamarme precisamente para la ocasión: «¡Si no ganamos, me matan!», pensé. A Vicini los jugadores lo adoraban, lo consideraban uno de los suyos. Había jugado discretamente con la selección, aunque como entrenador no tenía historia.

La destitución de Azeglio Vicini como director técnico del equipo nacional, a pesar de los años, ha dejado una estela de rencores que aún hoy continúan. Las relaciones entre Matarrese y Vicini no fueron fáciles después del Mundial del 90, sobre todo tras la semifinal que se perdió con Argentina y que nos impidió disputar la final con Alemania. Aunque, de todos modos, se logró un honroso e importante tercer puesto. Y después de los resultados desastrosos del Mundial mexicano de 1986, el tercer puesto de Vicini suponía de verdad una gran conquista.

Se me abrieron, pues, de par en par las puertas de la selección y de Coverciano. Podía afrontar un nuevo desafío, con nuevos objetivos, con motivaciones altas, diversas, y, ciertamente, con mucho menos estrés.

Sin embargo, nada de año sabático. Por una parte, estaba contento de comenzar de inmediato esta aventura, pero, por la otra, estaba preocupado porque decía adiós al descanso tan deseado. Pensé en cuando, de niño, me había escapado para ver, en 1954, de pie sobre la mesa de un bar de San Mauro, el primer Mundial en blanco y negro transmitido por la televisión, como ya he contado. Cuarenta años más tarde, el sueño de aquel niño se había hecho realidad. Rememoré también cuando vendía zapatos, y miré la final Italia-Brasil en televisión con cuarenta y uno de fiebre por culpa de una indigestión. No era ni siquiera pensable que solo veinticuatro años después me sentaría en ese banquillo. Y precisamente en Estados Unidos.

Cuando estuvo seguro de mi firma con la selección absoluta, Berlusconi, con su habitual generosidad, me regaló dos de sus coches.

Algunos años después, cuando vi a Montezemolo, le di las gracias.

—¿Y por qué? —me preguntó, asombrado.

En el fondo no había hecho nada por mí.

—Sus conversaciones con Berlusconi me permitieron recibir mi sueldo hasta que fui a la selección —le respondí.

Recuerdo que Montezemolo sonrió.

La selección era una hermosa novedad. Me daba la ocasión de entrenar a un equipo importante sin el estrés cotidiano. También podía disponer de una gran plantilla de jugadores de los que elegir lo mejor. Encontraba dentro de mí nuevas motivaciones técnicas y, al mismo tiempo, podía trabajar sin maltratar tanto los nervios, con más tranquilidad, tratando de llevar mi idea del fútbol a un ambiente nuevo.

Encontraba en la selección una dimensión más humana, con ritmos más lentos, y tenía todo el tiempo para construir un equipo, una idea nueva después de la fallida clasificación para la Eurocopa. Tenía cuatro años de trabajo para plasmar mi selección y llegar de la mejor manera al Mundial estadounidense de 1994. Debía revolucionar el equipo para modelarlo tal como lo soñaba. Pero la empresa, desde el principio, se demostró titánica.

Enseguida me di cuenta de que era el entrenador virtual de un equipo virtual. Era como un eunuco en un harén de hermosas mujeres. Lo tenía todo, pero comenzaba a faltarme el trabajo cotidiano. En la selección se necesita una gran paciencia.

—En estos cuatro años —les decía a mis colaboradores—, debemos optimizar el tiempo, saber elegir los jugadores más adecuados para nuestra idea del fútbol y volvernos más pragmáticos con el trabajo que hacemos.

Había que hacer cosas que se tradujeran fácilmente sobre el campo, cosas que concernían al juego. Necesitaría una gran capacidad de síntesis. Para hacer entender qué quería decir trabajar en la selección, es preciso pensar en la paciencia de llenar una cisterna enorme gota a gota, mientras que con los clubes la llenabas en tres o cuatro meses. Más que un entrenador me había convertido en un seleccionador, como muchos decían (Sivori y Tosatti). Decían que era un gran entrenador: pero en la selección no se puede entrenar, se necesita más tiempo. En la selección debes construir un juego, y basta. Se me presentaba otro desafío.

Y

Lo primero que hice fue organizar el grupo con el que trabajar. El equipo estaba compuesto por Pietro Carmignani, que había sido mi segundo con el Parma; Vincenzo Pincolini, que había estado siempre conmigo como preparador físico, sea en el Parma, sea en el Milan; Natale Bianchedi, «mi brazo derecho», como alguien lo ha definido, también conmigo desde siempre; y, por último, Francesco Rocca, al que todos recuerdan por su apodo, como jugador: Kawasaki. A Carlo Ancelotti, que entre tanto había dejado de jugar, lo hice debutar como mi segundo entrenador en el Mundial.

El cuerpo médico estaba compuesto por Andrea Ferretti y Paolo Zeppilli. Antonello Valentini era responsable de la comunicación y Gigi Riva era el gerente. Éramos un grupo muy cohesionado, había comunicación, empatía y estima, y sobre todo éramos muy amigos. El jefe de delegación era el senador Raffaele Ranucci. El presidente de la federación era Antonio Matarrese, que bebía los vientos por mí. El único que no conseguía integrarse en el ambiente era el secretario general Zappacosta, que no compartía mis ideas ni mi modo de trabajar, pero no importaba, aunque una decisión suya me privó, a dos partidos del Mundial, de la preciosísima colaboración de Bianchedi, que, como siempre, dimitió.

Para hacer un equipo es necesario ante todo contar con un *staff* importante, que trabaje en armonía, con inteligencia y comparta los mismos objetivos. Ya en el Milan había encontrado un club con una directiva preparada, de alto nivel. Uno de los secretos del increíble Mundial estadounidense fue ante todo este *staff*. Quien abraza a Franco Baresi mientras llora después del penalti fallido, en la final con Brasil, es precisamente Raffaele Ranucci: este es un episodio que prueba perfectamente la amistad y el afecto que se habían creado entre el *staff* y los jugadores, entre el campo y el banquillo y la directiva. Y esto es fundamental, porque no se juega solo con once. Se juega también con la sociedad y el afecto de la afición.

Las primeras reuniones eran verdaderos *stages*. Mis métodos didácticos no tenían precedente en la selección, con clases técnico-tácticas, pruebas psico-actitudinales y entrenamientos orientados, asociando trabajo mental y esfuerzo físico, enriqueciendo de este modo el fútbol total de la Holanda de Cruyff. También Gigi Riva, que ya trabajaba para la selección, se había convencido de que mis novedades contribuirían a mejorar el juego. Declaró a los periódicos: «Nunca había visto asociar durante los entrenamientos el trabajo mental con el esfuerzo físico con tanta coordinación. En mis tiempos se esperaba el error del adversario para contraatacar con la posesión de la pelota. Luego vinieron los holandeses para alterar algunos hábitos. Pero creo que las intuiciones de Sacchi han enriquecido aún más el famoso fútbol total de la época».

Recuerdo que montamos un casete en que trataba de explicar los nuevos métodos de entrenamiento, las nuevas tácticas, cómo jugar en zona, correr sin la pelota, mostrando los esquemas sobre el campo.

Llevé a Coverciano un modo diverso de trabajar. Para la selección absoluta traté de hacer más entrenamientos, y los clubes me lo permitieron: más *stages* de preparación, también teórica, de cómo entendía el fútbol, más entrenamientos, más partidos. Intentaba reservar más espacio para la selección en relación con los compromisos de los diversos clubes. También esto se me permitió.

En la selección, pues, menos estrés, pero también mucho menos tiempo para trabajar con los jugadores, para conocerlos desde el punto de vista humano, para hablar con ellos. Las largas pausas entre una convocatoria y la otra hacían difícil transmitir mi mentalidad de fútbol de ataque, de posesión de la pelota y de juego total.

Mi modo de jugar preveía sincronismos y tiempos en que el verdadero esquema era el movimiento, que cambiaba siempre del planteamiento inicial. Partíamos con el 4-4-2, pero en la fase de no posesión podíamos transformarnos en un 4-3-1-2 o en un 3-4-1-2. Construía el equipo a partir del juego eligiendo a los jugadores y su sensibilidad, no a los futbolistas. Desde luego, no era sencillo. Debía trabajar con hombres habituados a estar sobre el campo los siete días de la semana de una manera distinta, con entrenadores que generalmente cerraban el equipo en defensa para atacar al contragolpe. Al revés de lo que pensaba y lo que quería yo. Deseaba jugadores que funcionaran para el proyecto técnico y que fueran complementarios entre sí. Fue un trabajo largo y, en muchos aspectos, agotador. Tenía tiempo, claro, pero los largos intervalos entre una sesión y la otra, entre un *stage* y un entrenamiento, entre los partidillos y los amistosos de alto nivel, hacían difícil poner en marcha al equipo.

El trabajo en Coverciano y el camino hacia el Mundial no resultaron fáciles. Los ataques eran continuos, venían desde fuera y desde dentro del ambiente futbolístico, dirigidos contra mí y contra Matarrese. Ya mi contrato había despertado un mar de polémicas después de que salió publicado en los periódicos, y aún no sé cómo llegó a ellos. Vicini recibía trescientos millones, yo firmé por mil cien millones de liras para la primera temporada, cuando un kilo de pan costaba dos mil. Pero nadie recuerda cuántos millones aportó a la selección, bajo la forma de nuevos patrocinadores, mi modo de jugar. Se pasó de veinte a cuarenta y tres millones de liras. Matarrese declaró que conmigo querían abrir un nuevo ciclo: «¡Con Sacchi pasamos de un ambiente, por así decirlo, familiar a uno más industrial!». Mi revolución en la selección había comenzado precisamente con el contrato, que incluía también funciones de gestor.

En aquel periodo, Cesare Maldini era el entrenador de la selección sub-21. Los periódicos reproducían sus declaraciones y las pullas contra Matarrese. Sus ataques eran continuos. Cierto día, Matarrese me llamó, enfadadísimo, después del último disparo. Estaba decidido, quería despedir a Cesare Maldini, pero lo convencí de que no lo hiciera. Maldini era importante para la selección. Le dije que no era y no habría sido oportuno hacerlo porque era una buena persona y, sobre todo, un técnico capaz. «La ira no lleva a ninguna parte, solo a la ceguera, a gestos irreflexivos que pueden ser contraproducentes», le dije. Matarrese estaba fuera de sí. Pero lo convencí y le dije que llegaría un día en que me daría la razón.

Siempre he dividido a la afición porque mi modo de trabajar y de elegir a los jugadores se basaba en las capacidades individuales solo si no comprometían las del grupo. Vierchowod era más fuerte que Costacurta, pero no se movía con los demás defensores y perseguía al adversario, pues venía de la escuela del fútbol individual. Bergomi era un jugador sin duda con más calidad y experiencia que Mussi. Entonces, ¿por qué no Bergomi? No tenía tiempo de cambiar características tan marcadas: Bergomi solo hacía de defensor y tenía como referencia al adversario, mientras que para nosotros lo importante era la pelota y el compañero. Son conceptos importantes: quisiera que los periodistas y el público entendieran que algunas elecciones iban más allá del individuo y tendían a privilegiar el juego, que pensaba que era el elemento más importante para mejorar al individuo y las posibilidades de éxito.

Llevé a la selección a muchos jugadores porque quería probarlos en el campo, los hacía jugar juntos, hacía experimentos. Se me criticó que tanteara a muchos, distintos entre sí. Y a muchas figuras amadas por el público no los convoqué ni para los amistosos, ni para la vuelta de clasificación, ni para la fase final en Estados Unidos. Y esto aunque algunos de ellos habían sido importantes puntos de referencia de la selección de Vicini.

Si un jugador no estaba profesionalmente en línea con mi modo de trabajar, no lo convocaba. El fútbol es un deporte de armonía y de equipo, no un espectáculo múltiple de solistas. Así debía hacer elecciones incluso impopulares, como, por ejemplo, dejar en casa a Gianluca Vialli, que tenía una relación compleja con Roberto Baggio, hasta el punto de que en una ocasión me reprochó haber hablado más con Roberto que con él. Y esto dice mucho.

Quería llevar la mentalidad de un equipo de club a la selección absoluta. Había dejado en casa a algunos jugadores que no trabajaban como yo deseaba o que habían tenido comportamientos inaceptables para un profesional pagado espléndidamente. Había recuperado a Nicola Berti, que cargaba sobre las espaldas muchas presencias en la selección, con tres goles, y ya había jugado cuatro partidos en el Mundial de Italia 90. Y lo había hecho solo porque me había prometido que daría el máximo. Lo llevé conmigo: debo decir que jugó un buen Mundial.

Muchos me criticaban porque llamar a demasiados jugadores era un síntoma de escasa claridad de ideas. Si hay algo sobre lo que nunca he tenido dudas, es acerca de mi idea del fútbol. Siempre he tenido pocas ideas, pero claras.

Tener claro lo que se quiere ayuda muchísimo. Por ejemplo, a Moreno Mannini lo he convocado alguna vez, pero luego no lo he llevado conmigo; así lo he hecho con Pietro Vierchowod, que ya había sido campeón del mundo en España en 1982 y contaba con muchas comparecencias en la selección de Vicini. Ocurría que en el partido Paolo Maldini y Franco Baresi subían y él corría detrás del adversario; cuando nosotros cubríamos el espacio, él corría detrás del rival. Allí se abría una falla que resquebrajaba continuamente el esquema táctico. Estaba acostumbrado a jugar a la antigua.

Al final, solo uno o dos eran dudosos, pero los veintidós convocados para el Mundial del 94 estaban disponibles y habrían dado el alma si se lo hubiera pedido. Y así fue. Yo buscaba y busco siempre primero al hombre. Trataba de instaurar un diálogo y hablaba mucho con los jugadores: debía convencerlos. Necesitaba su aprobación.

Una parte de los periodistas me criticaba porque había convocado, al final de mi etapa con la selección, a noventa y seis jugadores; incluso hay quien se ha tomado la molestia de elaborar la lista de los futbolistas que han jugado conmigo. Por mi parte, respondía con los hechos, pero es difícil, si no imposible, encontrar a veintidós jugadores generosos, altruistas, sin celos ni envidias, que jueguen con y para el equipo, que tengan disponibilidad y características para practicar el fútbol total, listos para el sacrificio; el jugador italiano medio es, por el contrario, un solista, un personaje, un hombre del espectáculo que pretende que lo convoquen solo porque tal vez marque muchos goles en el campeonato, pero luego no está en forma para el Mundial o pretende ser libre de hacer lo que quiera en el campo. Al final encontré veintidós jugadores con las características que buscaba de los cien que probé: creo que estamos, con mucho, por encima de la media nacional.

Tenía una certeza: llevaba a una serie de jugadores que conocía bien porque los había entrenado. Eran la osamenta, el esqueleto del Milan. Personas fiables, buenos para el proyecto técnico, complementarios entre sí y, además, con un gran talento. Hombres de verdad. No es fácil encontrar todo esto en un solo jugador.

La historia de los mundiales disputados por nuestra selección de fútbol dice mucho. Hemos ganado dos, el de España de 1982 y el de Alemania de 2006, después de dos escándalos enormes. No digo que esto haya influido, pero seguro que cohesionó al equipo, que le proporcionó energías y que destiló en nuestros futbolistas valores nobles que demostrar en el campo. La Italia de los años setenta, aquella que llegó a la final con Brasil, era un gran equipo, con grandes campeones: no necesitó escándalos, pero en su camino, en la final, encontró al equipo más fuerte de todos los tiempos, con un ataque formado por Pelé, Rivelino, Tostão y Jairzinho. La táctica del equipo dispuesto por el Zagallo, un 4-2-4, conjugaba juego y espectáculo, con campeones de gran habilidad.

Sin embargo, era un fútbol basado en las individualidades, en el sentido común de cada uno, no un fútbol colectivo con la organización del juego como líder.

Quería más, algo excepcional, porque representábamos a una nación y una tradición futbolística de altísimo nivel, con tres campeonatos del mundo ganados. Teníamos una gran responsabilidad hacia el país. Quería gente motivada por sentimientos nobles como la ética de grupo, la generosidad fuera y dentro del campo; quería profesionales que merecieran el puesto en la selección. Y, sobre todo, debía encontrar hombres en los que confiar. Y al final encontré también a unos campeones.

Los *stages* servían para aprender el juego y el posicionamiento con el equipo corto, la cobertura de los espacios, los «contragolpes» cuando se conseguía robar la pelota por medio de una presión asfixiante, con férreas equidistancias entre las secciones. Mi selección estaba pensada, para empezar, con cuatro defensores en línea, cuatro centrocampistas y dos atacantes, pero luego nuestro sistema de juego se basaba en el continuo. Así no dábamos puntos de referencia al rival. Nos exigía estar perfectamente sincronizados.

En la fase de clasificación que nos llevaría a Estados Unidos estaban Portugal, Escocia, Suiza, Malta y Estonia. Un grupo complicado, con una Escocia que siempre se había clasificado y una Suiza dura. Es decir, desde un principio, sabía que mi estilo de juego se encontraría con dificultades también con las selecciones menos importantes. Y así fue.

El debut oficial en el banquillo de la selección italiana se produjo contra Noruega el 13 de noviembre de 1991. En el desafío sustituía, pues, al experto Azeglio Vicini.

La crítica y los aficionados en general esperaban mucho, ansiaban ver, después de apenas cuatro-cinco días de entrenamiento, a un equipo ganador y divertido. Y los aficionados olvidan muy pronto las victorias. En resumen, no se esperaba el debut de un técnico, sino el de un mago que hace prodigios. Era consciente de las expectativas, tanto como de las incomprensiones y de las críticas que generaría un mal resultado.

Todo aquello no me tranquilizaba, me afectaba emocionalmente. En lo que respectaba al juego…, pues ya se vería. La comparación con el Parma y con el Milan, que había entrenado, no tenía sentido: en cuatro días no era ni siquiera imaginable alcanzar los resultados de un trabajo construido con los años. Para dar una apariencia de organización al juego, me había prevenido convocando a algunos jugadores que había tenido la suerte de entrenar en el Milan, en particular Franco Baresi y Carletto Ancelotti, hombres clave que ocupaban posiciones estratégicas para dar el tono apropiado a mi idea del fútbol. En mi mente bullía un mundo de sensaciones, tensiones, dudas y esperanzas. ¿Qué sucedería?

La víspera del debut no fue nada tranquila, pero eso no era una novedad. Estaba ansioso por empezar e intrigado por ver qué habían aprendido los convocados en tan pocos días. No me sentía particularmente tenso ni emocionado.

Me equivocaba: cuando entré en el campo, y especialmente durante el himno italiano, sentí una conmoción fortísima. Luego empezó el partido y todo desapareció para dejar lugar al enfrentamiento, que terminó 1-1. No fue un gran partido. Pero Zola jugó muy bien.

Los amistosos eran importantes para hacer pruebas, para probar a jugadores, para ir perfilando el juego. Podía emplear a los futbolistas en zonas del campo distintas de las que ocupaban en sus clubes; yo les daba nuevos roles, adecuados a mi juego, lo cual desencadenaba polémicas y burlas por parte de quienes no entendían de fútbol o sabían más bien poco. Algunos me tomaron por loco o descabellado. En Foggia, contra Chipre, recuperé a Roberto Baggio, mientras que a Dino Baggio lo empleé como extremo derecho y a Zola sobre la izquierda. En aquel partido hice debutar a Demetrio Albertini con la selección.

En la primavera de 1992 jugamos en Estados Unidos, por la U. S. Cup, un torneo en el que nos enfrentamos a Portugal, con quien empatamos; a Irlanda, a la que ganamos 2-0; y, por último, a Estados Unidos, 1-1. Ellos ganaron el trofeo.

Υ

La fase de clasificación para el Mundial no fue sencilla, tal como había previsto. El 14 de octubre de 1992 debutamos contra Suiza en Cagliari. Enseguida nos encontramos dos goles por debajo: dudas entre la gente y silbidos del público. Los goles de Roberto Baggio y de Eranio en el minuto noventa equilibraron la situación.

Después del viaje a Malta el 19 de diciembre de 1992, pareció llegar el fin del mundo. Un partido difícil, mal jugado, pero ganamos 1-2. Esperaban una goleada. *La Gazzetta dello Sport* tituló: «¡Qué papelón!». *Tuttosport* elevó el tono de la polémica: «Italsacchi en las tinieblas». El 24 de febrero de 1993 llegó la revancha. Ganamos en Portugal 1-3 con goles de Roberto y Dino Baggio y Casiraghi. Asimismo le metimos tres goles a Escocia, en el Olímpico: Donadoni, Eranio y Casiraghi.

En 1991-92, Roberto Baggio estaba viviendo un momento difícil con la Juventus, hasta el punto de que, cuando le pregunté al abogado Agnelli a quién me sugería de sus jugadores, me respondió: «¡A los tres alemanes!». Igualmente convoqué a Roberto. Entre nosotros nació una buena relación y antes del partido con Portugal me escribió una carta conmovedora, llena de afecto y estima. Roberto era un muchacho sensible, además de un gran jugador; muchos entrenadores lo han «usado», permitiéndole todo, pero ayudándolo poco. Cuando lo sustituí en el Mundial contra Noruega, se lo tomó muy mal: no comprendió que quizá lo estaba ayudando en un momento que no era el mejor para él. Tomé la decisión más difícil e impopular: lo mandé al banquillo después de diecisiete minutos. Así, si aquel partido hubiera ido mal, Baggio no habría sido atacado; jugar con diez durante ochenta minutos a 38-40 grados, y cuando, además, solo puedes ganar, es una hazaña.

Al final, incluso con jugadores y una alineación inéditos, la selección ganó. Entrenamos bien y lo plasmamos en el terreno de juego: se gana con el equipo, con el juego y después con los futbolistas, que juegan con y para el equipo todo el tiempo, en todo el campo.

El 17 de noviembre se jugó el partido decisivo para obtener el billete para Estados Unidos. Una vez más contra Portugal, pero esta vez jugábamos en casa, en San Siro, frente a mi público. Entré en el campo abriéndome paso entre los fotógrafos. Miré las gradas y se me erizó el vello: volvía a casa, con mi gente. La tensión era máxima. Estaba muy concentrado. Sabía que era una gran oportunidad. Una vez más, para un partido decisivo, me sentaba en el banquillo en el estadio donde había hecho realidad tantos sueños. Aquí terminaba uno y comenzaba otro, de color *azzurro*, hacia Estados Unidos.

Había reflexionado toda la noche, había trabajado para reunir al mejor equipo para este encuentro. Me sentía feliz y, al mismo tiempo, lleno de miedos, seguro de lo que había elegido, pero siempre pensando que había cosas a mejorar. Fue un partido larguísimo, difícil y abierto; se resolvió a pocos minutos del final gracias a un gol de Dino Baggio. Contra la Portugal de Rui Costa nos bastaba el empate para clasificarnos. Yo quería ganar. Se lo pedí al equipo. Y así fue, después de un partido jugado a cara descubierta, sin miedos. Al final, quiero recordarlo, fuimos los primeros de nuestro grupo, a pesar de las malas lenguas y contra todas las críticas. En el fútbol se necesita paciencia y tenacidad. Los jugadores que había llamado habían respondido como quería, con carácter y personalidad. Los resultados nunca se juzgan por un solo partido, sino por todo el torneo. Nosotros habíamos ganado y estábamos en la fase final del Mundial.

Matarrese estaba confiado. En la vigilia de nuestra marcha hacia Estados Unidos afirmó que la final sería

Italia-Brasil. Aquello nos metía presión: quería ganar el Mundial perdido cuatro años antes en Italia. Creía en ello, creía en mí, creía que su sueño era posible. Quería una revancha después de un amargo tercer puesto. Los muchachos esperaban disputar un buen campeonato, pero eran menos optimistas que el presidente. Yo no sé prever el futuro, y solo me preocupaba de que todos dieran el máximo y jugaran para ser los mejores.

Íbamos a Estados Unidos cargados de esperanzas y de ganas de hacerlo bien. Estábamos preparados. Quería la posesión de la pelota, finalizar la acción con el gol, quería que los *azzurri* controlaran el juego, pero sabía qué nos esperaba en ultramar: un clima imposible, un ambiente de juego terrible y contrario al fútbol total, a la velocidad y a los ritmos elevados, que eran nuestras características más importantes. Los partidos eran a horas impensables a causa del huso horario y por exigencias televisivas.

En los años que precedieron al Mundial, había recorrido Estados Unidos y había visitado los estadios donde se jugaría. En 1992 se celebró un encuentro en Miami entre todos los representantes de los equipos finalistas. Conmigo estaba también Vincenzo Pincolini, el preparador físico, que había comenzado a mi lado en el Parma, cargando en su automóvil las pesas que llevar al campo de entrenamiento, en medio de la niebla.

Enseguida comprendimos que quien jugara en la costa podía asarse vivo. Cuando volvimos, redacté un informe en el cual hablaba del clima imposible en que jugaríamos. Matarrese habló con Andreotti, entonces presidente del Gobierno, quien le respondió:

—Nuestros emigrantes viven sobre todo en la costa este. Si vamos a jugar en la costa oeste, ya veo los titulares de los periódicos: «¡Una vez más Italia traiciona a sus emigrantes!».

Matarrese me lo contó; así pues, jugamos en la costa

este. La selección no podía traicionar a sus compatriotas: nos esperaba un verdadero infierno. Y enseguida comprendimos que no era solo una metáfora.

Luego ocurrió algo inesperado. A consecuencia de los escándalos y de las acciones judiciales que conmocionaron al país y que tomaron el nombre de «Manos Limpias», el 26 de enero de 1994 «saltó al campo» Silvio Berlusconi. A apenas dos meses del anuncio, al frente de Forza Italia, Berlusconi ganó las elecciones políticas del 27 y 28 de marzo. La expresión «saltar al campo» es bastante singular. Era una metáfora, más que bélica, futbolística: «entrar en el campo» implicaba una idea de lucha y de competición, pensando en los electores como en unos aficionados. La victoria política aplastante y su elección como presidente del Gobierno en tan poco tiempo fueron un verdadero trauma para las fuerzas políticas adversarias, para los políticos tradicionales. Supuso un verdadero terremoto político.

Yo había sido el entrenador que había llevado al Milan a la cima del mundo. A los ojos de la gente y de los políticos, era el hombre de Berlusconi y ahora dirigía la selección. Podía convertirme, para ciertos periódicos, en el blanco justo para golpear indirectamente al nuevo presidente del Gobierno. Todo esto creaba presiones sobre el ambiente y sobre mi trabajo: periódicos como *L'Unità* de Walter Veltroni e *Il Messaggero* de Giulio Anselmi habían animado a los enviados para que cargaran contra la selección.

Así pues, lo de Estados Unidos adquirió ciertos tintes políticos. El mismo Berlusconi contribuyó a ello, pues usó las victorias para sus fines electorales y de consenso. El 10 de mayo, poco antes de marcharnos al Mundial, asumió el cargo de presidente del Gobierno jurando ante el jefe del Estado, Oscar Luigi Scalfaro. La selección, como de costumbre, antes de la partida debía ir a ver al presidente del Gobierno para que nos deseara buena suerte.

Tres años después de las victorias con el Milan, representábamos unos papeles completamente diferentes. Cuando fui con la selección al palacio Chigi, bueno, aquello fue una gran fiesta. Cuando entrenaba al Milan, hablaba por teléfono con Berlusconi incluso dos o tres veces al día: para él, el Milan era una diversión, una distracción respecto de sus compromisos como empresario. También en su papel institucional me mostró todo su afecto. Me dijo:

—Arrigo, le espera una empresa difícil, ¡pero, si gana también esta vez, lo hago ministro de Deportes!

—Lo mío no es la política, no creo que diera la talla. Para mí es blanco o negro, y aquí me parece que domina el gris. La suya es una empresa dificilísima. Es más, casi imposible, en un país individualista que no tiene conciencia de Estado.

Nos despedimos. La aventura americana estaba a punto de arrancar. Llevaba conmigo a la mejor juventud futbolística capaz de plasmar en el terreno de juego mi idea de fútbol. Otro desafío frente a los ojos del mundo.

He olvidado escribir de mi vida privada porque prácticamente ya casi no existía desde que había decidido ser entrenador. Toda mi vida y mis energías estaban dedicadas al trabajo: al fútbol total.

12

El Mundial de Estados Unidos

> Lo que no te mata te hace más fuerte.
>
> GUSTAVE FLAUBERT

*E*ra un Mundial complicado por las características de mi equipo, cuyos puntos fuertes eran el ritmo, la velocidad, la continuidad de acción, la agresividad, la presión y los contragolpes. Solo un grupo de extraordinarios profesionales y hombres de valor, con un gran espíritu de equipo, capaces de ir más allá de sus propias fuerzas (en aquel Mundial todos sufrieron calambres) llegaría adonde llegó: al segundo puesto, batido solo en los penaltis por Brasil. Una verdadera hazaña. Por desgracia, nuestra mentalidad ganadora solo pensaba en la victoria.

Cuando desembarcamos en el aeropuerto de Nueva York, encontramos apenas a un centenar de aficionados muy ruidosos. No era el baño de multitudes que se podía esperar de los italianos que vivían en Estados Unidos. Comprendimos de inmediato que primero deberíamos conquistar a la afición.

Enseguida, aquel clima tan cálido y húmedo nos dejó claro que la clasificación sería una cosa difícil. El calor y el bochorno eran masacrantes. Costaba mucho recuperar las energías; los horarios de los entrenamientos eran imposibles. Comenzábamos a las siete de la mañana, porque, a aquella hora, el calor no era tan sofocante como a mediodía. Pero, eso sí, siempre estábamos a más de treinta grados.

El 18 de junio debutamos contra Irlanda. Al llegar con el autocar al Giants Stadium, nos llevamos la primera sorpresa.

—Pero yo solo veo banderas irlandesas —le dije a Antonello Valentini, de la Federación Italiana de Fútbol—. ¿Y los italianos?

—¡Estarán ya dentro del estadio! —me respondió él estupefacto.

Sabíamos que la venta anticipada de billetes había sido buena, que los italianos habían arrasado con las entradas. Cuando nos encontramos dentro del estadio cubierto solo por banderas verdes, blancas y anaranjadas, comprendimos que los italianos habían vendido los billetes a los irlandeses. Teníamos que ganarnos la confianza de nuestros seguidores. Pensé en las palabras de Andreotti y se me escapó una sonrisa amarga. Prácticamente jugábamos en casa de Irlanda.

No por culpa de la preparación, pero comenzamos jugando mal. Me equivoqué en la alineación, Signori y Roberto Baggio no eran complementarios, Tassotti empujaba poco en la banda, y al mismo Baggio parecía poderle la presión. Mi error fue apostar por los mejores, pero que no funcionaban bien como conjunto. Había traicionado mi credo, al mosaico le faltaban algunas teselas. No había «equipo», no había juego. Además, no estábamos en forma porque sentíamos la fatiga de los entrenamientos y el *shock* del clima cálido-húmedo, treinta y tres grados con el ochenta y cinco por ciento de humedad.

El técnico irlandés Jack Charlton alineó a Bonner, Irwin, Phelan, Keane, McGrath, Babb, Houghton, Sheridan, Coyne, Townsend y Staunton. Mi alineación era: Pagliuca entre los palos, Tassotti, Maldini, Albertini, Costacurta, Baresi, Donadoni, Dino Baggio, Signori, Roberto Baggio y Evani.

Cuando definí las tareas que hacer en el campo, Donadoni me dijo: «No sé si conseguiré hacer todo este trabajo». Ese es el momento en el que sabes que tal jugador no está al cien por cien y no debe saltar al campo. En efecto, en el segundo partido, cambié la alineación.

Arbitraba el holandés Van der Ende. Con aquel clima, era muy difícil cumplir con los objetivos: jugar rápido, agresivo, cubrir los espacios y contragolpear todos como un bloque compacto. En el minuto once del primer tiempo, un centro desde la derecha sorprendió a Baresi, que controló mal con la cabeza; por ahí se metió Houghton, que miró a Pagliuca, lo vio fuera de posición, en medio del área grande: una vaselina prodigiosa. 1-0 para Irlanda. El estadio, lleno de hinchas irlandeses, explotó de júbilo. Ya no conseguimos recuperar el juego, nos costaba mantener la posición. Muchos me criticaron porque Roberto Baggio debía retrasarse demasiado para tocar algún balón, tenía dificultades en los contragolpes y nunca fue peligroso delante de la portería.

El partido continuó. Primero un relámpago de Signori, que Bonner despejó con el puño; luego, lo recuerdo aún con estremecimiento, el disparo al travesaño de Irlanda. Keane salió regateando de la presión italiana y desde la izquierda lanzó hacia Sheridan. Un disparo seguro, seco. Solo el travesaño salvó a Pagliuca. Y una intervención milagrosa suya al final del segundo tiempo evitó la debacle del equipo.

La tensión, el clima, el gol encajado, todo parecía ir en nuestra contra. Aquello era una pesadilla. La desilusión en el rostro de mis muchachos era manifiesta. Cuando estreché la mano de Jack Charlton no conseguía sonreír, tampoco hablar. Temía haber comprometido el

Mundial desde el primer partido. En la *Gazzetta dello Sport* al día siguiente descollaba un gran titular: «Quiebra Italia. ¡Qué desastre, Sacchi!». Como de costumbre, no habían entendido nada. Mi gran error tenía que ver con el juego y el equipo; muchos periodistas, en cambio, criticaron a los jugadores.

La tarde anterior al segundo partido nos vimos obligados a respetar el compromiso de asistir en el Madison Square Garden a un concierto organizado por Renzo Arbore con cantantes estadounidenses e italianos, como Ray Charles y Lucio Dalla. El evento nos distrajo un poco, pero ya teníamos la cabeza en Noruega.

Cogí a Baresi aparte y le dije:

—Debéis mantener siempre el equipo corto.

Y él me respondió:

—¡Benarrivo no conoce los movimientos de la defensa como nosotros, que jugamos en el Milan!

Reaccionaba ante la más mínima imperfección y distracción de los jugadores. En el entrenamiento desencadené un montón de polémicas porque la tomé con Benarrivo, gritándole que, si continuaba entrenándose así, para él había terminado el Mundial. Nos filmaron con las cámaras y la polémica saltó a los periódicos. Me atacaron diciendo que los jugadores, en vez de jugar al fútbol, estaban paralizados, más preocupados por respetar la posición en el campo que por expresar el propio juego y mostrar su talento.

Los muchachos temían haber comprometido el Mundial. Hacía casi veinte años que entrenaba, y mis equipos, desde los aficionados a los juveniles, desde la tercera a la segunda y al Milan, siempre habían asombrado por la calidad y la belleza de su juego. Y aún iban diciendo que ese juego paraliza al jugador, cuando, en cambio, como ya he dicho en otras ocasiones, lo ayuda.

Después del primer partido, el *Corriere dello Sport*, en un artículo firmado por su director, Italo Cucci, escribió que nos habíamos equivocado de competición: tendríamos que haber participado en los Gay Games, en el Mundial de los Homosexuales, que se estaba celebrando en aquellos días en Nueva York.

Después de Irlanda, recuerdo bien aquellos cinco días de pasión. Mi tensión estaba al máximo. De noche, la temperatura no bajaba nunca de los treinta grados y debíamos dormir con el aire acondicionado, lo cual no era lo mejor.

Me sentía solo, quizá nunca me había sentido así en un entorno con tantos amigos y personas de confianza. Estaba preocupado, gritaba contra los muchachos, la tomaba con ellos si no trabajaban bien, pero los alentaba e intentaba transmitirles seguridad. Pero debía crear el equipo, en aquellos cinco días debía forjarlo y darle un carácter, sacando lo mejor de ellos. No podían salir así del Mundial. Invitaba a Baresi a mantener el equipo corto; Benarrivo no se movía con ellos y podía crear problemas en la defensa, y así ocurrió en el partido. Necesitaba mantenerlos en línea. Mis gritos y mis reproches no eran gratuitos. La tensión se sentía en el aire, en los entrenamientos, durante las pausas. «Hagamos cuernitos», tituló *La Gazzetta dello Sport* el 23 de junio, y subrayó el miedo que había entre los jugadores de volver a perder. Hicieron un fotomontaje y me pusieron en la cabeza un par de cuernos y un yelmo noruego. Y más abajo una leyenda rezaba; «Arrigo, nuestro vikingo». La imagen con los cuernos en la cabeza era bastante ambigua. De todos modos, teníamos que ganar fuera como fuera. Debía hacer entender a los muchachos que aún todo estaba en juego. No era la última playa, como decían los periodistas.

Alineé a Pagliuca, Benarrivo, Maldini, Albertini, Costacurta, Baresi, Berti, Dino Baggio, Signori, con Casiraghi y Roberto Baggio en la punta.

Habitualmente quien pierde el primer partido sale del Mundial, lo sabía por experiencia, pero aquí nos ayudó la fuerza de una nación entera. Parece extraño, pero es así. Durante el Mundial, toda la atención del país estaba concentrada en el torneo; durante la Eurocopa no había sido así. Son cosas que sientes en el campo. Por el Mundial estábamos dispuestos a vender la piel y el alma, lo dimos todo. Antes de salir al campo reafirmé lo que había sostenido en aquellos cinco días. La estrategia de juego era esta: «Debemos ser un equipo, debemos estar siempre conectados y colocados cerca: si la defensa no sube, si los atacantes no vuelven, si no sabemos estrecharnos, empeoramos las soluciones técnicas, la autoestima y la conexión».

Contra Noruega salimos decididos a ganar. Un disparo centrado de Roberto Baggio nada más empezar hizo ver que el equipo iba a por todas. Berti, con un cabezazo, rozó el palo. La cita con el gol parecía muy cerca cuando, una vez más, el partido se torció. La defensa no estaba en línea. Benarrivo tardó en adelantarse y Leonhardsen perforó la defensa en posición legal; se presentó solo delante de Pagliuca, que corrió rápido deslizándose fuera del área y rechazando el balón con la mano mientras caía al suelo. El árbitro alemán Krug lo expulsó.

Jugaríamos con diez desde el minuto veintiuno del primer tiempo. En aquel momento debía tomar una decisión, deprisa, inmediata, la más correcta desde el punto de vista táctico, la más impopular en aquel momento, la más desatinada, la que provocaría un escándalo. Debíamos jugar casi setenta minutos con diez contra once con treinta y ocho grados, bajo un sol sofocante, y ganar el partido. Pero las ideas siempre las he tenido claras. Mi decisión de mandar al banquillo a Roberto Baggio no fue algo improvisado. Debía sacrificar a un jugador.

Cuando cambié a Roberto, todos se asombraron. Él se quedó muy mal. «¿Yo?», dijo, luego se giró sobre sí mismo, mirando a su alrededor, incrédulo, buscando la confirmación en los ojos de sus compañeros. Aquella imagen dio la vuelta al mundo. Baggio estaba como perdido. Con el dedo se tocó la sien como para decir: «¡Está loco!». Mientras caminaba hacia el banquillo, continuaba tocándose la camiseta para esconder la incredulidad y la ira.

Roberto Baggio no estaba pasando un momento particularmente brillante. Sentía el peso del Mundial. Había hecho una gran temporada en el campeonato, había sido muy bueno y decisivo en la vuelta de clasificación. Todos esperaban mucho de él, el entorno, los compañeros y la afición. El año anterior al Mundial había ganado el Balón de Oro; en 1994 había quedado segundo por detrás de Stoichkov. Era uno de los mejores jugadores del mundo. Y yo decidí sacrificarlo a él. «No es posible», pensaron todos.

Sin embargo, no estaba loco. ¿Por qué a él y no a otro? Por una sencilla razón puramente técnica. Necesitaba gente que corriera mucho y un atacante que «alargara» al equipo adversario, que jugara al espacio, sin pelota. Me hacía falta alguien que ocupara el espacio en profundidad para que alejase la línea de defensa adversaria de sus centrocampistas. Precisaba un atacante que partiera abriendo brechas en su sistema defensivo y distanciando a los defensores, para poder colocar a uno de nuestros jugadores entre líneas.

Cuando Roberto se llevó el dedo a la sien, pensé que millones de aficionados no tendrían dudas de que yo estaba loco. Pizzul, el cronista televisivo, no se lo podía creer. Ancelotti, a mi lado en el banquillo, me miró y al final del partido me dijo:

—Los setenta mil italianos que estaban en el estadio han cargado el rifle, pero había otros sesenta millones que te esperaban en casa.

Quienes se quedaron en el campo hicieron un gran partido. Pusieron todo el empeño posible. Nunca me había sucedido que durante un encuentro dos o tres jugadores me pidieran salir y ser sustituidos por el calor, los calambres y la fatiga. Treinta y ocho grados. Noventa por ciento de humedad. Pero no había terminado. Para quienes lo recuerdan, aquel partido estuvo como embrujado. Al principio del segundo tiempo, Franco Baresi se rompió el menisco. Sentado sobre el césped, se sujetaba la rodilla. Yo me incliné hacia él. Tenía en el rostro una máscara de dolor y resignación, una expresión desconcertada, como diciendo: «¿Por qué a mí? ¿Por qué precisamente ahora?». Apretaba los dientes. Lo sacamos fuera, tratando de animarlo. Perdimos así al líder de la defensa y de todo el equipo. Y lo perdíamos para todo el torneo. En su lugar introduje a Apolloni; Costacurta ocupó la posición de Baresi.

Sin embargo, a pesar de todos los inconvenientes, parecía que el equipo se volvía compacto y se agrupaba. No queríamos claudicar ante los acontecimientos. Dentro de nosotros estaba naciendo una energía nueva para combatir en el campo contra aquellas adversidades. Berti empujaba como un loco, peleando por cada pelota. Albertini parecía otro jugador respecto del primer partido. Signori hizo un doble trabajo formidable. Lo dimos todo, con la fuerza de la desesperación.

Ya había hecho mis sustituciones cuando, al principio del segundo tiempo, nos sobrevino otra desgracia: Maldini se torció el tobillo. Al no poder hacer más cambios, lo mandé a la posición de extremo zurdo, el sitio donde se pone al cojo cuando es necesario. Por su parte,

Marchegiani, que sustituyó a Pagliuca en la portería, tuvo una gran actuación.

Las iniciativas más eficaces vinieron de Signori, desde la banda izquierda. No por casualidad la acción del empate se originó de una falta cometida precisamente contra el jugador del Lazio. En el minuto sesenta y nueve, Dino Baggio fusiló de cabeza tras rematar una falta lanzada por Signori. Lo habíamos preparado en el entrenamiento, porque el fútbol ofensivo requiere una preparación táctico-física particular. El trabajo comenzaba a dar sus frutos incluso con nueve, sin Baresi, retirado con el menisco para operar, y con Maldini lesionado.

—Nos quedamos en el campo con los dientes, con las uñas, con todas las fuerzas que teníamos —confesó una vez Albertini hablando de aquel partido.

La victoria contra Noruega cambió por completo la marcha de nuestro mundial. La afición finalmente quería ver a Italia, los habíamos conquistado con nuestra organización de equipo, con el corazón, con nuestra voluntad, con nuestra garra, con el valor de sufrir y no aflojar nunca. Habíamos transmitido toda esta energía al público que nos miraba en el estadio y desde casa. Al final había hecho bien al sustituir a Roberto Baggio. Al día siguiente, lo cogí aparte.

Lo primero que me dijo fue:

—Pero ¿usted habría sustituido a Maradona?

—Mira —le respondí—, por su propio bien y el del equipo, lo habría sustituido. Y lo he hecho a menudo con Van Basten y también con Gullit.

Antes del partido decisivo contra Portugal, Roberto Baggio me escribió una carta afectuosa y llena de reconocimiento; había entendido que no era «su» entrenador, sino el de la selección italiana. Y espero que comprendiera que aquella sustitución había ayudado tanto al equipo como a él.

¿Y si hubiéramos perdido? Aún hoy me lo siguen preguntando. Nunca lo sabremos, pero esa vez ganamos nosotros. Y la afición estaba de acuerdo con mis decisiones. La habíamos conquistado.

28 de junio. Último partido de clasificación contra México. Aún no habíamos logrado el pase a los octavos. Era el partido decisivo. O dentro o fuera.

Hacía calor, demasiado calor. Jugamos en Washington, con el arbitraje del argentino Lamolina. Debíamos y podíamos ganar. Nuestra determinación quedó clara desde el primer minuto de juego. El equipo comenzó a moverse como un bloque. Casiraghi y Signori hicieron que los defensas contrarios tuvieran que dar lo mejor de sí; un par de incursiones suyas pusieron en guardia al portero. El gol se veía venir. Albertini lanzó balones maravillosos hacia la portería adversaria. También Roberto Baggio tuvo sus ocasiones. En el descanso decidí cambiar de punta: Massaro por Casiraghi. Tras un pase de Albertini, milimétrico, desde el centro del campo, Massaro, recién entrado, blocó perfectamente con el pecho y marcó un gol fantástico. Las cosas estaban yendo bien, pero llegó el castigo. México empató en el minuto doce de la reanudación. Apolloni se apoyó en el centro y se equivocó. Pillaron a Maldini a contrapié. Signori falló en el choque sobre Bernal. Este, desde el borde del área, tuvo el tiempo necesario para controlar la pelota y con un disparo cruzado a ras de suelo colocar el balón en el ángulo derecho.

Debíamos ganar, un empate no nos bastaba. Aún tendríamos ocasiones gracias a las combinaciones entre Massaro y Roberto Baggio, como en el minuto veintitrés de la reanudación. Roberto regateó también al portero en su salida, resistió, y en vez de caer concluyó la acción con un centro que se paseó por el área pequeña.

Acabó en nada. Un minuto después, Massaro puso una excelente pelota a Berti, que se demoró, se dio la vuelta, volvió atrás y se la pasó a Roberto Baggio; Campos, el portero mexicano, pudo rechazar el esférico. Una perfecta acción de Dino Baggio para Signori y otra vez para Dino Baggio se cerró con una intervención de Ramírez Perales, que le derribó en el área. Me levanté del banquillo como un resorte. Era penalti clarísimo, pero Lamolina no lo pitó. Sin embargo, el árbitro estaba cerca. Grité, me enfadé. El juez de línea permaneció indiferente. Más combustible para las polémicas que rodeaban el arbitraje del Mundial.

Nuestra esperanza pendía de un hilo. Por suerte, Rusia perdió su partido y nosotros pasamos la ronda como última mejor tercera. Una señal del destino. En aquel Mundial íbamos a sufrir hasta el último minuto. Debíamos clavar las uñas en la hierba e impedir que se llevaran nuestro sueño y el de todos los italianos. La afición lo entendió. Estaba con nosotros.

En la conferencia de prensa me sentía un poco más aliviado. «¡En estos tres partidos, aun jugando con equipos muy fuertes, Italia nunca ha hecho un mal papel y ha debido sobreponerse también a cierta dosis de mala suerte!», dije. Habíamos alcanzado nuestro primer objetivo: pasar la fase de grupos. Pero para ello nos habíamos tenido que esforzar al máximo.

Después del partido contra México, Roberto Baggio exteriorizó directamente conmigo y con Ancelotti sus dudas, lamentándose de que los otros no lo ayudaban. Se quejaba, asimismo, del juego. Entonces organicé una reunión con todo el equipo y mostré cómo nos habíamos clasificado para el Mundial. Roberto Baggio había sido un gran protagonista. Pero ahora no conseguía desbloquearse, salir de su atolladero psicológico.

—Yo también puedo cambiar, si consideráis que el

problema es este. Que levante la mano quien piense que el problema es solo este —afirmé.

Y únicamente Baggio alzó la mano.

Las adversidades cayeron sobre nosotros como una granizada. Nos esperaba Nigeria, con sus «leones de África». La cita sería el 5 de julio. Jamás pude imaginar que aquel encuentro se convertiría en uno de los partidos más increíbles y memorables de nuestra selección.

Partíamos en desventaja. *La Gazzetta dello Sport* no fue demasiado amable con nosotros: «Tú, pequeña Italia. Yo, grande Nigeria», tituló. «Jugamos contra los "tarzanes negros". ¡Italia tiene un miedo negro!» Más que el miedo a los adversarios, debíamos temer a nuestros despistes, nuestros miedos, nuestras incertidumbres, escribían.

Nigeria, en abril de 1994, algunos meses antes del Mundial, había ganado la Copa de África. Alguna vez le había confesado a Matarrese que el equipo más temible para nosotros era precisamente Nigeria. «Esperemos no encontrarnos con estos tipos.» Eran altos, todos dotados de un gran físico, potentes, veloces.

Contra Nigeria jugamos a la una de la tarde. El Foxboro Stadium de Boston era un verdadero infierno. Llegamos en autocar una hora antes del partido: había tanta neblina por el calor y la humedad que no vimos el estadio hasta que estuvimos a pocos centenares de metros.

Antes del partido ocurrió algo que sacudió a la organización. El exárbitro Casarin, presidente de la comisión arbitral del Mundial, que tenía el encargo de designar a los jueces del torneo, discrepó del entonces presidente de la FIFA, Havelange. Nuestros árbitros, al más mínimo fallo, eran devueltos a casa; mientras que los otros, más por razones políticas que por su pericia en el campo, seguían. En efecto, el árbitro designado para Italia-Nigeria era Arturo Brizio Carter, mexicano. Havelange había sido elegido gracias a los votos de África. Había gente que se temía lo peor.

La tensión antes del partido iba a más. El miedo de que algo pudiera moverse entre bastidores, no fue solo una sensación. Lo entendimos de inmediato: desde el inicio del partido, el árbitro Brizio Carter, ante la más mínima duda, pitaba siempre a favor de los nigerianos.

Había alineado a Marchegiani, Mussi, Benarrivo, Albertini, Maldini, Costacurta, Berti, Donadoni, Massaro, R. Baggio y Signori. Para ganar hacía falta «clase y corazón», tal como tituló *La Gazzetta dello Sport*.

Jugábamos teniendo la pelota, haciendo partir la acción de la defensa, con Albertini y Donadoni en el centro y con una zona de presión asfixiante en ataque, con Roberto Baggio, Massaro y Signori, que pinchaban y hacían sentir su presencia al borde del área.

Dominamos el primer tiempo con diversas ocasiones, pero, tras un saque de esquina, en el minuto veintiséis, por un error banal de Maldini, los nigerianos marcaron el 1-0, gol de Amunike. De nuevo por debajo en el marcador. El árbitro no pitó un penalti sobre Baggio. Creamos algunas ocasiones, pero no conseguimos empatar. Remábamos con el viento en contra.

Al principio de la reanudación, Dino Baggio rozó el gol. Los nigerianos jugaban duro, sin contemplaciones. Entonces, sustituí a Signori por Zola, en el minuto dieciocho del segundo tiempo. El compromiso era máximo por parte de todos. Luego ocurrió un hecho increíble. Tras una acción de Zola, que acababa de entrar, el árbitro le sacó la tarjeta roja. Zola se desesperó. Y la misma impotencia sentíamos en las acciones defensivas: no pitaban ni uno de los muchos fueras de juego en los que incurrían los nigerianos. No quedaba otro remedio que aceptar que jugábamos también contra el árbitro.

La situación de inferioridad numérica, como contra Noruega, se repitió con el mismo dramatismo. Mussi debió hacer de extremo por un problema en la pierna. Roberto Baggio tenía mal la rodilla, pero tampoco para él había sustitución posible, porque ya había efectuado los dos cambios. También lo eché sobre la banda.

En aquel momento de inferioridad numérica, Nigeria nos ayudó. Salieron a flote todos los problemas del fútbol africano: individual, físico, con buena técnica, pero nada de juego de equipo. Nosotros, aún en inferioridad numérica, estábamos más cohesionados; éramos siempre siete-ocho contra uno porque los africanos hacían un juego individual. Le quitamos la pelota a Okocha y con una serie de pases pusimos a Roberto Baggio delante del portero.

La autoestima y el aspecto psicológico son muy importantes en el fútbol. Baggio no conseguía desbloquearse. En los entrenamientos, les sugería a los defensores que se dejaran regatear, porque él ya no lograba irse de nadie. Sentía el peso del Mundial, del Balón de Oro, de la responsabilidad que recaía sobre sus espaldas. Cuando marcó ese gol, su manera de jugar cambió, se hizo más segura. Y él se sintió fuerte, dueño del campo.

Antes, a un cuarto de hora del final, Baggio se había quejado de un dolor en la rodilla. Ya habíamos hecho todas las sustituciones, Mussi estaba medio lesionado y el equipo, con un expulsado, estaba en situación bastante complicada. Y Baggio pedía salir. En verdad, «quería» salir. Pero, marcado el gol, se olvidó también del dolor.

Luego ocurrió algo muy extraño, que no me había ocurrido en la vida ni me volvería a ocurrir. Delante del banquillo, de pie, tuve como una visión: un instante antes del gol, me vi subiendo a un avión hacia un destino desconocido.

Faltaban un par de minutos para el final del partido. Ya parecía todo perdido: entonces Roberto Baggio marcó un gol de precisión. Qué liberación para todos. Los compañeros le habían servido la pelota a ocho-diez metros de la portería y él había marcado. Es la demostración de que el juego permite que el individuo muestre todo su talento. Los superficiales recuerdan solo los goles y quien ha marcado, no los cinco o seis pases anteriores, la construcción de la acción, la participación del equipo en la maniobra. En la práctica, gracias a nuestro juego, estábamos en superioridad numérica. Cuando marcamos, tocamos el balón desde la defensa. El equipo había creído en nuestro juego hasta el último segundo. Y nuestra fe se vio recompensada. Construimos acciones a pesar de nuestra inferioridad numérica, sin despejar lejos la pelota por si la pillaba allí arriba uno de los nuestros.

Fuimos al tiempo suplementario. La tensión y el cansancio se hicieron sentir. Solo hubo un par de ocasiones por nuestra parte. Y eso que jugábamos con diez. Estábamos exhaustos. El calor, el bochorno, la fatiga. Apretamos los dientes. Los nigerianos se habían deshilachado. Roberto Baggio, tras una triangulación, inventó un globo para Benarrivo en el área, que acabó derribado por Finidi. Penalti, a pocos minutos del final. Al punto de penalti fue Roberto, que parecía haberse liberado después de su decisivo gol. El penalti selló nuestra victoria y el pase a cuartos.

Habíamos ganado un partido imposible. A los jugadores del Milan, después de Belgrado y la dramática y difícil eliminatoria contra el Estrella Roja, que se había suspendido por la niebla, con Donadoni que había corrido el riesgo de morir ahogado por la rotura de la mandíbula, Costacurta les dijo: «Aquí, en el Mundial, son todos Belgrado». *La Gazzetta dello Sport* tituló: «Heroica con diez, bate al árbitro y a Nigeria: 2-1. Es una Italia todo corazón».

Para una parte de los periodistas que nos habían masacrado nos habíamos convertido en héroes, también por la actitud manifiestamente hostil del árbitro.

«Nada de suerte —afirmé en la conferencia de prensa—. Son el trabajo, el juego y la organización los que nos han permitido ganar incluso con nueve.»

En efecto, los nigerianos, a pesar de la superioridad numérica, jugaban individualmente, regateando. Así pues, en la práctica, eran siempre uno contra nueve. Nosotros, en cambio, habíamos creído hasta el último minuto en el equipo, no habíamos aflojado nunca y habíamos recuperado a Roberto Baggio, con su energía, su talento y sus ganas de hacer. Habíamos conquistado a los italianos.

Recuerdo que el ingeniero Alberto Valenti, un amigo mío de Fusignano, un verdadero personaje del pueblo, muy comprometido en política, no aguantaba ver un partido del Mundial por televisión. También a él le podían el estrés y la ansiedad. Entonces cogía el coche y se iba lejos de todo y de todos, recorría los valles de Comacchio, lejos de los centros habitados, pues no quería oír las televisiones que atronaban desde cualquier casa con la retransmisión del partido. Durante el Italia-Nigeria, Valenti no había oído ningún estruendo, ni siquiera lejano. Así pues, volvía amargado hacia Fusignano, convencido de que Italia estaba fuera del Mundial, cuando en el último minuto Baggio marcó el gol del empate: su ansiedad quedó en nada.

En los cuartos nos enfrentamos a España, que había

ganado contra Suiza por 3-0. En Boston por suerte no hacía sol; una capa de niebla se cernió sobre el estadio; eso sí, la humedad era tal que sudabas aun estando quieto.

Pagliuca volvió entre los palos con ganas de reivindicarse. El equipo jugó bien, un buen fútbol de ataque. Estábamos agotadísimos, pero una feroz determinación nos hacía correr en aquel clima imposible. Un gran gol de Dino Baggio nos puso en ventaja. Era una Italia bella, finalmente veía el equipo que había soñado para aquel Mundial.

Una acción sobre la izquierda y un centro llevaron en el minuto cincuenta y uno a Caminero al gol del empate: el balón tocó ligeramente en Benarrivo y Pagliuca. Autogol. Fue otro partido difícil, pero equilibrado. Salinas se encontró delante de Pagliuca, chutó, seco, pensando que había marcado gol, pero Pagliuca rechazó el disparo con la pierna. Luego, a dos minutos del final, la pelota llegó a Berti, que pasó a Signori, que alargó a Roberto Baggio: solo delante de Zubizarreta, lo regateó y desde una posición muy difícil marcó el 2-1 que nos llevó a las semifinales.

Fue una gran satisfacción, un momento de alegría extraordinaria. En Italia, entre tanto, la gente salía a las plazas para celebrarlo. Se había generado un gran entusiasmo alrededor del equipo. Parecía que se revivieran las noches mágicas de España 1982, cuando la gente abarrotaba las calles para festejar el éxito. Psicológicamente estábamos muy animados, pero físicamente no podíamos más.

En la semifinal pensábamos que encontraríamos a una enemiga histórica como Alemania. En cambio, pasó Bulgaria, el equipo revelación de aquel campeonato.

En el Giants Stadium, con forma de bombonera, no corría un soplo de aire. La temperatura era altísima, era como estar en un horno; la humedad rozaba el cien por cien. Físicamente, estábamos en las últimas.

Italia contra Bulgaria, o sea, Roberto Baggio contra Stoichkov. Nosotros jugamos un gran primer tiempo. Baggio marcó dos goles importantísimos en los minutos veintiuno y veinticinco. En cuatro minutos truncó antes de nacer, cabe decirlo, las veleidades de Bulgaria, que cayó de rodillas por un uno-dos letal.

Durante el descanso, los jugadores metieron los pies, con zapatillas y todo, en palanganas con hielo para refrescarse un poco, mientras los masajistas frotaban hielo sobre su espalda.

Albertini golpeó un palo con un tiro formidable y de él llegó la asistencia para el segundo gol de Baggio. Roberto, de aquel modo, había hecho suyo el Mundial americano. Era la estrella. Cinco goles en tres partidos. Fue el partido más hermoso del Mundial. Luego Baggio se lesionó a un paso de la final y salió llorando, no solo por el dolor. Lo abracé con afecto a la salida del campo. Habíamos alcanzado un sueño junto con toda una nación. Estábamos en la final.

Ganamos el partido, pero cometimos un error. Hasta entonces, médicos, masajistas y preparadores habían trabajado extraordinariamente. Habíamos construido un buen grupo de amigos, unidos, listos para dar el todo por el todo. La final se jugaría a ocho-nueve horas de viaje, en la otra punta del país. En vez de partir de inmediato después del encuentro, nos paramos a celebrarlo. Así en el viaje perdimos un día y no conseguimos entrenarnos adecuadamente. Los masajistas, después de un mes con aquellas temperaturas, con aquel calor y humedad, me informaron de que ya no encontraban los músculos de los jugadores. El sábado hicimos solo un ligero entrenamiento antes de la final del domingo.

Recuperamos a Baresi, que veinte días antes se había operado del menisco. Un milagro. Capello, que entrenaba al Milan, quería que volviera a Italia para hacerse operar. Le dije:

—Franco, tienes una probabilidad entre cien, necesitas recuperarte, pero si te recuperas y llegamos a la final, estarás ahí tú también. Si te marchas, lamentaremos que nos abandones.

Se quedó.

Era feliz. Habíamos llegado a la final y él se había recuperado. Podía jugar. Fue una ocasión maravillosa para el campeón que ha sido. Había formado parte del grupo con su sola presencia, con sus ganas de recuperarse contra las adversidades. Era un hombre de gran temperamento, de gran carácter, el primero en demostrar que no aflojaba.

El sábado decidí el equipo. La duda era: ¿Baresi juega o no? Él les dijo a los médicos que lo conseguiría. «Si usted considera que puedo hacerlo bien, déjeme jugar», me dijo, y al final lo puse en el campo. Me fie del jugador y del hombre.

En cuanto a Baggio, aplazamos la decisión al domingo por la mañana. Pincolini, los médicos y yo estábamos de acuerdo. Él confirmó que podía jugar. Y jugó.

«¿Por qué lo has hecho salir al campo? —me preguntaron luego los periodistas—. ¿Cuestiones de patrocinadores?»

En mi vida he tenido nada que ver con un patrocinador, ni con cuestiones de enchufes. Solo una vez recibí una llamada telefónica de un ministro. Era por la mañana. Y yo a esa hora normalmente estoy durmiendo. «¿Y dónde juega?», pregunté refiriéndome al nombre que me habían dado. «¡No es un jugador!», me respondió el ministro. «¿Y entonces quién es?», pregunté.

Me recomendaba a cierta persona para hacer de utillero.

Esa fue la única recomendación que recibí en mi vida. Y en la selección no había manera de que un patrocinador me llamara y me dijera que hiciera jugar a uno u otro.

Antes del partido inaugural contra Irlanda, había recibido una llamada desde Italia. Era Oscar Luigi Scalfaro, el presidente de la República, que me deseaba buena suerte; como se sabe, en el mundo del fútbol eso trae desgracia. Perdimos el partido.

Así pues, rogué en la recepción del hotel que nos alojaba que no me pasaran llamadas de Italia. Ni siquiera una. A mi manera, soy supersticioso. Entre Roma y Los Ángeles hay una diferencia de nueve horas. A las cuatro de la mañana estaba finalmente durmiendo, cuando una muchacha de Bolonia, que no sabía ni siquiera quién era y cómo había encontrado el nombre del hotel, me deseó buena suerte: «¿Cómo ha conseguido localizarme?», pregunté. Colgó el auricular.

Poco después sonó de nuevo el teléfono. «Le paso con el presidente de la República italiana.» Fui amable, aunque no escondo que hice más de un conjuro.

Por la mañana, probé a Baggio para ver si podía jugar.

La final con Brasil era muy esperada. Como la de 1970. Habían llegado todos, directivos, presidentes y políticos de cada partido. Todos listos para subirse al carro.

Durante la final, los muchachos tuvieron un comportamiento táctico impecable. En la fase defensiva jugamos muy bien, pero en ataque hicimos un partido mediocre por culpa del cansancio. Donadoni no se rindió nunca. Era un bergamasco fenomenal y un profesional ejemplar, al que durante toda nuestra carrera juntos jamás he reprendido.

Tras la prórroga, el partido acabó 0-0. Fue una final equilibrada. Quizá nos faltó un poco de lucidez, estábamos agotados. Nos jugamos la copa y el cuarto título mundial en la lotería de los penaltis.

Baggio no se sintió con ánimos de ser el primero. Pregunté a los demás quién quería chutar. Todos hicieron mutis por el foro. Nadie quería asumir la responsabilidad.

Baresi fue el primero, falló, tiró alto. Evani, un especialista, marcó gol. Massaro se dejó parar el disparo por Taffarel. No obstante, todos recuerdan el último penalti de Roberto Baggio, que lanzó el balón por encima del travesaño.

Habíamos perdido la final del Mundial. Éramos subcampeones del mundo. Hubo una cosa que me hizo mucho daño. Un italiano, mientras salíamos del campo, desde atrás de la red, me mandó al diablo. Le pregunté: «¿Por qué? ¿Solo porque quedamos segundos?». Había ganado Brasil porque en aquel torneo era el mejor equipo y porque eran más fuertes que nosotros. Habíamos jugado y luchado cada partido hasta la desesperación, incluso contra los árbitros; a veces tuvimos rachas de buen fútbol, por otra parte imposible a esas temperaturas. En el juego no habíamos sido inferiores a nadie, salvo a Brasil.

En vez de aplaudir deportivamente por lo que habíamos hecho y por lo que habíamos trabajado en aquellos cuatro años, un italiano me había mandado al diablo. Solo por no haber ganado la final ya se había olvidado de todo el torneo, de las clasificaciones, de los partidos bonitos, de las emociones y de la lucha. Todo enterrado rápidamente por una final que perdimos en los penaltis. También esto dice mucho sobre la cultura del deporte en Italia.

En la partida, en el avión, había hablado con todos los jugadores, con Albertini en particular. Ninguno había pensado seriamente en la posibilidad de llegar a la final: llegar a los cuartos se consideraba un buen resultado. Para los más optimistas, como máximo habría sido pasar a semifinales. Y, en cambio, habíamos tenido el honor de jugar la final de un Mundial contra Brasil. Al término del partido les dije, para aliviar la amargura de la derrota: «Pero ¿cómo, lloráis cuando ni soñabais llegar a cuartos?».

La prensa me había atacado durante todo el torneo, con cualquier pretexto. Era considerado el hombre de Berlusconi, jefe del Gobierno, quien, como gran comunicador, aprovechaba nuestras victorias para lanzar sus mítines políticos. Un amigo periodista, que escribía de fútbol para *L'Unità* de Walter Veltroni, me confesó que había recibido también esta vez la sugerencia de disparar contra la selección, como fuera. Lo mismo debían hacer los periodistas del *Messaggero* y de los telediarios. Era una situación que escapaba de lo deportivo y se basaba en asuntos políticos. Así, el periodismo deportivo (y no solo este) se dividió entre los favorables a Sacchi y los contrarios. Una vez más, había dividido a Italia.

En Estados Unidos, los periodistas tenían un problema: cuando en ultramar era mediodía, en Italia eran las seis de la tarde. Para mandar a tiempo sus artículos, debían escribir durante los partidos. Del episodio que sigue hay testigos. Cuando, a un minuto del final, estábamos perdiendo con Nigeria, una parte de los periodistas habían escrito artículos en los que nos masacraban. Nos llamaban de todo. Nos habían definido como el peor equipo del torneo. Estaban a punto de enviar sus textos cuando, a dos minutos del final, empatamos; luego ganamos en el tiempo suplementario. Muchos rompieron el artículo y lo reescribieron, cambiando completamente su tono, porque en Italia se juzga un partido solo por el resultado. Aquella vez dije en la conferencia de prensa que había «comerciantes de palabras», pues, si hubieran sido coherentes, deberían haber enviado la primera redacción de sus artículos. Así pues, yo también eché gasolina al fuego de las polémicas.

Cuando llegamos a Fiumicino, al final del Mundial, encontramos a un periodista que había llevado una bolsa de tomates para que los hinchas nos los tirasen. Nadie del público lo hizo. En 1970, de vuelta de México, la selección italiana, derrotada por el mejor equipo de todos los tiempos, el Brasil de Pelé, fue recibida a tomatazos en el aeropuerto. Después de veinticuatro años, podíamos decir que los hinchas italianos habían mejorado lo suyo: nadie tuvo el valor de lanzar ni una hortaliza contra nosotros.

El *Corriere dello Sport-Stadio* escribió tres páginas sobre los errores que, según ellos, había cometido. Habíamos llegado a arrebatos y a excesos debidos a alineaciones que se daban de bofetadas entre sí. También la prensa estaba dividida en dos.

Una vez, en un restaurante, me encontré con Gianni Brera, junto a una veintena de periodistas. A menudo, a su entrada en San Siro, los hinchas milanistas silbaban a Brera. Yo entrenaba al Milan desde hacía ya dos años. Vinieron a mi mesa y me preguntaron quién de los nuestros marcaría a Maradona.

—Haced una lista de nombres y luego vemos.

Me trajeron el elenco.

—¡Todos correctos, todos tenéis razón!

—Pero ¿cómo?

—¿Quién marcará a Maradona? Despende en qué zona se encuentre.

Mi mujer, Giovanna, se escandalizó por la pregunta.

«Pero ¿tú no juegas en zona?», me preguntó. Y pensar que ella entonces había asistido, más o menos, a uno o dos partidos, uno cuando entrenaba al Parma y otro con ocasión de un derbi Milan-Inter. Ni siquiera miraba los partidos por televisión.

En cualquier otro país, quedar segundos de un Mundial se hubiera considerado un enorme éxito deportivo. «¡Ah, qué disgusto haber quedado segundos!», todavía me dicen hoy en día.

En Italia se convirtió en una especie de condena. Mi cultura deportiva me permite apreciar el segundo puesto, especialmente cuando se ha dado todo. Ahora, después de los dos últimos Mundiales, los de 2010 y 2014, quizás alguien piense que un segundo puesto, tras perder además en los penaltis, no está tan mal.

13

El campeonato de Europa

Solo los cretinos tienen certezas.

GEORGE BERNARD SHAW

*L*a fase final de la Eurocopa de 1996 se iba a jugar en Inglaterra. Su eslogan fue «El fútbol vuelve a casa». Los ingleses reivindicaban que ellos habían inventado este bendito juego.

Por primera vez accedían a la fase final nada menos que dieciséis equipos.

Nos habíamos preparado de la mejor manera posible. En la fase de grupos había cambiado algunos jugadores, siempre buscando lo mejor para el grupo. Había renovado algunas piezas importantes en los amistosos. Asimismo, había probado a algunos jóvenes talentos.

En los dos años que pasaron entre la final del Mundial y la fase final de la Eurocopa, nos encontramos jugando en una geografía completamente modificada no solo por la caída del Muro de Berlín, sino también por la guerra en Bosnia y el resquebrajamiento de la Unión Soviética. En la fase de clasificación que nos llevaría de Los Ángeles a Liverpool nos encontrábamos jugando contra las selecciones de Ucrania, Lituania, Estonia, Eslovenia y Croacia, esta última apenas salida de una devastadora guerra fratricida y en fase de reconstrucción.

El primer partido fue un empate a uno contra Eslovenia, en Maribor. En aquella ocasión hice debutar a Panucci. Luego ganamos contra Estonia 2-0, mientras que sufrimos, en Palermo, en noviembre de 1994, la primera verdadera derrota a manos de Croacia, 1-2 con doblete de Šuker y gol de Dino Baggio a un minuto del final. Con Croacia, en el partido de vuelta, al año siguiente, empatamos 1-1, con goles de Šuker y Albertini. Ambas teníamos después de aquel partido veintitrés puntos.

Nos clasificamos con los croatas; ellos fueron primeros de grupo por la diferencia de goles y por el partido que nos ganaron en nuestro campo. Aquella época fue de constantes altibajos: debíamos digerir la fatiga del Mundial estadounidense y encontrar nuevas energías para la clasificación en Inglaterra. Sin embargo, ahora el equipo jugaba un fútbol fluido y había aprendido los movimientos.

Una vez clasificados, cometí uno de mis numerosos errores. No el primero y, desde luego, tampoco el último. Para la Eurocopa, nos preparamos con amistosos fáciles, también para que las críticas no nos distrajeran demasiado. Me equivoqué: el equipo necesitaba enfrentarse a grandes selecciones, equipos maduros, para luego durante el torneo, afrontarlos con mayor seguridad.

Además, tuvimos otro inconveniente. Antes de acudir a Inglaterra, perdimos a dos jugadores importantes: Ciro Ferrara, en un amistoso en Bélgica con la selección, y Antonio Conte, que se había hecho daño en la final de la Copa de Europa que ganó la Juventus. En el puesto de Ferrara hice jugar a Maldini, y convoqué a Luigi Apolloni.

La prensa me criticó, para variar, porque no había llevado conmigo a jugadores como Benarrivo o Panucci, Vialli o Signori. Sin embargo, debo decir, una vez más, que escogía a los seleccionados en función de su profesionalidad y de sus características, que debían ser las adecuadas para el juego que debía desarrollar el equipo.

La plantilla de jugadores que viajaron a Inglaterra fue: Angelo Peruzzi, Francesco Toldo, Luca Bucci, Luigi Apolloni, Paolo Maldini, Amedeo Carboni, Alessandro Costacurta, Alessandro Nesta, Roberto Donadoni, Roberto Mussi, Moreno Torricelli, Demetrio Albertini, Dino Baggio, Fabio Rossitto, Alessandro Del Piero, Angelo Di Livio, Roberto Di Matteo, Diego Fuser, Pierluigi Casiraghi, Enrico Chiesa, Fabrizio Ravanelli y Gianfranco Zola.

Creía firmemente en el trabajo que estaba llevando a cabo. Para mí, los jugadores que entrenaba siempre eran los mejores del mundo.

En nuestro grupo estaban Alemania como cabeza de serie, Rusia y la República Checa. Un grupo de la muerte, como suele decirse, pero no teníamos miedo de las demás selecciones. Sin duda, jugábamos el mejor fútbol del torneo. Debutamos el 11 de junio en Anfield contra Rusia. Después de la tensión inicial, conseguimos dominar el partido. Casiraghi marcó al principio. Italia demostró que jugaba bien, pero el equipo no tenía la personalidad de la Italia del Mundial. En el minuto veinticinco del primer tiempo, los rusos empataron 1-1 con un gol de Cymbalar.

Italia bajó los brazos. En los vestuarios, comencé a espolear a los jugadores, a explicarles dónde se estaban equivocando. Volvimos a entrar y atacamos a Rusia, que capituló gracias a una combinación en velocidad de Zola con Casiraghi, que marcó un gol fantástico y le dio el triunfo a Italia. Habíamos ganado contra el equipo más difícil, la verdadera incógnita del torneo, que había completado su grupo de clasificación con ocho victorias, dos empates y ninguna derrota.

Y

Cuando ganas el primer partido de un torneo como el Mundial o la Eurocopa, no digo que te relajes, pero sabes que bastan dos empates para pasar a la siguiente fase. Y cometí un error de valoración. Al recordar la desagradable experiencia del Mundial, donde llegamos hechos polvo a la final, en el segundo partido con la República Checa cambié a cinco jugadores. Quería dar descanso a algunos futbolistas, pero lo pagamos caro. Dejé fuera a Zola y Casiraghi, que habían sido decisivos con Rusia. En su lugar, alineé a la pareja Ravanelli-Chiesa.

La República Checa, tras una jugada por la banda derecha, hizo llegar un balón a Nedvěd, que fusiló a Peruzzi. El siguiente empate de Chiesa no bastó para recuperar el partido porque, a la media hora del primer tiempo, Apolloni fue expulsado. Y aquí cometí otro error de valoración... o quizá de concentración. Nunca hay que desconocer el valor de los adversarios ni nuestras potencialidades, pero aquella vez no tomé de inmediato las contramedidas ante la expulsión y «me dormí de pie», como se dice en el argot. Antes del partido, nuestro médico me había tomado la presión y las palpitaciones. «Estás listo para un paseo», me había dicho. Tenía una presión normal, 120 sobre 70. Estaba relajado, quizá demasiado. No fui tan decidido y voluntarioso como en el Mundial. Además, es posible que tuviéramos a algunos jugadores con menos personalidad respecto a los convocados dos años antes.

En el partido contra Noruega del Mundial, después de la expulsión de Pagliuca, había tardado un segundo en sustituir a Roberto Baggio, el mejor jugador, que había ganado los más importantes premios y reconocimientos del mundo. Contra la República Checa perdí diez minutos antes de tomar medidas tras la expulsión de Apolloni. Falló mi tensión y la del equipo. Me parecía que podían continuar jugando como antes.

Y, en cambio, había que tomar medidas. Así, sufrimos el segundo gol: Bejbl en el minuto treinta y cinco. Debía cambiar, pero ya era demasiado tarde. Mis contramedidas para recuperar el control del resultado quedaron en agua de borrajas. En las situaciones fáciles, el fútbol italiano se encuentra siempre en dificultades: así perdimos 2-1 un partido que, en realidad, dominamos. No hay que olvidar, además, que la República Checa acabó jugando la final del torneo. Realmente, el nuestro era el grupo de la muerte. Pero esto, a toro pasado, no justifica la derrota.

La clasificación quedaba, pues, pendiente del último partido con Alemania. Una confrontación épica, que marcaría otro capítulo del eterno desafío con la gran selección alemana. Un enfrentamiento decisivo para seguir vivos en la competición. Se lo había dicho meses antes a los periodistas: «Sueño con la victoria, pero soñar no quiere decir prometer». Todo el mundo había entendido esas palabras como un ejercicio de precaución tras lo sucedido en el Mundial.

El 19 de junio de 1996 salimos al campo para el tercer partido. Alemania estaba clasificada. Debíamos ganar. No quedaba otro remedio. Dominamos el juego, hasta el punto de que, en el descanso, Bierhoff, que hablaba perfectamente italiano, me dijo: «*Ma quanto giocate bene!*» (¡Pero qué bien jugáis!).

Íbamos al ataque. Primero un disparo de Fuser desde el borde del área y luego la gran ocasión. Casiraghi presionó a Sammer, último hombre de la defensa, y le robó el balón, para luego volar hacia la portería. Fue derribado en el área. Penalti. A apenas ocho minutos del inicio podíamos adelantarnos. Zola fue al punto de penalti apagado, sin esa determinación que debería haber tenido. Un disparo flojo sobre la izquierda de Köpke: el portero alemán lo intuyó y lo detuvo sin problemas. Esto acostumbra a ocurrir cuando el entrenador no sabe trasmitir la resolución necesaria para ganar.

Dominamos el partido con una serie de ataques increíbles, con disparos y algunas ocasiones, pero el resultado al final no se movió: 0-0. Köpke hizo un partidazo.

Me acusaron de una gestión desatinada del equipo, como si hubiera llevado al matadero a los jugadores, cuando, en cambio, perdimos solo un partido de tres, dominando a los adversarios, con un equipo que jugaba el mejor fútbol del torneo. Por desgracia, una parte de la prensa solo valora el resultado final. Me llovieron las críticas, pero no presenté la dimisión. «¿Por qué? Esto no es un fracaso, hemos jugado bien», afirmé en la conferencia de prensa.

La rápida eliminación de la Eurocopa desató una serie de violentas críticas contra toda la directiva de la federación, entre otros, contra Matarrese. Eso me disgustó muchísimo: había sido un gran presidente, que había tomado las riendas de la situación, en un ambiente donde nadie decidía nunca nada.

Aquel partido con Alemania fue uno de los mejores de los cincuenta y tres que dirigí a la selección. Jugábamos un fútbol fluido, rápido y agresivo. Asediamos la portería rival. Pero el hincha italiano no perdona. Para nosotros el fútbol no es ni un deporte ni un espectáculo deportivo. El deporte tiene reglas férreas, como ocurre en los países del norte, de Irlanda a Alemania, de Inglaterra a Holanda; para nosotros, en cambio, solo es importante ganar, todo lo demás no cuenta. En Italia se puede incluso hacer trampa para ganar o para convertir este deporte, con las apuestas clandestinas, en un modo de enriquecerse rápida y fácilmente.

Una parte de la prensa se ha avenido, por pereza, por moda y también por ignorancia, a este modo de pensar. La polémica agresiva, el ataque a toda costa, hace pasar a segundo plano el espectáculo deportivo. La mayor parte comenta siempre el resultado, nunca el modo en que ganas o pierdes. Si ganas ha sido, como mínimo, épico o heroico; si pierdes, eres un capullo. Italia, es bueno recordarlo, ha dado lo mejor de sí históricamente después de escándalos ciclópeos. Ganamos el Mundial del 82 en España después de la tormenta de las apuestas del fútbol, y el de 2006 con las polémicas y los ataques a Lippi, Cannavaro y Buffon, a los que la prensa catalogó como indignos de representar a nuestra selección después de los escándalos.

En la Eurocopa no había equipos que jugaran mejor que nosotros. Cuando fuimos eliminados del torneo, dos jugadores alemanes importantes, grandes campeones como Möller y Klinsmann, en la conferencia de prensa afirmaron, con gran capacidad de autocrítica y mucha inteligencia, que habían recibido una lección de fútbol de Italia, y que, si querían ganar el campeonato de Europa, debían tomar nota de nuestro juego.

Aquellos jugadores alemanes dieron una lección de fútbol a toda Italia. Habían empatado, habían pasado de ronda, nosotros estábamos fuera, pero, aun así, reconocían nuestra capacidad técnica. Un acto más que deportivo.

En resumen, después de la salida de la Eurocopa, en el ambiente de la selección el clima era pesado. También desde el exterior los ataques eran continuos. Era el fin de un ciclo.

En aquella época, después de los grandes éxitos de Capello, el Milan no estaba atravesando por un gran momento, por lo que fui contactado por Galliani y por Berlusconi para que volviera a entrenar a los *rossoneri*. También esto prueba que siempre he vuelto a donde he trabajado, borrando las insinuaciones, si es que han existido, de que Berlusconi había querido echarme. En realidad, se llevó un buen disgusto cuando me marché, hasta el punto de que me volvió a proponer que regresara al Milan.

Mi último partido con la selección italiana fue el del 6 de noviembre en Sarajevo. Era un amistoso. Perdimos 2-1. El testigo pasó a manos de Cesare Maldini. Cuando supieron que había presentado la dimisión para poder regresar a entrenar al Milan, se produjo otra gran sacudida en el ambiente futbolístico.

Después de cinco años de trabajo como seleccionador, mi balance era positivo. Había llevado a Italia a una final del Mundial y a disputar una Eurocopa. Entre rondas de clasificación, fases finales y amistosos había disputado con la selección un total de cincuenta y tres partidos, con treinta y cuatro victorias, once empates y ocho derrotas. Había convocado a noventa y tres jugadores; había alineado a setenta y siete; cincuenta y cinco de ellos debutaron conmigo.

Se cerraba un capítulo de mi vida. Volvía al Milan, con el campeonato ya en marcha. Eso era algo nuevo para mí.

Fue un error.

14

Milan, un regreso amargo

La teoría es cuando lo sabes todo
y no funciona nada.

ALBERT EINSTEIN

A finales de 1995, la sentencia Bosman del Tribunal
de Justicia de la Unión Europea había revolucionado el
fútbol: abrió definitivamente las fronteras, por lo que
cualquier equipo podía alinear un número ilimitado de
jugadores extranjeros para el campeonato del año siguiente. Una sentencia histórica que permite entender
cómo evolucionaba el fútbol en Europa. En el banquillo,
además, se podían tener al menos siete jugadores, dos
más respecto del pasado. Llegó también la televisión de
pago, que cambió el modo de ver el fútbol, que se transformó en un espectáculo televisivo, algo que disfrutar
en el salón: los jugadores se convirtieron en verdaderas
estrellas de la pequeña pantalla.

Habían cambiado muchas cosas desde que había comenzado a ser entrenador.

El 3 de diciembre de 1996, regresé al Milan. Me llamaron primero Berlusconi y luego Galliani. Sustituiría
a Óscar Washington Tabárez, que a su vez había ocupado el puesto de Fabio Capello, que había fichado por el

Real Madrid. Después de otra derrota en campo contrario en la undécima jornada, esta vez contra el Piacenza por 3-2, con un impresionante gol de chilena del piacentino Pasquale Luiso, la relación laboral entre Tabárez y el Milan tocó a su fin. Yo dimití de la selección y firmé por el Milan: volvía a San Siro cinco años después. Aquel fichaje despertó muchas polémicas en la prensa italiana.

En mi historia futbolística nunca había sustituido a alguien con el campeonato ya iniciado. Siempre había querido jugar con mis cartas. No quería trabajar con un equipo y un planteamiento que fuera distinto del que yo tenía en la cabeza. Y así me encontré en una situación complicada.

En la plantilla había jugadores de cierta edad que querían pero no podían; otros estaban menos motivados; otros se sentían desganados y querían marcharse. De inmediato me di cuenta de que el equipo había entrado en una crisis difícil de resolver.

De 1991 a 1996, bajo la dirección de Capello, el Milan había conquistado cuatro ligas (la única excepción fue la de la temporada 1994-1995, que ganó la Juventus). Además, se ganó la Champions de 1994.

Quizá los jugadores preferían un entrenador como Capello. Tal vez estuvieran hartos de mi perfeccionismo y las ganas constantes de renovar. Se había trabajado y se había ganado mucho (ocho competiciones en cuatro años; creo que era un récord). Por otro lado, habíamos obtenido reconocimientos impensables. Con Capello, los que habían sido mis jugadores deseaban obtener resultados.

Quizá debería haber parado tras la final con Brasil. Pero el reclamo del Milan, como las sirenas de Ulises, me llevó de nuevo a Milanello.

Llegué el martes siguiente a la derrota de Piacenza. Cogí a los jugadores uno a uno para tratar de entender cuáles eran los problemas. Enseguida me di cuenta de que en aquel Milan no había espíritu de grupo. Había jugadores buenísimos, pero que se sentían desmotivados; otros tenían situaciones contractuales complejas; otros hacían lo que querían (como aquella vez que, saliendo de un restaurante junto a Braida en torno a medianoche, encontré a Savičević con otro jugador; estaban entrando a cenar). Las reglas de un equipo deben ser iguales para todos. Pero el vestuario del Milan era difícil de gestionar.

A pesar del cansancio, aún estaba enamorado del fútbol: era como un fumador empedernido que, cuando ve una colilla en el suelo, no se puede resistir y se deja vencer por la tentación. En realidad, me sentía como un limón exprimido: después de años con el acelerador al máximo estaba fundido. Ya no tenía energías, o quizá la lucidez necesaria para afrontar una situación tan compleja. Le dije a Galliani: «Aquí hay un problema: queremos curar a un enfermo grave con una aspirina».

Weah y Desailly no jugaban como podían y no se esforzaban al máximo. «Será por culpa mía», me dije. Pero ellos me confesaron que querían marcharse. Habían recibido una propuesta del Barcelona; acababan de firmar con el Milan y no estaban satisfechos.

La situación era muy distinta de cuando había llegado al Milan casi diez años antes. Entonces el equipo venía de obtener unos resultados nada buenos. Es más, habían sido diez años de verdadero infierno, por eso los jugadores me siguieron y fueron fantásticos. Esta vez era necesario hacer una media revolución en aquel gran equipo que había ganado numerosos títulos. Además, muchos jugadores ya no eran jóvenes. Sin embargo, la directiva no se atrevió.

En cambio, había que reconstruir el equipo desde los

cimientos. Durante los años de Capello, los resultados se habían obtenido apostando por cada jugador, pero esta configuración del Milan ya había pasado. En 1991, Capello había heredado de mí un equipo aún joven, con jugadores en la plenitud de sus fuerzas y de su madurez. Capello demostró ser un gran entrenador, armó el equipo a partir de un fútbol tradicional, pero revisado con claridad y determinación. Fabio consiguió resultados increíbles por su continuidad sobre todo en el campeonato doméstico. Había logrado plasmar su idea del fútbol. Era justo que obtuviera unos buenos resultados.

Para felicidad de los nostálgicos, la revolución había terminado.

«Somos los mejores *over*-35 del mundo», bromeé. Aunque aquello desató cierta polémica.

En Italia suele decirse: «¡Equipo que gana no se cambia!». Por el contrario, yo había sostenido siempre lo contrario, como cuando probaba continuamente jugadores para la selección: «¡Equipo que gana se cambia!».

El Milan que había heredado de Capello y luego de Tabárez había llegado, en cierto sentido, al final de un ciclo. Quienes habían arrastrado al equipo con su carácter, como Baresi y Tassotti, por ejemplo, ya tenían treinta y seis años, y Vierchowod andaba por los treinta y ocho. Savičević, que era un jugador complicado, ya tenía treinta años.

Fue un error firmar por el Milan. Me lo tenía que haber imaginado. Hay momentos en la vida en que no es fácil elegir correctàmente. Quizá fuera de verdad el momento de marcharse. Muy probablemente había perdido la claridad y la determinación de antaño. O quizá, simplemente, me faltaban nuevos objetivos, nuevos desafíos. Nunca habría aceptado, antes, ir a un equipo con el campeonato en curso, con jugadores viejos, al final de su carrera. De hecho, al año siguiente, cuando volvió Capello, los resultados continuaron siendo mediocres. Aquello dejó claro que el problema era serio y difícil de resolver. Incluso dos entrenadores tan distintos como Fabio y yo no conseguimos dar con la medicina correcta. El problema de aquel Milan era otro.

Dada la ignorancia deportiva y futbolística nacional, al entrenador se le considera una suerte de mago, pero no lo es. El entrenador es un profesional que puede tener ideas brillantísimas, buenas, normales o mediocres. Puede estar dotado de grandes capacidades didácticas para transmitir sus ideas, o no tener grandes ideas y pocas capacidades para convencer a los jugadores para que concreten en el campo su idea del juego. Como el director de orquesta, primero tiene que haber estudiado y conocer la partitura. Hay una idea, y del otro lado un adversario que no quiere dejártela expresar. Para ser de veras útil, la preparación durante la semana debe recrear todo aquello que encontrarás el domingo siguiente, considerando que el adversario tratará por todos los medios de obstaculizar tu propósito. Está claro que un jugador puede ser decisivo y desequilibrante, pero no lo será si no tiene a un colectivo detrás. Creo que son conceptos sencillos, claros, pero todavía difíciles de aceptar no solo por el público, sino también por el ambiente futbolístico de hoy en día.

Cuando dejé el Milan, algunos escribieron que Berlusconi había preferido a Van Basten. Como si de mi boca hubiera salido la frase: «O Marco o yo». Es un insulto a mi inteligencia: nunca habría dicho semejante cosa. Otros escribieron que no tenía plena confianza en el equipo y que había sostenido que los *rossoneri* nunca ganarían. En realidad, solo había afirmado que ya no asombrarían al mundo: estaban acostumbrados a las victorias, ya todos eran maestros. No es casualidad que luego casi todos hayan sido entrenadores de alto nivel. Otros periodistas escribieron que Berlusconi ya no confiaba en mí. No era verdad: además de llamarme en 1997, me contactó también cuando en el banquillo estaba Zaccheroni, y por último también en mayo de 2014, para que volviera a tomar el control del equipo. Respondí que ya no tenía energías. Cuando uno está vacío, no puede llenar a los otros. De todos modos, su estima siempre me ha honrado y mi gratitud por él y Galliani será eterna. Sé lo valientes que han sido y cuánto han contribuido a la realización de un sueño.

Cuando ocupé el puesto de Tabárez, enseguida jugamos un partido decisivo para pasar de ronda en la Champions League. El formato ya había cambiado en aquellos años: ya no era por eliminación directa, sino que había una primera fase con diversos grupos.

Cuando coges un equipo a media temporada, se hace difícil planear este tipo de partidos. Y yo había llegado el día anterior al partido decisivo. En un clima invernal, traté de preparar lo mejor posible el encuentro con los noruegos del Rosenborg sin haber hecho un entrenamiento. «Perdonad —dije—, pero yo los milagros se los dejo a los demás.»

Soy un entrenador, no un mago. Fue un partido desgraciado. En el minuto veinte del primer tiempo, estábamos en desventaja tras un rocambolesco gol de Brattbakk. Hacia el final, Roberto Baggio consiguió controlar un balón en el área pequeña, de espaldas a la portería; centró. Boban no consiguió rematar bien, pero Dugarry logró el empate. Ese resultado nos clasificaba. En el minuto veinticinco del segundo tiempo, Heggem cabeceó el balón tras un pase largo al centro del área; se anticipó a Baresi y Maldini, que esperaron la salida de Rossi.

Aquel error nos condenó. El partido finalizó 2-1 sin que en la última parte hubiera la más mínima reacción del equipo. Fue una noche de pesadilla.

El *Corriere della Sera* me atacó subrayando mis «salidas en falso siniestramente legendarias». El regreso al Milan no podía ser peor. Paolo Maldini, en una entrevista al *Corriere* del día siguiente, declaró que estábamos al final de un ciclo, que el miedo había paralizado al equipo. Por la noche hubo protestas feroces contra el portero, Rossi, y pedradas contra el autocar a la salida del estadio. Todo lo que el Milan había hecho en aquellos nueve años parecía que había sido borrado de la memoria en un instante. La ira de la afición había hecho el resto.

En la noche de Milán, helada, me di cuenta de que había aceptado un desafío que no podía aguantar solo. En diciembre ya estábamos fuera de tres competiciones de un total de cuatro. Nos esperaba un año difícil también en la liga. La primera vuelta acabó con la Juve de Lippi en cabeza con treinta y tres puntos. Acabamos el campeonato en el undécimo puesto, y sin ninguna perspectiva para el futuro: el peor resultado de la era Berlusconi. Aquel año dejaron el fútbol Tassotti y Baresi. El club retiró para siempre la camiseta número seis del gran capitán.

Es cierto: había acabado un ciclo. Una generación de grandes campeones, con la que había compartido recuerdos memorables, tenía que dejar su lugar a otros futuros campeones.

15

En España con el Atlético de Madrid

Un hombre puede fracasar muchas veces,
pero no se convierte en un fracaso
hasta que comienza a echarle la culpa a algún otro.

WILLIAM S. BURROUGHS

Jesús Gil y su hijo Miguel Ángel, propietarios del Atlético de Madrid, se pusieron en contacto conmigo. Me querían como entrenador de su equipo, uno de los clubes más prestigiosos de España y Europa. Entrenar al Atlético sería la ocasión de salir de las fronteras italianas, de conocer un fútbol distinto. Una vez más, buscaba nuevos estímulos, perspectivas de trabajo diferentes, confiando en poder seguir entrenando. O quizá necesitaba nuevos desafíos solo para evitar el estrés que se estaba llevando la alegría que siempre había experimentado con este trabajo.

Sabía que el presidente Gil era un «devoraentrenadores», capaz de cambiar incluso dos o tres por temporada; por eso, cuando firmé con él, quise un contrato blindado. Había cambiado veintiún técnicos en doce años. Si me hubiera echado, tendrían que pagarme un montón de pasta. Nunca he sido codicioso, el dinero nunca ha sido mi fin, pero quería encontrar un modo de poder trabajar tranquilo.

En mayo de 1998, la noticia se hizo oficial. Ocupaba

el puesto de Radomir Antić, cuando faltaban dos jornadas para el final del campeonato: el equipo estaba en el noveno puesto. Aquel verano se iba a disputar el Mundial de Francia.

Comencé a entrenar, a trabajar intensamente, como de costumbre. Tenía una buena plantilla de jugadores, campeones como Kiko, Jugović y Juninho. Me llevé conmigo a Italo Graziani, Vincenzo Pincolini y Pietro Carmignani, mi segundo: todos colaboradores de confianza de toda la vida dispuestos a emprender una nueva aventura.

En el ambiente del Atlético se podía trabajar bien, con buenos profesionales. Disputaríamos varios torneos, pero, por desgracia, a principios de temporada, después del verano, se nos rompieron todos los jugadores de talento, aquellos que podían dar algo más: Kiko, un genio del fútbol español, tuvo problemas en el tobillo; Jugović jugó poco; y perdimos, por culpa de una fractura de tibia y peroné, al brasileño Juninho (cuando volvió, estaba claro que tenía mucho miedo de volver a jugar).

La mentalidad española es muy distinta de la italiana, también en el fútbol. Antes del partido, los jugadores escuchan música a todo volumen. Cuando estaba en el Rimini, un amigo ingeniero se quedó impresionado por la tensión y el silencio del vestuario: «Si enciendo una cerilla, estalla todo», me dijo. Cuando nosotros comíamos antes del partido, bastaba con media hora; los españoles necesitaban, en cambio, una hora e incluso más. Vivían los prolegómenos del partido de manera más alegre y relajada, como he podido observar también recientemente, cuando fui a ver a Carlo Ancelotti al Real Madrid.

A mi llegada a Madrid, Miguel Ángel Gil, gran dirigente deportivo, reunió a todos los jugadores y dictó las nuevas reglas de la temporada: «El año pasado hicimos la vista gorda, este año seremos muy rígidos; por tanto, sacad vuestras propias conclusiones. Que nadie llegue tarde; a las dos, todos a la cama». Para nosotros, en Italia, las dos era un horario inconcebible: a mis muchachos los mandaba a la cama muy temprano, mucho antes de medianoche. Los tiempos están todos desfasados respecto de los nuestros. Yo también vivía las previas de los partidos de un modo distinto, como un torero. Precisamente, cierta vez, antes de un enfrentamiento en Barcelona contra el Espanyol, me encontré a un torero en el ascensor.

—¿Tiene miedo? —le pregunté

—Claro que sí —me respondió.

«Yo también tengo miedo. Siento la tensión, es como salir a la arena», pensé.

En aquel mundo, era impensable hacer un entrenamiento a primera hora de la mañana. Por la noche, si ibas a un restaurante, los clientes llegaban después de las once, y a menudo comenzaban a cenar a medianoche. También era posible ver a niños jugando al balón en el patio a aquella hora.

«Los españoles no duermen nunca», le dije riendo al Profesor durante una de nuestras caminatas nocturnas por la maravillosa ciudad de Madrid. En realidad, por la tarde duermen la siesta: larga en verano y más corta en invierno. Es una práctica saludable, me explicó un amigo cardiólogo. El momento en que el corazón está más fatigado es después de comer, tras una mañana de trabajo y cuando el estómago está empeñado en la digestión. De tal reposo se obtiene un gran beneficio.

Había un buen jugador que quería que siguiera: Christian Vieri. Contra el Paok de Salónica había marcado un célebre *hat-trick*. Y había acabado el campeonato como pichichi de la liga (veinticuatro goles en veinticuatro partidos).

Supe que, entre los españoles, Vieri tenía fama de introvertido, de huraño, pero, en realidad, era muy buen muchacho. Hablaba bien el inglés porque había nacido en Australia, pero no conocía el español y no quiso aprenderlo; así pues, tenía verdaderas dificultades para comunicarse con los demás jugadores. Su discreción y su carácter reservado se interpretaron como signos de arrogancia.

Cuando acabó el Mundial, *Bobo* Vieri dijo que quería hablar conmigo. En verano se acercó a Fusignano. Estaba enamorado de una muchacha que trabajaba en una discoteca en Milano Marittima, pero ella no quería saber nada de él. Luego, después del Mundial en Francia, cuando Vieri se convirtió en un ídolo por los goles que había marcado, comenzó a intercambiar mensajes con esta muchacha. Después de que Italia cayera en los cuartos, vino a verme a Fusignano para hablarme de su situación con el Atlético: «Yo me habría quedado en Madrid, pero extraño Italia», me dijo, dejando escapar alguna lágrima. Quería volver donde aquella muchacha. Con mucho disgusto, porque era un gran jugador y una pieza importante del equipo, le dejé que siguiera su camino. Por desgracia, lo entrené solo dos veces.

A Vieri lo quería la Lazio, que entonces pagó cincuenta y cinco mil millones por él. Le dije a Jesús Gil: «Que le den a Nedvěd». Nedvěd cobraba mil quinientos millones; el Atlético de Madrid le ofreció cuatro. Lamentablemente, había un día de diferencia entre el cierre del mercado italiano y el español: podíamos ceder a Vieri a la Lazio, pero Nedvěd solo podía venir en el mercado de invierno. Cragnotti, presidente de la Lazio, cuando supo de las negociaciones, le subió el sueldo al jugador checo. Nedvěd se quedó en Italia.

Tiempo después lo vi y le pedí, en broma, un porcentaje de su sueldo. De hecho, bien pensado, había contribuido a multiplicar su salario por cuatro.

Luego, la gran conmoción. En noviembre de 1998 arrestaron a Jesús Gil, quien, además de ser presidente del Atlético de Madrid, era alcalde de Marbella: lo acusaban de «fraude, tráfico de influencias y prevaricación». Eso fue lo que contaron los periódicos.

Reuní al equipo:

—Muchachos, ya no tenemos con nosotros al presidente. Ahora que lo han arrestado debemos ser aún más profesionales, por nuestro propio interés y por el del club. Por tanto, os pido: sed más responsables, y máxima seriedad.

Tenía a otro jugador italiano en el equipo, Stefano Torrisi. Un muchacho simpático. Tres o cuatro días después de mi discurso, llegó el capitán del Atlético con un número de ¡Hola!, una revista del corazón muy difundida en España. En ella aparecía Stefano Torrisi abrazado a una estrella española en portada. «Mira a tu Torrisi», me dijo con ironía.

Todos nosotros fuimos a clases de español durante varios meses: era importante conocer bien la lengua. Torrisi no acudía nunca. Una tarde encendí la televisión y lo vi en una entrevista: hablaba un castellano perfecto. Al día siguiente le pregunté:

—Pero ¿dónde has aprendido a hablar tan bien?

—¡Por la noche se aprende mejor! —me respondió, riendo.

En la Copa de la UEFA jugamos contra el Obilić, cuyo presidente tenía una orden de busca y captura internacional sobre él. Era el comandante Arkan, que con sus «tigres» había hecho estragos en Bosnia. Jugović no vino con nosotros porque había estado prometido con la hermana de Arkan y había sufrido amenazas muy serias. A Arkan lo había conocido indirectamente en la Copa de Europa, porque había sido el jefe de los ultras del Estrella Roja en aquel famoso encuentro que se suspendió por la niebla.

Cuando el Obilić jugó la ida en Madrid, en vez de Arkan vino su mujer, que era una famosa cantante en su país. El vicepresidente del Atlético (hoy presidente) Enrique Cerezo, un productor cinematográfico, me cogió aparte y me preguntó:

—Arrigo, ¿tú has visto a la mujer de Arkan?

—No —respondí—, ¿por qué, es guapa?

—¡No, no es guapa, es guapísima!

Quince días después, antes del partido de vuelta, en Belgrado no cenamos con la directiva del equipo adversario en un restaurante porque Arkan no se fiaba y tenía miedo de ser asesinado. Así que fuimos invitados todos a su casa, en medio de guardias de seguridad armados hasta los dientes.

Villalón, el médico del Atlético, tenía nueve hijos, como el comandante Arkan, solo que él los había tenido con una sola mujer, mientras que el comandante los tuvo con tres.

—¡Tú eres mejor! —le dije en la mesa, al oído.

Los seguratas tenían sujetos a unos rottweilers con cabezas grandes como los toros. Eran impresionantes, con la lengua fuera, babeantes. Para divertirse, los guardias disparaban al aire con las metralletas.

Cuando a la mañana siguiente fuimos al campo del Obilić para el entrenamiento, oí un sonido extraño, como una especie de rugido. Fui detrás del vestuario. ¿Había un tigre dentro de una jaula?

La UEFA no había homologado el campo del Obilić, por lo que jugamos en el del Partizán de Belgrado. Todos eran forofos nuestros, pues iban contra Arkan, que antes del partido se presentó en el campo precisamente con el tigre de la correa, para demostrarle al personal quién era él.

Ganamos sin jugar bien. Estaba caminando hacia los vestuarios cuando sentí que alguien me tocaba en el hombro por detrás. Era Arkan. Me dijo en italiano y con una media sonrisa: «¡Señor Sacchi, esta tarde ha tenido mucha suerte!».

Yo asentí, primero porque tenía razón, segundo porque no tenía ganas de discutir con semejante personaje. Algún tiempo después, Arkan, juzgado por genocidio y crímenes de guerra, murió asesinado.

Una periodista española de TVE, que había hecho bromas sobre Arkan y su señora, había seguido al equipo. En un momento, fue abordada por un joven:

—Tengo un sobre para usted.

—¿Para mí? —se asombró la periodista.

—¡Sí!

La mujer lo abrió. Dentro había una foto suya que alguien había tomado minutos antes mientras caminaba por la calle.

El hombre que le había dado el sobre le advirtió:

—Recuerde que, así como le hemos sacado la foto, también podíamos dispararle en la frente y matarla.

Ella regresó al hotel pálida. En el vestíbulo se detuvo y se sentó, trastornada. Nos enseñó la foto.

—¿Y entonces? Hay una solución —comenté—. No vuelvas a hablar del comandante Arkan y de su mujer.

En aquel viaje pasaron muchas cosas. El presidente del Atlético estaba concediendo una entrevista por televisión cuando de pronto vimos moverse el techo y el suelo: un terremoto. Corrimos todos a refugiarnos en el autocar. Por suerte duró poquísimos segundos. Aquello podría haber sido un desastre.

En el avión de vuelta, el presidente del Atlético aullaba feliz porque habíamos sobrevivido.

Y

España era hermosa, pero yo pasaba noche y día en casa viendo partidos, preparando los encuentros, estudiando golpes y contragolpes. No lograba librarme de tal obsesión. Cada tanto le pedía al «profesor» que me hiciera compañía, que estuviera conmigo viendo y comentando los partidos, pero él siempre tenía cosas que hacer.

Después de algunas semanas en Madrid comencé a impacientarme. Los lunes, después del partido del campeonato, solía volar a Fusignano, aunque fuera para pasar unas horas. Sentía la necesidad de volver a casa, el reclamo de mi tierra. Me daba un sentimiento de liberación y de alegría, era como respirar hondo. Aunque estuviera pocas horas, luego volvía a partir, pero estar en Fusignano me recargaba para continuar un trabajo cada vez más fatigoso.

Había vivido en muchas ciudades, pero, cuando salí de Italia, me di cuenta de que solo estaba bien en mi tierra. España es un país fantástico. Era yo quien no conseguía encontrar el entusiasmo y la motivación que habían caracterizado mi trabajo hasta 1994. Veinte años vividos al máximo, incluso más allá de mis fuerzas. Sentí que ya no me quedaba energía.

En España percibí los primeros síntomas de una crisis muy profunda, que se había acumulado con los años, dentro de mí. Cada vez me costaba más gestionar el estrés. Y ya no me divertía.

En aquellos momentos, el consuelo de mi familia fue importante. Mi mujer venía a Madrid en coche, pues tenía miedo a volar. Y se quedaba conmigo algunas semanas.

Madrid está a setecientos metros sobre el nivel del

mar, el clima es muy parecido al nuestro, pero siempre hay sol. Cuando abría la ventana, el espectáculo era maravilloso, pero yo comencé a ver solo oscuridad. No estaba bien, quería volver a Fusignano. Estaba en crisis. Me quedaba todo el día en casa mirando partidos, estudiando nuevos entrenamientos, creando estrategias y evaluando a jugadores y equipos adversarios. Todo con mi habitual obsesión por la perfección, pero ya no había alegría en lo que hacía.

Todos se dieron cuenta, incluido Pincolini. Un día, siguiéndome con el coche por la autopista, me vio continuar recto porque no me había percatado de la salida que debía tomar. Estaba tan concentrado en el trabajo que no vivía y ya ni veía la realidad que me rodeaba.

En el campeonato, en la primera vuelta, no habíamos empezado mal. Estábamos entre los primeros tres o cuatro equipos en la clasificación; luego, quizá también señal de mi debilidad, comenzamos a perder. En Mallorca encajamos la peor derrota: 4-0; luego el derbi con el Real Madrid, 4-2. Y a la victoria contra el Celta le siguieron nuevas derrotas.

El presidente me mandó llamar y me dijo que no estaba contento de cómo estaba yendo el campeonato, solo que no podía echarme porque el contrato estaba blindado con aquella cláusula.

—No se preocupe. Me marcho yo.

—¿Y el dinero?

—No quiero nada —respondí.

A la mañana siguiente, el hijo, Miguel Ángel, y el director general vinieron a verme porque ellos no querían que me fuera.

—Mira que ya estoy de acuerdo con tu padre.

—Si te vas, descendemos —me respondió Miguel Ángel.

Me mantuve firme en mi decisión de volver a casa. Estaba quemado. Ya no soportaba la vida cotidiana.

Al final, el Atlético se salvó en la penúltima jornada del campeonato.

Presenté mi dimisión el 14 de febrero de 1999. Durante la conferencia de prensa leí unas pocas líneas: «Desde este momento ya no soy el entrenador del Atlético de Madrid. Estoy agotado. Dejo para siempre el fútbol y ya no haré de entrenador. No tengo nada más que decir».

Era como si hubiera llegado al final del trayecto.

Antes de dejar la sala de prensa, agradecí a todos su colaboración, al presidente del Atlético, Jesús Gil y Gil, a los directivos y a los empleados del equipo, a los jugadores, y les deseé buena suerte.

Mi contrato debía acabarse el 30 de junio de 2000, pero renuncié a todo el dinero que habría debido percibir según la cláusula de rescisión. Nunca he considerado el dinero la primera finalidad de mi trabajo; siempre he sido libre de firmar contratos de un año: como he dicho, siempre pensaba en dejarlo.

Telefoneé a mi mujer y le dije: «Volvemos a casa». Ya me sentía mejor, aliviado, flotando entre un vago disgusto y una gran liberación.

Giovanna volvió a Fusignano en coche. Yo por la mañana había hablado con Gil; por la tarde ya tenía el billete de avión en el bolsillo. Dentro del club hubo sentimientos y emociones encontrados, pero había llegado la hora de ser honesto conmigo mismo, antes que con los demás. Ya no era tiempo de compromisos. Era hora de volver a casa y pensar en mi salud.

Italo Graziani, *el Profesor*, amigo de toda la vida, se había adaptado bien en España. Cuando le confesé mi intención de volver a casa, a Fusignano, me preguntó, asombrado:

—¿A casa? ¡Aquí se está bien!

Durante el vuelo de regreso no habló. Le disgustaba

mucho dejar España, que a mitad de los noventa estaba en pleno *boom* económico. Todo era un florecimiento de iniciativas, había muchas ganas de vivir y de divertirse. La movida con gente en las calles, deseosa de vivir libremente la noche, con las cenas hasta tarde, los bailes, la música. La sociedad estaba atravesando un periodo de esplendor y de alegría que se percibía también en el mundo del fútbol, cuya gente sabe vivir mejor que los italianos. Para los españoles era y es un espectáculo deportivo. Los estadios no tienen alambres de espino, redes, barreras divisorias: hay respeto y escasa violencia. Quizás ahora las cosas estén empeorando, pero aún están lejos de nuestros estándares.

Cuando aterrizamos en Venecia, un día de febrero, nos encontramos con el peor clima del mundo: lluvia, niebla, viento y aguanieve.

—Mira tu bella Italia, hemos dejado el sol... —comentó Graziani mientras se subía el cuello del chaquetón.

Luego entendí por qué estaba tan contrariado. Quince días después, unos amigos comunes nos invitaron a comer. En el coche puse un CD que me había regalado el cantante de los Gipsy Kings, uno de los hermanos Reyes, fanático del Atlético de Madrid.

—Oye qué ritmo —le dije al Profesor.

—Si vieras a las españolas bailando...

—Pero, perdona, déjame entender: ¿cuándo las has visto bailar?

—Bah, una vez...

En Madrid estaba siempre encerrado en casa, leyendo, estudiando, viendo partidos, cansado, fatigado, desmoralizado. Alguna vez le había pedido que se quedara conmigo, que me hiciera compañía mientras miraba los partidos...

Telefoneé de inmediato a España, a un amigo que salía con él.

—Pero ¿por la noche salías con el Profesor? ¿Y qué hacíais?

—¡Siempre a la discoteca!

—¡Ah, ahora lo entiendo! —le reproché—. Yo siempre en casa, entre mil problemas, mil tensiones, mil polémicas, y tú, a divertirte todas las tardes... Por eso no querías volver a Italia.

Mi amigo de la infancia se volvió hacia mí y, con su habitual ademán burlón, se echó a reír a gusto.

16

Basta, ya no entrenaré…

Cuando dejemos el propio trabajo, ¿cómo nos sentiremos?
Quizá experimentemos un sentimiento de desolación
y soledad porque nada acaba con alegría, pero quizá
también percibamos un sentimiento de liberación.

CLAUDIO BAGLIONI

*H*ay momentos en la vida en que estás preparado, te sientes fuerte. Y en esos momentos a menudo eres también afortunado, hasta el punto de conseguir tomar las decisiones adecuadas. A mediados de los años ochenta, podía quedarme en Rímini, donde estaba bien pagado. También podía entrenar al Ancona, con un contrato incluso más atractivo. En cambio, decidí ir a Parma.

Se reveló la elección correcta. Lo fue por la dirección deportiva del equipo que entrenaría, por los objetivos técnicos que tenía en mente y por la misma ciudad, en la cual me sentía perfectamente, a mis anchas. Una ciudad en la que expresar mis capacidades. En Parma hay un gran gusto por la vida y un profundo respeto hacia las personas. En Parma no hay indiscreción, se come bien y se viste bien. Estaba impresionado por la educación de todos.

Un día, en el Lungoparma, había aparcado delante de la entrada del hotel Toscanini a la espera del Profesor. Ni siquiera me había percatado de que detrás de mí había quince coches esperando. Ninguno de los conductores me tocó el claxon. Y ni siquiera sabían que quien bloqueaba el tráfico era Sacchi. Una ciudad educada donde estaba magníficamente, donde percibía mucha estima, donde los periódicos hablaban siempre bien de mí.

Otra vez, en misa, en una iglesia cercana a Santa Fiora, llegué a conmoverme: el párroco me citó en la homilía y me señaló entre los fieles: «Esta es una persona que nos ha dado mucho en lo deportivo y en lo humano, y nos ha hecho divertir y le deseamos mucha suerte». Nunca me había ocurrido algo semejante.

En enero de 2001, a invitación de Calisto Tanzi, presidente de la Parmalat y del Parma de fútbol, volvía a la ciudad que me había recibido de aquella manera tan calurosa quince años antes. Cerrado el paréntesis con el Atlético de Madrid, Parma marcaba aún mi destino como hombre y entrenador.

Desde 1999 había trabajado como asesor técnico del Milan. En aquel año comencé mi carrera de periodista deportivo en la *Stampa* y de comentarista para Mediaset. Me gustaba escribir de fútbol, de problemas ligados al mundo del balón. Podía continuar de una manera nueva mi papel de educador porque, desde mi punto de vista, el fútbol sirve ante todo para formar hombres. Si como entrenador me realizaba en la didáctica, como periodista y colaborador continuaba escribiendo, coherentemente, de fútbol, «enseñando» a leer los partidos, a dar juicios, a analizar las tácticas y la disposición en el campo, con un estudio meticuloso sobre los jóvenes y los futbolistas, sus características y las posibilidades de mejora. Una experiencia que me ha dado y aún hoy me da grandes satisfacciones.

En cierta ocasión, el abogado Agnelli me telefoneó para felicitarme porque habían publicado un artículo

mío no en las páginas de deporte, sino en las de cultura.
Lo había decidido Gianni Riotta. Eso había levantado algunos celos y ciertas envidias en torno a mí.

Aquel día me encontraba en el bar del Círculo de los Republicanos, en Fusignano. Había una gran confusión, se discutía en voz alta de fútbol, como siempre. Cuando sonó mi móvil, pedí por favor al barman que hiciera señas de que bajaran la voz.

—¿Quién será? —murmuraban.

Entonces salí. Cuando volví, todos se morían de ganas de saber con quién había hablado.

—¡Vete a saber quién era! —me dijeron para tomarme el pelo, como suele hacerse en los bares de pueblo—. ¿Quién era, Berlusconi?

—No, el abogado Agnelli —respondí frente a las caras estupefactas de mis amigos.

Cuando en 2001 fui contratado por el Parma, una mañana, hacia las siete y media, el portero del hotel me llamó a la habitación y me dijo:

—¡Tengo en línea a la casa Agnelli!

Era el Abogado, que me llamaba para felicitarme por mi nuevo cargo de entrenador. Pero el nuevo encargo en el Parma me obligaba a interrumpir, por coherencia, mi colaboración en la *Stampa*, y se lo dije.

—Lo siento mucho, siga escribiendo para nosotros —respondió.

Pero no podía escribir para el periódico de Turín, entrenar al Parma y colaborar con las televisiones de Mediaset.

A las ocho y media de la misma mañana, me telefoneó Berlusconi.

—Lo he llamado ahora —me dijo—, porque quería ser el primero en felicitarle por la nueva aventura en el banquillo del Parma.

Me cuidé mucho de revelarle que media hora antes el abogado Agnelli se le había adelantado.

Y

Con el Parma, volví a coger un equipo en mitad de un campeonato. Después de una serie de resultados poco satisfactorios, habían destituido a Malesani y me habían llamado en su lugar. Una vez más, me pasaba aquello de la tentación de la colilla para el fumador empedernido. Acepté: la pasión y el amor por el fútbol eran más fuertes que cualquier otra consideración. Además, aún no había entendido hasta dónde podía llegar.

En Parma conseguí estar en el banquillo solo tres partidos. El primero en Milán, contra el Inter, donde el equipo empató 1-1, con goles de Di Vaio y empate de Vieri. Volví al Tardini al domingo siguiente para enfrentarme con el Lecce, que empató en el minuto 94 después de un fallo de Buffon. Un gol muy tonto. Cuando estuvimos en los vestuarios, Buffon vino a verme y se excusó por su fallo. La victoria llegó al domingo siguiente, en Verona; allí Gigi fue determinante, parando incluso un penalti que podría habernos privado de la victoria.

En el estadio Bentegodi de Verona comprendí que, realmente, mi etapa como entrenador había llegado a su fin. Arrojé la toalla precisamente mientras el equipo estaba ganando. Ocurrió una cosa muy sencilla: habíamos ganado, pero yo no había experimentado absolutamente nada. Ninguna alegría, ningún sentimiento que pudiera compensarme las noches insomnes, las tensiones y las presiones cotidianas que convertían mi vida en un infierno. Así que decidí abandonar para siempre el banquillo. Ya no entrenaría. Esta vez de verdad.

El *Corriere della Sera* escribió sobre la reacción del equipo: «Grande ha sido el estupor de los jugadores, comenzando por Thuram ("Una decisión inesperada, pero que merece respeto") y Fuser ("Ha sido una noticia sorprendente, nos hemos quedado boquiabiertos, también porque el domingo lo habíamos visto tranquilo. Lo siento mucho, con él las cosas estaban yendo bien. Y el equipo tenía ganas de seguirlo. Pero la salud es la salud, es lo más importante. Ahora debemos trabajar con las mismas ganas con Ulivieri")».

El Parma, que durante diez años nunca había cambiado un entrenador con la temporada en marcha, tenía que contratar ahora a un tercer técnico en un año.

Tanzi no quería que abandonara el club y me pidió que permaneciera al menos como director técnico. Lo pensé: podía ser una solución. Me quedaría en el fútbol, ya no en la trinchera, sino entre bastidores.

Hasta entonces había luchado contra un adversario difícil, desleal y oscuro, que al mismo tiempo había sido la gasolina para hacer bien mi trabajo. Pero, desde hacía tiempo, ya no conseguía transformar el estrés en un motor positivo para mi trabajo. Factores psicológicos, ansiedad, bloqueos emocionales y de concentración son parte integrante del deporte. La ansiedad, por como la he conocido, puede ayudarte si sabes gestionarla. Es indispensable para obtener grandes cosas. El verdadero deportista sabe canalizarla para que se convierta en algo positivo, algo que le haga mejorar. Obviamente, más allá de cierto límite se convierte en un problema, como me sucedió a mí, primero en Madrid y luego en Parma. No aguantaba más, me estaba destruyendo físicamente.

Hay una frontera muy sutil entre la ansiedad positiva y la negativa: la segunda «corta las piernas», la primera da dirección e intensidad a la actividad física e intelectual. Una persona puede quedarse bloqueada por la tensión y el miedo de no conseguir lo que desea. Esta es una ansiedad negativa; otra puede vivirse con la seguridad y la conciencia de poder convivir con ella, manteniendo la motivación, las ganas de hacer y de medirse sin miedo; entonces la ansiedad se convierte en un propulsor vital. Yo siempre me he entregado por completo gracias a la ansiedad, que, sin embargo, me ha vaciado también muy pronto, después de apenas veintisiete años de banquillo.

Tendría que haberlo dejado incluso antes de entrenar, pero el fútbol era mi vida y mi pasión. No podía prescindir de él. Pero luego he superado el límite más allá del cual la ansiedad te devora. Entonces llegué a un compromiso conmigo mismo, con mis fuerzas. Decidí que sería el director técnico del Parma.

La primera de mis preocupaciones, en mi nuevo cargo, fue reorganizar las divisiones juveniles. El trabajo, con sus problemas y dificultades, más en la sombra, oscuro, entre bastidores, que raras veces salía en los periódicos, fue apasionante.

A principios de la década, el Parma tenía unos trescientos centros dispersos por Italia. Un número enorme, de gran club. Pregunté de inmediato cuántos jugadores había producido la cantera y cuántos ahora militaban en primera.

—Ninguno —me respondieron.

—¿Cómo ninguno? ¿En doce años, ningún jugador?

Siempre he sido una persona pragmática. Llamé a Tanzi y le pregunté por qué mantenían una sección juvenil tan grande que no daba ningún fruto.

—¿Lo hacéis por la publicidad de vuestros productos? ¿Por un fin social o por algo deportivo?

Todo era lícito, bastaba con saberlo.

—Deportivo —me respondió Tanzi.

—¿Y no funciona? ¿Es posible que de una cantera tan organizada no haya salido un jugador de talento en doce años?

—Parma es una ciudad acomodada —dijo Tanzi—,

en el fútbol uno tiene que esforzarse demasiado, los muchachos no quieren comprometerse.

—No —respondí—, aquí faltan los maestros, este es el problema.

La cantera es uno de los recursos más importantes de un club para renovar la plantilla de jugadores, apostar por los jóvenes, hacerlos crecer y luego venderlos.

—Empecemos de cero, reorganicémoslo —concluí—. Es lo único que se puede hacer.

Así, contratamos a un secretario, Gabriele Zamagna, y llamé a un viejo conocido, un jugador de cuando entrenaba al Cesena, Davide Ballardini, que entre tanto había dejado de jugar y había iniciado una excelente carrera de entrenador pasando por los juveniles del Bologna, el Cesena, el Ravenna y el Milan. Lo traje conmigo al Parma para gestionar toda la cantera del club, de los más pequeños hasta el equipo primavera. Ballardini es muy didáctico; gracias a él, enseñamos a las categorías juveniles como se jugaba el fútbol total. De este trabajo de siembra hemos recogido excelentes frutos. De los juveniles del Parma han salido jugadores del calibre de Arturo Lupoli, que en 2004 fichó por los juveniles del Arsenal, y que tuvo una larga carrera entre Derbi County, Fiorentina, Treviso, Honvéd, Varese, Ascoli y Grosseto. Hoy está en el Frosinone.

Daniele Dessena, durante tres años baluarte de la sub-21, nació en Parma, jugó en el primer equipo y luego en el Cagliari y en la Sampdoria.

Luca Cigarini se formó también en las categorías inferiores del Parma y luego jugó en el Atalanta, el Napoli, el Sevilla y quedó tercero con la sub-21 en el campeonato de Europa de Suecia.

A Giuseppe Rossi nos lo birló por pocos centenares de miles de euros el Manchester United, donde jugó hasta 2006; allí ganó una Copa de la Liga inglesa; luego pasó por el Newcastle, el Parma, el Villarreal y la Fiorentina, militando también, entre tanto, en las distintas selecciones, de la sub-16 hasta la sub-21 y la absoluta.

En pocos años recogimos mucho más de lo que habían sembrado en los doce anteriores, como demostración, una vez más, de que nuestro fútbol necesita canteras organizadas con cuidado, de maestros y de entrenadores que conozcan la didáctica de un juego apuntado al fútbol total, aquel que ya ahora se practica en todo el mundo. Y el hecho de que muchos chicos salidos de nuestra cantera hayan jugado en el extranjero en equipos prestigiosos demuestra que teníamos razón sobre la importancia de cuidar las categorías inferiores. Wenger, gran entrenador del Arsenal, sostiene que el fútbol total ya no es una exigencia, sino una necesidad.

Cuando me convertí en director técnico del Parma, a finales de diciembre de 2001, el equipo estaba en apuros. Recuerdo que, caminando por el centro, cierto día una anciana con el carrito de la compra me detuvo y me preguntó: «Entonces, señor Sacchi, ¿nos salvaremos?».

Para la temporada 2001-02, en el puesto de Ulivieri, destituido después de la décima jornada, el Parma había llamado a Daniel Passarella, a quien había conocido en Florencia y que era uno de los mejores intérpretes del fútbol total. Llegó el 6 de noviembre, pero el club lo destituyó el 18 de diciembre, después de cinco derrotas consecutivas. En su lugar, llamamos a Pietro Carmignani, uno de mis colaboradores de más confianza, un amigo de más de quince años, con el que había compartido momentos extraordinarios de mi carrera de entrenador y que ahora merecía recoger los frutos de su trabajo. Carmignani es un excelente preparador de porteros y un buen entrenador. Sustituyó a Passarella y con él nos salvamos y ganamos la Copa de Italia en una final con la Juventus. Un excelente resultado, otro importante trofeo que cerraba un año de luces y sombras, en el que acabamos décimos en la liga.

Pero acababa también un ciclo, con el último trofeo importante ganado por el equipo *gialloblu*.

Después de Carmignani contratamos a Cesare Prandelli, un buen entrenador que jugaba un fútbol total, pero que carecía de la fuerza necesaria. Hizo un buen trabajo y se quedó en el Parma hasta 2004, luchando siempre en la cima del campeonato. Nos jugamos de inmediato contra la Juventus la Supercopa de Italia en Libia. Perdimos por 2-1, con un doblete de Del Piero y un gol de Di Vaio, que después de la final fue vendido a la Juve. Ya habíamos vendido también a Cannavaro al Inter, del que cogimos en copropiedad, con posibilidad de retroventa, a un jovencísimo Adriano, un fenómeno. Apostamos por jóvenes jugadores como Bonera, Gilardino, Barone y Mutu. Rejuvenecimos la plantilla, italianizándola también.

Este trabajo, aunque me apasionaba, duró poco. El reclamo de mi tierra y las ganas de estar en casa, de vivir en familia, de ir a comer una pizza con mis hijas, de estar con mi mujer, eran más fuertes. En 2003, dimití como director técnico.

—Hágalo desde casa —me sugirió Tanzi—, existen las videoconferencias, se puede trabajar así.

Pero aquello no me parecía correcto: no trabajaría como se debía. Me negué de nuevo. Expliqué mis carencias, la necesidad de estar en familia, tranquilo, con mis seres queridos. Era la única manera de poderme recuperar de las secuelas de la ansiedad y el estrés. Un largo periodo de reposo entre los muros de casa, viviendo una vida anónima, como aquella de tantas familias italianas.

—Si quiere, puedo trabajar como asesor —propuse. Y así fue.

El nuevo director deportivo quería vender a Alberto Gilardino al Lecce a cambio del uruguayo Ernesto Javier Chevantón; además, nuestro equipo debía desembolsar de once a doce millones de euros.

Le dije al presidente:

—Nos ha costado mucho bajar los costes, esta es una operación que no comparto, porque Gilardino es mejor que Chevantón, y además no podemos gastar todo ese dinero.

—Nosotros hacemos lo que usted diga —respondió Tanzi—. Es verdad, ya no podemos tener a este director deportivo, pero hasta que encontremos a otro debe hacerlo usted.

Lo hice temporalmente, solo con el sueldo de asesor.

El campeonato había comenzado bien: el equipo luchó desde el principio por la zona Champions. Adriano marcaba, aunque una lesión detuvo su progresión. Su puesto lo ocupó Gilardino, que comenzó a marcar grandes goles.

Luego, pasó lo que pasó…

Entre noviembre y diciembre de 2003, Tanzi fue arrestado inculpado por la quiebra de Parmalat. En aquellos días me encontraba en Brasil para observar a un jugador. Me contaron que todos trataban de escabullirse evitando quedar bajo los escombros de aquello que se estaba convirtiendo en una de las más colosales quiebras financieras del mundo.

Entonces llamé a Berlusconi.

—Arrigo, no es un agujero, sino un cráter, manténgase lo más lejos posible —me aconsejó.

En aquellos días me llamó también el secretario del Parma. La situación era bastante complicada, por no decir otra cosa.

—Venga, échanos una mano —me rogó.

No podía dejar al club a la deriva. Sin presidente, sin una guía y, sobre todo, sin dinero, el Parma corría el riesgo de desaparecer para siempre.

Así que me encontré de nuevo haciendo de director deportivo con un contrato de asesor.

A finales de noviembre no habían pagado los sueldos y estábamos en el límite de los cuatro meses, término más allá del cual los jugadores pueden pedir la moratoria. Entre tanto había llegado Enrico Bondi, que había cogido las riendas del club para sanearlo y sacarlo de la vorágine de deudas. En la vigilia de Navidad fue nombrado comisario extraordinario. Dijo que no daría un euro por el Parma, que debíamos apañárnoslas como buenamente pudiéramos. Por tanto, para encontrar el dinero y pagar los sueldos, tendríamos que vender todo lo posible en el mercado de enero y hacer caja. Me pidieron que me quedara al menos hasta febrero: «Encárgate tú de las negociaciones. Nadie conoce como tú el ambiente, los contratos, el mercado y a los jugadores».

El gran golpe lo dimos con el Inter de Moratti por Adriano.

De Adriano habíamos comprado la mitad de la ficha por trece millones de euros. Pedí a Moratti treinta y dos por cederle la copropiedad. Después de un año y medio, su valor casi se había triplicado. Incluso Galliani estaba incrédulo, pero Adriano había jugado bien, había crecido y había marcado muchos goles. «Increíble, era del Inter, y ahora para recuperarlo deben pagar diecinueve millones más», me dijo.

En las largas negociaciones se inmiscuyó el Chelsea. Pero yo convencí al agente de Adriano, un amigo, para que se quedara en Italia, porque, dado su carácter y el coste de la vida en Inglaterra, eso sería lo mejor para él. «Sí, pero el Chelsea nos ha ofrecido cuatro millones y medio al año», objetó el agente. En Parma cobraba un millón cien mil euros. Hablé con el Inter, fui a ver a

Adriano a Malpensa y lo llevé a la sede de la Juve. «¿Podéis darle cuatro y medio?» La cosa acabó con un desembolso por parte del Inter de veintinueve millones, más medio año de sueldo que ellos mismos pagaron; además nos darían un jugador en préstamo. Por desgracia, el dinero, aquella vez, resultó decisivo.

A dos partidos de finalizar el campeonato, el Parma estaba en la zona Champions de la clasificación, con dos puntos de ventaja, precisamente, sobre el Inter. Ambos equipos se enfrentaron en la penúltima jornada. Por desgracia, en el minuto dieciséis del segundo tiempo, Adriano, precisamente Adriano, marcó un gol. Ellos fueron a la Liga de Campeones, el Parma, no.

En este punto debo dar un paso atrás. Cuando estalló el escándalo de la Parmalat, Prandelli me dijo: «Ahora debemos cambiar de estrategia, apostemos por los jóvenes». Pero ya lo estábamos haciendo: Adriano y Gilardino tenían veintiún años; Barone, veinticinco; Bonera, veintidós; Ferrari, veinticuatro. Todos ellos eran buenos muchachos y profesionales serios.

—¿Y cómo hacemos para seguir adelante y encontrar jugadores para la primera si no tenemos dinero? —preguntó Prandelli.

—Apostemos por los jóvenes. Si podemos comprarlos con el dinero que tenemos, los cogemos de la primera; de otro modo, los compraremos en la segunda o la tercera —respondí.

Como me había dicho mi amigo y maestro Alfredo Belletti, el bibliotecario de Fusignano: «¿No tienes un líbero? Pues constrúyelo tú». Los conceptos deportivos son los mismos, entrenes al Fusignano o al Parma en primera.

Así acabó 2004. El Parma estaba quinto en la clasificación. Prandelli me confesó: «Me quiere la Roma».

Bondi me llamó.

—Haga usted de entrenador del Parma.

—¡No, no me siento con fuerzas!

—Quédese como director deportivo.

Y así fue.

Entre tanto, en abril de 2004 se había declarado la quiebra de la Parmalat. Presenté la solicitud para el cobro de mi deuda, pero mi abogada se equivocó y lo hizo por el neto, sin incluir los impuestos.

Hablé con el presidente, un hombre de confianza de Bondi.

—Ha habido un error. Me habéis pedido muchos favores, y os los he hecho, os he ayudado de todas las maneras. Ahora os pido poder cambiar la cifra y añadir los impuestos —le dije.

En enero de 2004, había llegado Luca Baraldi, que me había pedido ayuda; yo, siempre con el sueldo de asesor, había trabajado todo el año como director. Habíamos reducido los costes laborales de noventa y tres a treinta y cinco millones, y luego de treinta y cinco a veintidós. Habíamos vendido a Adriano, casi triplicando el valor de su ficha, junto a muchos jóvenes. Habíamos lanzado a talentos como Mutu. En resumen, habíamos salvado al equipo de la tempestad de la quiebra de la Parmalat: corría el riesgo de desaparecer y, en cambio, lo habíamos mantenido en pie.

Al final el «no» de Bondi, porque la ley no lo admitía, me pagaba todos estos favores y la ayuda que había dado con toda la pasión y el amor que siempre he puesto en mi trabajo y por el Parma.

Después de mi paso por el Parma, reanudé mi aventura en España.

Madrid es una ciudad fantástica. Para los españoles, el fútbol es un espectáculo deportivo, por lo cual una victoria sin un juego bonito no es una verdadera victoria. España, después de muchos años, ha sabido construir un programa y una política basada en el juego, dejando una marca que permanecerá en la historia del fútbol. Al contrario, a nosotros, los italianos, nos interesa la victoria a toda costa; la historia y el espectáculo deportivo nos importan un pimiento. De este modo, nuestras victorias se olvidan pronto y difícilmente permanecen en la memoria. En mi Milan, el mérito ha amplificado las victorias, las ha hecho épicas, borrando incluso las derrotas.

Les decía siempre a los jugadores españoles: «De los italianos debéis aprender la competitividad, el furor, a veces feroz, pero prescindid de aquellas malas derivas como la violencia, el engaño y las primicias».

El *tiki-taka*, la posesión de la pelota de los equipos españoles, nace en una cultura futbolística que se basa en la técnica individual. España ha tenido una evolución distinta de la nuestra: nosotros hemos desarrollado la competitividad; ellos, la técnica. Al principio, ambas eran incompletas. Cuando los españoles dieron el salto cualitativo, cuando el fútbol se convirtió en un deporte de equipo y comenzaron a desarrollar una técnica no solo individual, sino colectiva, emocionante al máximo, incluso en exceso, nació el *tiki-taka*. El peligro era que se volvieran pleonásticos (y muchas veces lo eran, porque el límite es muy sutil) teniendo la pelota y haciéndola girar hasta la obsesión, impidiendo que los otros jugaran; eso les podía hacer perder velocidad, concreción, y acabar por ofrecer un espectáculo aburrido. El *tiki-taka* tiene un sentido si no se convierte en un fin en sí mismo; debe ser el inicio de una acción que lleva hacia la portería adversaria: tengo la pelota para encontrar un espacio, no para impedir que los demás jueguen.

El fútbol ha nacido como un espectáculo deportivo. El juego no debe convertirse en manierismo. El Barcelona ha sido el epílogo más interesante de este tipo de juego, al cual unía un colectivo espléndido que se movía como un bloque compacto de 20-25 metros que, apenas cogía la pelota, te atacaba con una presión letal. Habían salido de un concepto de fútbol individual para transformarse en un verdadero equipo que interpretaba de manera magistral posesión, cambios de velocidad, triangulaciones rápidas, regates, desenganche de los laterales y de los atacantes, con unos jugadores que siempre estaban en disposición de ayudar a sus propios compañeros. Una orquesta perfecta, un verdadero espectáculo que exaltaba las cualidades de todos los componentes. Messi, Iniesta, Xavi, pero también jugadores que habían jugado el año anterior en tercera, como Pedro y Busquets. Y, también en la fase de no posesión, no defendían casi nunca de forma individual, sino colectivamente. Al estar siempre bien colocados y posicionados, les resultaba sencillo hacer presión ultraofensiva, con marcajes entre dos, diagonales, fueras de juego…

En el Real Madrid me quedé poco, del 21 de diciembre de 2004 al 31 de diciembre de 2005, cuando dimití. Fueron dos los motivos que me impulsaron a tomar esta decisión: la nostalgia, una vez más, de mi familia, de mi tierra, y las dificultades para ejecutar bien mi papel.

El presidente Florentino Pérez tiende a no delegar. Después de cinco o seis meses ya quería dimitir, pero él insistió para que me quedara hasta fin de año. Para contentarme compró a Sergio Ramos. Era un jugador que quería a toda costa.

Me quedé en Madrid otros tres-cuatro meses, pero no había posibilidad alguna de intervenir en la estrategia del equipo. Al final le dije: «Presidente, yo lo estimo mucho, también le estoy muy agradecido por haberme llamado, pero aquí me parece que estoy robando el dinero. Lo hace todo usted. En ello va también mi dignidad».

El Real era un equipo que tenía muchos jugadores de altísimo nivel, grandes campeones, pero tenía un problema: faltaba espíritu de equipo. Había profesionales serios; otros, mediocres; algunos tenían un gran amor por su trabajo y una gran dignidad; otros no tanto. Era un grupo formado por buenos jugadores, pero no se había convertido en un equipo porque no había interacción humana y psicológica entre ellos. En la plantilla de 2004-2005 estaban Ronaldo, Michael Owen, Luis Figo, Zinédine Zidane, Raúl, el capitán, y David Beckham, Roberto Carlos, Iker Casillas, solo por citar algunos.

Recuerdo un episodio significativo que permite entender cómo estaban las cosas en el Real Madrid. Alfredo Di Stéfano, un gran campeón del fútbol español entre los años cincuenta y sesenta, presidente honorario del club, que había entrenado durante más de veinte años a equipos prestigiosos, estaba sentado cerca de mí en la tribuna. Nunca había visto un partido completo de aquel Real Madrid. Se levantó diciendo: «¡Me voy, otro espectáculo feo y tedioso!». Se marchó aburrido y disgustado porque no había juego, no había espectáculo. Era un fútbol desagradable y pesado. Había grandes jugadores sobre el terreno de juego, pero nada más. Es un concepto, este, que aún tiene dificultades para penetrar en los pequeños, pero, por desgracia, también en los grandes clubes, llenos de campeones, pero que no funcionan como equipo.

Recuerdo, además, un partido que jugamos contra un equipo modesto, el Alavés: dos jugadores del Real en el campo costaban más que todos ellos juntos. Amancio, directivo del Real Madrid, junto a Butragueño, vicepresidente, estaban pálidos: «Una vergüenza total», dijeron. Un equipo de muchachos dominaba el juego y no dejaba pasar de la mitad del campo al Real Madrid de los campeones. Tiraron a portería, disparos a los palos, Casillas se lució varias veces con paradas increíbles, fue el mejor en el campo. A diez minutos de la conclusión, Roberto Carlos pasó a Ronaldo con un lanzamiento de cuarenta-cincuenta metros. El delantero brasileño, que hasta aquel momento había sido «un palo en medio del campo», como dijeron desde las tribunas, superó al adversario en velocidad y marcó un gol. En los últimos minutos, el equipo del Alavés se volcó aún más al ataque, y el Real replicó de nuevo del mismo modo: pase largo para salvar el centro del campo, pelota de nuevo para Ronaldo, que marcó otra vez al contragolpe. Tocó dos balones y marcó dos goles. Di Stéfano (que cuando jugaba decían que tenía el don de la ubicuidad, pues estaba en todas partes del campo), al día siguiente, en una reunión de la directiva del club, dijo en tono polémico dirigiéndose a Butragueño: «Los atacantes modernos... Tú, Emilio, cuando jugaste contra el Milan, quedaste en fuera de juego veintiséis veces, Ronaldo toca dos balones y marca dos goles».

Cuando no hay espíritu de equipo, no hay humildad, no hay atención, entusiasmo, amor por lo que haces, entonces no puedes construir un juego, aunque seas el mejor entrenador del mundo.

Una vez fuimos a Sevilla. Fuera del estadio había casi cuatro mil chavalas que gritaban, pedían fotos y autógrafos.

—Mira el entusiasmo que creamos —me dijo Florentino Pérez, sonriendo.

—No cuenta el hoy, sino el mañana: debemos crear entusiasmo jugando el partido, no porque los jugadores se hayan convertido en personajes famosos. Esto no es una película, es un equipo de fútbol.

Hoy la situación en España es muy distinta. Han pasado casi diez años. Gracias a Florentino, el Real Madrid se ha vuelto a convertir en una institución. Él es un dirigente extraordinario, un excelente organizador, con la visión que solo tienen los grandes. Sería perfecto si confiara más en los propios técnicos. De todos modos, es tan bueno que se le pueden perdonar sus injerencias. No nos olvidemos que había heredado un Real que había perdido prestigio e identidad y lo ha transformado en el club más rico e importante del mundo.

Fui a ver a Carlo Ancelotti, que, cuando escribo estas líneas, entrena al Real Madrid. Hacía mucho que me lo pedía. Él es un amigo de toda la vida, una de las piezas más importantes de aquel fabuloso Milan con el que lo ganamos todo, y me había acompañado también como segundo en la selección durante el Mundial.

En el Real Madrid ha hecho cosas magníficas. Me hizo visitar de inmediato la Ciudad Deportiva. El presidente Florentino Pérez la hizo construir en 2005 y la remodela prácticamente cada año. Entonces trabajaban simultáneamente en ella incluso mil obreros. Ahora es el más funcional y moderno centro deportivo del mundo. Hay dos hoteles de cinco estrellas para el primer equipo y la cantera, restaurantes, gimnasios, piscinas, todo lo mejor para los cuidados fisioterapéuticos y para entrenarse. Los campos son perfectos gracias a un jardinero inglés que los mantiene de manera admirable. Hay tres de hierba natural para el primer equipo, otros cuatro de hierba natural y cuatro más en hierba sintética para la cantera, más un estadio de siete-ocho mil localidades dedicado al gran Di Stéfano. Florentino piensa a lo grande. Tiene pensado dedicar cuatrocientos millones para hacer aún más hermoso y moderno el estadio Bernabéu. La sala presidencial parece el despacho oval de la Casa Blanca.

Después de siete años, pregunté al presidente cuánto dinero se había gastado, y él respondió: «Ningún presidente pone dinero. El club se autofinancia. Solo he gastado tres millones en mi campaña electoral».

Este es el Real Madrid: una institución española que representa a España en el deporte y que cuenta con cerca de doscientos millones de aficionados en el mundo. Un modelo que imitar, incluso en pequeño.

Carlo Ancelotti, además de haber sido un gran jugador y un campeón, es un técnico buenísimo que posee y da serenidad; es feliz por cómo están yendo las cosas y por la estima de que disfruta de todo el entorno, empezando por la del presidente. Gracias a Pérez, el club tiene la facturación más importante del mundo (quinientos cincuenta millones de euros) y se prevé llegar en 2015 a los seiscientos cincuenta. Cuando llegó Florentino, en 2000-2001, la facturación era de ciento dieciocho millones, inferior a la del Milan. La facturación del márketing en el mismo periodo ha pasado de treinta a ciento setenta y seis millones. El presidente posee capacidades empresariales y organizativas de altísimo nivel. Pero es también muy exigente y crítico con sus técnicos. Carlo está habituado a trabajar con presidentes que no lo dejan tranquilo. Pero, si para la mayor parte de los técnicos esto constituiría un problema, para él es un estímulo. Además, Ancelotti debe gestionar una presión mediática inusual en los demás clubes españoles, pero él, con flema e inteligencia, la convierte en algo positivo. Tácticamente juega con un 4-3-3, que se transforma en 4-4-2 en la fase defensiva. Le han comprado para el centro del campo muchos mediapuntas: Modrič, James Rodríguez, Kroos e Isco. Además tiene tres atacantes buenísimos: el fuera de serie Cristiano Ronaldo, que ha ganado el Balón de Oro por tercera vez en 2014, Benzema y Bale, que participan sobre todo en la fase ofensiva. Con paciencia, habilidad y claridad ha conseguido hacer del Madrid un equipo moderno: su posesión y los contragolpes son extraordinarios.

El entrenamiento al que asistí fue breve, acababan de jugar, pero se emplearon a fondo. Las jugadas fueron rápidas y el partidillo a dos toques. Al final de la sesión hablamos con Sergio Ramos, buen amigo. Me pidió una opinión respecto del contrato: «Quiero renovar, pero Florentino me quiere dar menos. ¿Qué piensa?». Respondí: «Debes quedarte, piensa en Kaká y en Ševčenko, que estaban bien en el Milan y se marcharon por dinero. Su carrera acabó antes de hora. Tú aquí estás cómodo y debes quedarte». Le recordé, además, que para convencer a Pérez de que lo comprara le había garantizado que sería el nuevo Maldini.

Carlo es un jefe excepcional: nunca tiene que elevar el tono, posee la calma de los fuertes, igual que su hijo. El sábado por la mañana fui a la Ciudad Deportiva, donde debía celebrar una reunión con los técnicos y con los jugadores. De inmediato me mostró las filmaciones del Celta y me leyó los informes de sus asistentes. Fuimos a la sala con los jugadores para visionar el vídeo de la fase de ataque, de defensa y del juego parado del Celta. Carlo explicó qué sería necesario para poner en apuros al adversario. Todo esto en perfecto castellano, aunque cada tanto se le escapaba alguna palabra en italiano. Y su pronunciación es más de reggiano que de español. Pero, dados los resultados, evidentemente le entienden bien.

A las 18.30 subimos al autocar para ir al Bernabéu, donde miles de personas esperaban al equipo. Tengo que admitir que me emocioné. Le pregunté a Carlo cómo se sentía. «Estoy muy tenso, pasa el tiempo, pero lo estoy cada vez más.» Sería un gran jugador de póker: nunca lo dejó entrever. También los jugadores parecían tranquilos.

Media hora antes de que comenzara el encuentro, los saludé a todos y les deseé buena suerte, abracé a Carlo y me reuní con el presidente. Me dijo: «Carlo está trabajando bien». Cuando le respondí que pasaría a la historia, como el mítico Bernabéu, se burló. Había oído rumores de que no estaba convencido del trabajo de Carlo, en cambio él me dijo lo contrario, y también que desearía que los mejores jugaran los sesenta partidos de la temporada. Cuando lo contrató me dijo: «Explícale bien que la afición quiere un equipo que domine el campo y el balón, con pocos pases en largo».

En el descanso vi a Butragueño y a Ramón Martínez. Le pregunté al Buitre qué pensaba del Real y de Carlo, y él me respondió: «Está haciendo un gran trabajo con paciencia y maestría. *Chapeau*».

Al final del partido bajé al vestuario. Hablamos con Carlo y con el presidente de la victoria recién conseguida. Estoy convencido de una cosa: nadie como él sabe formar un grupo y encontrar las soluciones más adecuadas. Por eso lo quieren tanto los jugadores.

En mi opinión, Florentino es uno de los más grandes presidentes de fútbol mundial. Fiándose de Ancelotti y teniendo con él una relación basada en el diálogo, ha hecho grande al Real.

Cuando en 2005 le dije que quería dimitir también del Real Madrid, Florentino Pérez me respondió, serio: «Nadie dimite del Real Madrid».

Al final ganaron mi dignidad y la nostalgia de casa. Me quedé hasta diciembre de aquel año.

No obstante, antes de marcharme le dije: «Si renazco español, tendrá que echarme a patadas en el trasero».

Y él se echó a reír.

17

«Un día por delante»

Necesitamos un nuevo modo de pensar
para resolver los problemas causados
por un viejo modo de pensar.

ALBERT EINSTEIN

Siempre he tenido una gran pasión por la didáctica. Enseñar la belleza y el espectáculo del fútbol me ha hecho sentir plenamente satisfecho. La mía ha sido una vida a la carrera, en busca de la perfección. Siempre he estado tan concentrado en mi trabajo que al final he descuidado la salud; en casi treinta años, he acumulado tal estrés que también el físico se ha resentido. Al regreso de España, tenía que operarme un hombro, tenía algunos tendones maltrechos, las caderas por rehacer, hernias en la espalda... En resumen, estaba muy mal y necesitaba reposo y tranquilidad.

Cuando, en 2005, la Universidad de Urbino me concedió el doctorado *honoris causa* en ciencias y técnicas de la actividad deportiva, supuso todo un honor y una gran emoción. Y con mayor razón para alguien que, como yo, dejó pronto los estudios. Me considero un hombre afortunado: sin ser futbolista me convertí en entrenador, y sin entrar nunca en una universidad, me he convertido en doctor. Y, sin beber y sin haber hecho ningún curso, me he convertido también en *sommelier*.

Al lado del magnífico rector de la Universidad Carlo Bo de Urbino, estaban caras conocidas del Milan, como Filippo Galli, Franco Baresi, Carlo Ancelotti, Mauro Tassotti y muchos otros jugadores; de la selección estaban presentes Pietro Carmignani y Vincenzo Pincolini; del Parma, Luca Baraldi y Daniele Zoratto; del Real Madrid, Emilio Butragueño; y luego Alberto Zaccheroni y el presidente de la Fiorentina, Andrea della Valle. Gianni Letta, subsecretario de la presidencia del Gobierno, también me honró con su presencia.

Fuera había un público de estadio: quinientos muchachos con bufandas y pancartas del Milan colgadas en los balcones.

Empezó Galliani:

—Antes de Arrigo estaba el fútbol a la italiana, luego llegó la revolución, aquel Milan habría merecido el doctorado.

—El fútbol del futuro será solo esto, practicado por un equipo capaz de jugar en todo el campo y todo el tiempo —dije por mi parte. Y concluí diciendo que estaba de veras emocionado y honrado—: He estudiado poco y solo sé hablar de fútbol.

Con una parte de la prensa no he tenido relaciones fáciles. Entre los periodistas, como he dicho, he creado dos facciones: los pro y los contra Sacchi, que alguna vez incluso han llegado a las manos en la tribuna. He provocado discusiones al límite de la pelea, he cambiado también la jerga del fútbol, con los famosos «contraataques», las «colocaciones preventivas», los «marcajes preventivos», con lo que he incidido también en su liderazgo lingüístico. He inventado un léxico del fútbol adecuado para mi didáctica y mi modo de jugar. Mis detractores no han podido aceptarlo. También entre ellos había algunos muy preparados y otros que lo estaban menos, periodistas que escribían entendiendo qué estaban haciendo y otros que, aun viendo un fútbol espectacular, agresivo y dominante, estaban en mi contra por razones futbolísticas o a veces incluso políticas, como ocurrió en el Mundial. Durante treinta años, he estado en el centro de las polémicas. Ahora podía estar, con tranquilidad, del otro lado de la barricada.

Me gusta escribir. En todos estos años, he escrito centenares de artículos, me gusta contar los partidos desde el punto de vista técnico, con honestidad, sin exagerar, con tono sosegado, confiando en dar a todos aquellos que leen mis artículos alguna idea interesante. El largo trabajo hecho con los futbolistas, enseñando durante años una manera de pensar y de jugar un fútbol distinto, se ha volcado así en los artículos de periódico. Hablo de los jugadores, de sus cualidades y de sus limitaciones, juzgo sus tácticas, sugiero con discreción lo que deberían hacer los entrenadores si yo fuera su asesor. Hablo de encuentros, de perspectivas... Todo con una escritura firme, sencilla, pero que deja ver cosas entre líneas, con la intención de recuperar así en el periodismo una forma de educar al público deportivo y a la afición. Espero poder ayudar a los lectores a comprender mejor el fútbol.

También estoy muy agradecido a Mediaset, que me ha convertido en comentarista televisivo; en el mundo árabe soy comentarista de Al Jazeera-beIN. Entre 2006 y 2007 escribí algunos artículos para *El País* en España. Además, hace ya más de diez años que tengo una sección, «En el banquillo», en la *Gazzetta dello Sport*. Es un trabajo que me gratifica mucho, que me permite hablar de fútbol, que me sirve para educar al público en una visión de este deporte como espectáculo.

Y dado que el deporte es el espejo de la sociedad llevo

la experiencia del vestuario a las empresas como ponente en congresos, donde cuento que, al igual que en el fútbol, también en una empresa se parte de un grupo y se acaba en un equipo gracias a la pasión, al amor por el trabajo y al respeto por la firma en la que se está, en la que todos han de tener un objetivo común.

Nunca he olvidado mis inicios en la fábrica familiar. Aquella experiencia que me formó no solo en el carácter, sino que también me hizo profesional, gracias al sentido del deber que dejó en herencia mi padre, pero sin perder de vista la belleza de perseguir los propios sueños. Hoy procuro transmitir todo esto a los ejecutivos, a los que obsequio con mi larga experiencia didáctica, contando cómo he gestionado los egos de un vestuario, las relaciones con el público y con la prensa, con los propietarios y los demás directivos del club.

Doy la vuelta al mundo llamado por las federaciones nacionales de fútbol de países como la República Checa, Ucrania, Eslovenia, Canadá, Estados Unidos, España, Holanda, Polonia, Brasil, Colombia, Paraguay, Costa Rica y Suiza. A menudo también he rechazado algunas invitaciones.

En el 2000 me llamaron de Inglaterra para dar algunas clases sobre fútbol. En uno de estos encuentros estaba presente también Mark Hughes, entonces entrenador de Gales, luego del Manchester City. Me hizo una pregunta. Quería saber cómo me las había apañado para forjar un equipo como el Milan en un país como Italia, en el que se juega un fútbol defensivo, donde, si el campo tuviera una longitud de dos kilómetros, todos se encontrarían en los últimos veinte metros. «Pero ¿cómo lo ha hecho?», insistió.

Le respondí que nuestro fútbol era el fruto de un club ambicioso, competente, que tenía principios sanos y, sobre todo, respetaba los roles. Y de un entrenador que había elegido y contratado a los mejores intérpretes, los más adecuados para el juego que tenía en su cabeza. Habíamos elegido jugadores que iban a funcionar en nuestro sistema, habíamos trabajado mucho. Y es preciso subrayarlo: lo hicimos con una idea del fútbol alejada de la tradición italiana. No es que la desconociera, al contrario, sino que creía que se podía ir más allá. Solo quería ensanchar la visión y las posibilidades de jugar de otro modo. Para mí el fútbol tiene que ver con el concepto de equipo, que no desconoce la belleza del juego, sino que hace de ella un valor. La victoria es importante, pero también lo es el espectáculo. Hay un público que paga y quiere divertirse cuando viene al estadio. Es una cosa que no puede olvidarse. Quería un equipo casi arrogante en el dominio del juego: si perdíamos la pelota, quería recuperarla a toda velocidad, acosando al adversario con la presión, para luego atacar de inmediato. Quería el dominio del balón y del campo; para hacerlo debía dejar de lado a jugadores que podían ser muy buenos, pero que resultaban poco funcionales para el juego; en cambio, debía elegir a los que se adaptaban mejor a mi visión. Nunca he menospreciado el talento individual, simplemente no quería jugadores solistas y ases que no jugaban para el equipo y con el equipo. Debían poner su talento a disposición de los demás, pues luego el juego habría exaltado sus cualidades. Y todo esto he podido hacerlo gracias a un club que me lo ha permitido.

Así respondí. En Italia nunca me han hecho una pregunta semejante. Nuestra presunción es hija de la ignorancia, por eso seguimos sin entender, sin saber y, sobre todo, sin crecer. Paradójicamente, mi fútbol y mi modo de pensar este deporte han alcanzado más éxito en el exterior que en Italia. El deporte y el fútbol son una escuela de vida: alimentan la pasión, la constancia, el espíritu de sacrificio, la colaboración, el respeto, la educación, la dignidad, el valor, la voluntad, la atención, la perspicacia, la intuición y la cultura en general, incluida la de la derrota, que refleja la capacidad de saberse realizado a través del compromiso y el trabajo y no solo a través de la victoria. El fútbol debería transmitir todos estos valores a una sociedad que atraviesa, sin duda, una crisis moral. Estos son valores que crean el grupo, el equipo. Porque sin ética no hay equipo. Y si no hay equipo, no hay juego y no hay diversión. Y no se alcanzan resultados en el fútbol internacional.

Donde quiera que haya trabajado siempre me han vuelto a llamar (Rímini, Parma, Milán), señal de que mi trabajo ha sido apreciado por su seriedad y coherencia. Aún hoy, Berlusconi y Galliani me han ofrecido que siguiera colaborando con ellos. Para mí en el Milan la puerta está siempre abierta.

Así ha sucedido con la selección. Cuando, en 2010, me ofrecieron trabajar para las categorías juveniles de la federación, acepté de inmediato: podía aportar mi experiencia de cuarenta años también a los jóvenes, transmitirles algunos conceptos fundamentales sobre qué es el fútbol como juego ofensivo y como espectáculo. He trabajado con los primaveras del Cesena y la Fiorentina, he entrenado a equipos de muchachos, por lo cual tener la responsabilidad de la sección juvenil de la Selección me parecía la mejor manera de transmitir mi experiencia a las nuevas generaciones. Enseñar, por ejemplo, cómo el sentido del deber, la generosidad y la ambición (que no se debe nunca transformar en soberbia o en presunción) son el bagaje necesario para el futbolista de mañana, orgulloso de llevar una camiseta, la *azzurra*, que ha escrito páginas inmortales en la historia del fútbol mundial. La victoria se cimenta en la seriedad con que uno se prepara.

Y

Con las secciones juveniles de la selección creamos un grupo homogéneo, de la sub-15 a la sub-21. Mi función fue elegir, seguir, actualizar, aconsejar e intercambiar opiniones con los entrenadores de los distintos equipos. Señalaba el estilo y la filosofía de juego, que debía ser común a todas las selecciones. Proponía las metodologías y la didáctica para llevar a cabo el juego requerido; presenciaba las competiciones y hablaba con los técnicos antes y después de los campeonatos. Iba a los entrenamientos; a veces gritaba y trataba de corregir los errores de bulto. Además, había un trabajo de coordinación de todos los pasos, de la convocatoria previa a la competición; creaba una planificación técnica, convocaba a los entrenadores de las secciones juveniles de los clubes. Aprovechaba toda la experiencia que había acumulado internacionalmente y trataba de ponerla a disposición de los muchachos y de los entrenadores de las selecciones.

Para hacerlo, junto con mis colaboradores, habíamos creado unas fichas de evaluación de los jugadores con notas que iban de uno a diez: 1) inteligencia, 2) personalidad, 3) voluntad y 4) técnica. Si no alcanzaban el veintinueve quedaban descartados; de treinta a treinta y uno debían revisarse; de treinta y uno a treinta y dos y medio, participaban en una segunda elección. Del treinta y tres en adelante estaban en la plantilla de la selección. Hoy aquellas fichas las reescribiría de este modo: 1) inteligencia, 2) sensibilidad, 3) voluntad, 4) temperamento y 5) técnica, teniendo en cuenta que este último aspecto es también lo que, sobre todo, se puede mejorar en el entrenamiento, mientras que el temperamento y la velocidad tienen que ver más con las condiciones naturales de cada cual: o los tienes, o no los tienes.

ϒ

Aún hoy en Italia se gana el campeonato preferentemente gracias a la defensa y a las individualidades; al contrario, internacionalmente, se gana con un fútbol ofensivo y colectivo: dos modos, dos filosofías de entender el juego.

Mi filosofía era sencilla, pero, al mismo tiempo, revolucionaria, en Italia. En muchos aspectos aún no ha entrado a formar parte de la cultura deportiva de nuestro país. Pero si queremos estar a la altura de las competiciones internacionales, debemos construir un juego más evolucionado y moderno; cuanto más hagamos esto, más multiplicaremos las cualidades de los jugadores y las posibilidades de éxito. El juego no se puede improvisar o dejar a la inspiración del individuo, debe haber una idea común y un entrenamiento de base. El entrenador tiene que ser el creador; los jugadores, los ejecutantes, hábiles y dispuestos.

El problema con las selecciones es formar un equipo y no ser solo una suma de jugadores. Y solo se consigue si se juega un fútbol total con los once jugadores activos con o sin la pelota; las referencias han de ser, en este orden, la pelota y los compañeros. Y, por último, el adversario. La idea es la de ser dueños del campo y del juego con un equipo bien conjuntado y conectado; se debe recuperar la pelota de inmediato con la zona de presión y así que la posesión de la pelota crezca. La selección debe trazar el camino y ser un punto de referencia para los clubes; ha de ir un paso por delante. Un proyecto que hemos llevado a cabo en parte, y que aún tiene su valor.

Hemos propuesto algunas reformas estructurales en la federación, como la creación de centros federativos en diversos puntos de Italia, la obligación de que haya centros de formación para los clubes de primera; además, los clubes de primera y segunda han de tener responsables técnicos de las categorías juveniles, formados por medio de un curso que tenga una duración de, por lo menos, un año escolar.

Hoy se pueden proponer algunas modificaciones, pero, cuando nuestros competidores extranjeros pueden disfrutar de centros federales operativos, centros de formación en los clubes o academias y técnicos especializados que les permiten trabajar bien y con más tiempo a disposición respecto de nosotros, se hace duro ser competitivos, a pesar de nuestra historia.

Por eso he propuesto que en los equipos primavera se juegue con solo dos futbolistas que superen la edad permitida; se podría crear un torneo de segundos equipos para terminar el proceso de aprendizaje y maduración en el propio club (como ya ocurre en Inglaterra, España, Francia y Alemania) y se podría crear la categoría sub-14 en cinco o seis centros federativos periféricos (dos en el norte, uno en Coverciano, uno en Roma, uno en Nápoles, uno en el sur, en una localidad por definir) donde trabajasen algunos de nuestros técnicos con particulares competencias e hicieran actividades de *scouting*, además de verificación de los métodos de trabajo. He pedido a la federación un control más atento hacia los muchachos extranjeros para que los tutelen tal y como prescriben nuestras normas. He pedido que cada club tenga como responsable a un entrenador licenciado en Coverciano. Y luego que se invirtiera en y potenciar el departamento técnico con profesores cada vez más cualificados y que aumentaran los cursos de actualización para los entrenadores de base de las secciones juveniles y de los aficionados; además debería incrementarse el material didáctico. Por último, se tendría que ayudar económicamente con subvenciones a los clubes que crearan un centro de formación. Un modo de dar linealidad y uniformidad al juego.

Junto a Maurizio Viscidi y al *staff* de las categorías

juveniles, de los directivos a los entrenadores, he tratado de modernizar el departamento más delicado de la selección, aquel que hace crecer a los jóvenes y, por tanto, en el que se basa el futuro del fútbol italiano; sin una revolución con y para los jóvenes talentos no seremos competitivos con otras naciones que ya hacen todo esto a un alto nivel organizativo, como, por ejemplo, España, Alemania, Francia, Inglaterra, Holanda y, últimamente, Suiza y Austria. Si el fútbol es el espejo del país, nuestro sueño ha de ser estar «un día por delante» respecto de los clubes y de la sociedad misma, pensando en el fútbol como en un modelo de referencia en relación a una sociedad que no aprecia sus mejores energías. Sin un buen recambio generacional, este deporte está destinado a la extinción.

Hace algunos años di la alarma sobre la presencia de demasiados extranjeros en nuestros clubes. Si me pongo a leer las formaciones de los equipos de un encuentro del campeonato o de la Copa de Italia, a veces me parece que no estoy en un campeonato italiano; cuando hay demasiados extranjeros, la historia nos enseña que nuestro fútbol y nuestras selecciones sufren un grave retroceso. Miremos, por ejemplo, al Real Madrid: es verdad que hay muchos extranjeros, pero también hay muchos españoles, a menudo procedentes de la cantera; es algo que el público exige. En Italia solo interesa ganar; si lo haces con veinticinco extranjeros en el campo, pues da lo mismo. ¿Aún se puede hablar de campeonato italiano? Italia está en el puesto número treinta del ránking europeo con el porcentaje más bajo, solo el 8,4%, de jugadores procedentes de la categoría juvenil del propio club. En cambio, Francia está en el 23,6%, España en el 21,1, Alemania en el 16,6 e Inglaterra en el 13,6. Y la media europea es del 21,4%. Haciendo cuentas, en una plantilla de veinte-veinticinco jugadores, solo uno o dos provienen de la categoría juvenil del club. El Barcelona, a la cabeza de las clasificaciones europeas, tiene en el primer equipo a quince jugadores salidos de su cantera, nada menos. ¿Qué futuro puede tener nuestro fútbol frente a tales datos? ¿Y nuestra selección? ¿Dónde están los campeones de nuestro futuro?

Hoy en día, muchos clubes de fútbol piensan más en el negocio que en el juego. Algunos clubes compran grupos de muchachos extranjeros sin ni siquiera haberlos visto jugar, los traen a Italia en grupo, pues cuestan poco; luego los revenden a otros clubes y los abandonan a su suerte. El daño moral, ético y técnico es enorme. Los chavales, que sueñan con una realidad inexistente, sufren las consecuencias psicológicas.

La presencia de extranjeros en nuestros clubes tiene pinta de ir a más y más. Italia ha sido el peor país en toda Europa, con un aumento del 12,5% del número de foráneos entre 2009-2014. Alemania, en cambio, es el país que más ha mejorado en el mismo periodo con un 11% de extranjeros. Italia tiene cinco equipos en el *top* europeo por número de extranjeros: el Inter está entre los peores equipos, con el 88,9%; el Udinese, con el 80; la Fiorentina, con el 79; y el Napoli con el 73. ¿Qué beneficios obtienen de ello, por ejemplo, el espectáculo, el juego y la belleza de los distintos campeonatos?

¿Será casualidad que nuestra selección en los últimos dos campeonatos del mundo haya quedado eliminada a las primeras de cambio? Si no hay orgullo nacional en los clubes, ¿cómo puede haberlo en la selección? ¿Y quién ha ganado el último Mundial en Brasil? El sistema está tan podrido que hace algunas semanas han tergiversado una entrevista mía para acusarme de racista, cuando mi historia de entrenador dice algo muy distinto. Un periodista sin escrúpulos ha sacado de contexto una frase de un discurso: una caja de resonancia a partir de la cual periodistas superficiales, arribistas y hasta con intereses políticos han cabalgado en la ola de las polémicas para hacerse ver. Solo Mattia Losi, del *Sole 24 Ore*, cotejó la entrevista original y pudo desmentir las acusaciones.

Al final hasta da risa. Mi historia como entrenador deja claro que es todo lo contrario. He comprado a Rijkaard para el Milan, y a Adriano al Parma, donde entrenaba a Júnior, Mbomá y Appiah. Cuando estaba en el Real Madrid, Florentino Pérez me pidió un favor; para cambiar de entrenador, llamé a Vanderlei Luxemburgo, un brasileño. Pérez, que no lo conocía, me dijo cuando lo vio:

—Estás morenito.

—Un poquito —respondí, sonriendo.

Basta de todo eso.

En Italia, desde 2010 solo hemos ganado una Champions, con el Inter: ningún finalista en otras competiciones*. Penoso. Si se compara con el periodo entre fines de los años ochenta y los años noventa, lo que queda claro, una vez más, es cómo nuestro fútbol ya no es competitivo a alto nivel en la escena europea y mundial.

Y, así, nuestro fútbol es el espejo de una sociedad vieja, en plena crisis económica y cultural, en recesión, sin proyectos, que apuesta por el individuo y los jugadores extranjeros para poner remedio a una pobreza general de ideas. Lo que he intentado desarrollar en los años pasados con las categorías inferiores de la selección ha sido precisamente este proyecto de futuro para los jóvenes. Hemos obtenido algunos resultados que nos han dado grandes satisfacciones, como habernos con-

---

* Con posterioridad a la redacción de este libro, la Juventus de Turín alcanzaría la final de la Champions en la temporada 2014-2015, perdiéndola frente al FC Barcelona. (*N. del E.*).

vertidos en 2013 en subcampeones de Europa con la sub-21 y con la sub-17. Pero es necesario reformular todo el sistema, desde sus cimientos.

Evani, que hoy colabora como entrenador en las juveniles *azzurre*, ha subrayado en una entrevista mi aportación a las categorías inferiores de la federación: «Desde que ha llegado el míster Sacchi, han aumentado los *stages*, los partidos internacionales y las reglas. Ha querido desarrollar cierto tipo de juego, con el cual pueden aumentar los conocimientos de los muchachos. Todos nos hemos beneficiado, nosotros (los técnicos) y los jugadores. Hemos aprendido más cosas. Está mejorando también la actitud de los clubes, que últimamente han comenzado a valorarlos con más atención, aunque todavía no estamos a los niveles de los campeonatos extranjeros, donde las posibilidades para los jóvenes son mayores e incluso llegan antes».

El estrés ha ganado su partida. De día voy al gimnasio y corro en bicicleta. Me gusta salir con los amigos, ir al bar y charlar de fútbol, salir a cenar y encontrarme con el Profesor, que ahora es como un hermano para mí. Siento la necesidad de ir a un restaurante o a una pizzería con mis seres queridos, como hacen las personas normales

Deseo una vida sencilla con mi familia y los amigos de mi pueblo. Después de haber vivido tantos años pisando el acelerador, me gusta vivir tranquilo. Descanso, aún miro partidos.

En verano me traslado a Milano Marittima, donde camino por la playa y, sobre todo, corro por la pineda de detrás de casa. Leo los periódicos, escribo. Desde que tenía doce años, Milano Marittima ha sido para mí el otro pueblo, el de veraneo, donde estaba con mi familia de mayo a septiembre. Pero no es solo el lugar donde paso las vacaciones, es un lugar de afectos, de recuerdos y de trabajo: una de mis hijas hoy gestiona el hotel La Perla Verde.

En verano, en cuanto podía, corría a refugiarme en Milano Marittima, como en invierno iba a Fusignano. Es la otra parte de mi corazón. Aquí conozco a todo el mundo, y todos me piden qué me parece este o aquel futbolista, aquel partido, aquel equipo, Por otro lado, siempre he necesitado la presencia del mar. Para no hablar de los aficionados que atestan la costa durante las vacaciones. Y creo que es justo que así sea.

Cuando echo la vista atrás, me siento muy orgulloso de mi carrera de entrenador. Empecé con los aficionados, mi verdadera universidad; luego estuve un año en los semiprofesionales, tres años en tercera, un año en segunda, cuatro años con los juveniles de la Fiorentina y del Cesena. Finalmente, desembarqué en primera. He hecho toda la escalada sin haber sido nunca destituido y nunca descendí, con equipos de jóvenes que deberían haber luchado por la salvación y que, a menudo, se encontraban luchando en la cima de los distintos campeonatos.

Muchos de esos campeones del Milan han proseguido de distinta manera la difícil profesión de entrenador. Donadoni, Rijkaard, Gullit, Evani, Van Basten, Ancelotti... Eran profesores en el campo; hoy lo son en el banquillo. Todos ellos, de un modo u otro, siempre han reconocido que el trabajo hecho con el Milan a fines de los años ochenta fue fundamental no solo para su carrera de jugadores, sino también de entrenadores. Y luego están también los entrenadores que miran el juego de aquel Milan como un punto de referencia: me refiero a Pep Guardiola o Jürgen Klop, que nunca dejan de gratificarme con sus palabras, como ha ocurrido inmediatamente después de la final de la Champions League, cuando Klop, en una entrevista televisiva, afirmó: «Nunca lo he visto, pero lo he aprendido todo de él. Todo lo que soy se lo debo a él. Mi Borussia es solo un diez por ciento de su gran Milan».

He tenido la suerte, gracias a mi trabajo, de poder visitar museos, de ver grandes muestras, pues una de mis pasiones secretas es el arte. Amo la pintura, especialmente la flamenca.

Una vez, cuando ya sabía que me marcharía de España y del Atlético, en el Prado de Madrid, Pincolini y yo nos encontramos a algunos aficionados españoles que no solo se asombraron de verme en el museo, sino que me declararon todo su afecto y me pidieron que no me fuera.

No he sido un buen padre, he descuidado a mis hijas. Y ahora no quiero hacer lo mismo con mi nietecita, que nació hace tres años. Y hay otra en camino. A veces hay días en que me acuesto bajo el cielo, bajo los árboles que amo. Conozco su historia, su nombre en latín, sus características. Me gustan los árboles, son símbolo de fuerza y de grandeza, se elevan hacia el cielo. Tienen una larga vida: estaban y estarán antes y después de nosotros. Nos sobreviven. Y así me recuesto en la galería y escucho la brisa que mueve las frondas. Un sonido maravilloso que solo la vida y la naturaleza te saben dar.

Las grandes cabeceras deportivas en papel cuché que se publican en el exterior continúan dedicando grandes reportajes a la idea de mi fútbol y a hablar de mi revolución: en Francia, *Sofoot* dedicó nada menos que catorce páginas a mi historia y a la del Milan.

Otra satisfacción fue la de haber ganado dos veces consecutivas el «Sembrador de Oro», en 1988 y en 1989, y que de *Times* me nombrara el mejor entrenador italiano de todos los tiempos y el undécimo del mundo.

He recogido mucho en poco tiempo. La vida me ha dado emociones, la compañía de mi mujer, el afecto de mis hijas, los ochenta mil hinchas *rossoneri* que cantaban mi nombre en el último partido con el Milan, después de cuatro años de victorias, o el abrazo con Franco Baresi, que, viniendo hacia el centro del campo, comenzó a llorar porque había fallado el penalti, o la alegría de Van Basten cuando marcó el penalti contra la Estrella Roja, o la victoria sobre el Real Madrid por 5-0 después de un partido perfecto, o el gol de Baggio contra Nigeria en el último minuto, o el autocar que arropaba la multitud de aficionados en Barcelona antes de la final contra el Steaua... He vivido momentos extraordinarios.

He dado mi vida al fútbol, y el fútbol me ha correspondido proporcionándome la alegría de una vida plena de emociones indescriptibles. Estoy seguro de que mi hermano Gilberto, al que dedico este libro de memorias, ha disfrutado y ha sufrido, ha reído y se ha divertido como yo durante mi larga carrera. Era hincha del Milan; estoy seguro de que durante todos estos años me ha seguido desde allí arriba, como un espectador más.

Mientras escribo y reflexiono sobre todos mis recuerdos, mi nietecita me lanza la pelota. Quiere jugar conmigo. Y entonces vuelvo a ver a mi padre cuando, aquel día de hace tantos años, en verano, me regaló el primer balón de mi vida. Cojo el balón y me voy con ella al césped de casa, se lo lanzo y ella le da una patada, luego sonríe, feliz, y corre a mi encuentro.

Yo la cojo en brazos y la alzo al cielo.

La carrera de Arrigo Sacchi

1973-1974: entrenador del Fusignano, 2.ª categoría aficionados, 1.er clasificado

1974-1975: entrenador del Fusignano, 1.ª categoría aficionados

1975-1976: entrenador del Fusignano, 1.ª categoría aficionados

1976-1977: entrenador del Alfonsine, 1.ª categoría aficionados

1977-1978: entrenador del Bellaria, 4.ª serie, categoría semiprofesionales

1978-1979: supercurso de Coverciano

1979-1980: entrenador del Cesena, primavera sección juvenil

1980-1981: entrenador del Cesena, primavera sección juvenil, campeón de Italia, 1.er clasificado

1982-1983: entrenador del Rimini, tercera, 5.º clasificado

1983-1984: entrenador de la Fiorentina, primavera sección
juvenil

1984-1985: entrenador del Rimini, primera, 4.º clasificado

1986-1987: entrenador del Parma, segunda, 7.º clasificado

1987-1988: entrenador del Milan, primera, campeón de Italia, 1.er clasificado

1988-1989: entrenador del Milan, primera, 3.er clasificado,
Copa de Europa, Supercopa de Italia

1989-1990: entrenador del Milan, primera, 2.º clasificado,
Copa de Europa, Supercopa europea

1990-1991: entrenador del Milan, primera, 2.º clasificado,
Supercopa europea

1991-1992: entrenador de la selección italiana

1992-1993: entrenador de la selección italiana

1993-1994: entrenador de la selección italiana, 2.º clasificado Mundial de EE. UU. 1994

1994-1995: entrenador de la selección italiana

1995-1996: entrenador de la selección italiana

1996-1997: entrenador del Milan, primera, en sustitución de Tavárez en diciembre de 1996

1998-1999: entrenador del Atlético de Madrid. Dimitió en enero de 1999

1999-2000: asesor técnico del Milan
periodista deportivo de *La Stampa*
columnista deportivo de Mediaset

2000-2001: entrenador del Parma, primera. Contratado el 1 de enero de 2001, dimitió un mes después

2001-2002: director técnico del Parma, primera, Copa de Italia

2002-2003: director técnico del Parma, primera, 5.º clasificado

2003-2004: director técnico del Parma, primera, 5.º clasificado

2004-2005: director técnico del Real Madrid. Contratado el 1 de enero de 2005, 2.º clasificado

2005-2006: director técnico del Real Madrid, dimitió el 31 de diciembre de 2005, 2.º clasificado

2006-2010: columnista televisivo de Mediaset y Al Jazeera-beIN
periodista deportivo de *La Gazzetta dello Sport*

2010-2014: coordinador de equipos nacionales juveniles (2013; selección italiana sub-21, subcampeona de Europa; 2014; selección italiana sub-17, subcampeona de Europa).

1994-2014: ponente en congresos de empresa, entre otros: Unicredit, UBS, Crédit Agricole, Mediolanum, Generali, BMW, FIAT, Iveco, Ferrero, Guzzini, Mapei, Bayer, Oréal, Würt, Fassa Bortolo, Fiorucci, Coca-Cola, Chiesi, Asociación Industrial de las Marcas, ACEA, Rima, Roche y Sabaf.

Este libro utiliza el tipo Aldus, que toma su nombre
del vanguardista impresor del Renacimiento
italiano Aldus Manutius. Hermann Zapf
diseñó el tipo Aldus para la imprenta
Stempel en 1954, como una réplica
más ligera y elegante del
popular tipo
Palatino

***
**
*

Fútbol total
se acabó de imprimir
un día de primavera de 2016,
en los talleres de Egedsa
Roís de Corella 12-16, nave 1
Sabadell (Barcelona)

***
**
*